BRUXELLES

BRUXELLES
FIN DE SIÈCLE

Sous la direction de
Philippe Roberts-Jones

EVERGREEN

EVERGREEN is an imprint of Benedikt Taschen Verlag GmbH

© pour cette édition: 1999 Benedikt Taschen Verlag GmbH
Hohenzollernring 53, D–50672 Köln

original French edition published by Flammarion
© Flammarion, Paris, 1994
under the title "Bruxelles fin de siècle"
© ADAGP, Paris, 1994 pour les œuvres de Adolphe Crespin, James
Ensor, Willem Paerels, Armand Rassenfosse, Fernand Schirren,
Léon Sneyers, Léon Spilliaert, James Thiriar,
Jules Van Biesbroeck et Privat Livemont
Avec la collaboration de: Paul Aron, Françoise Dierckens,
Michel Draguet, Serge Jaumain et Michel Stockhem

Conception de la couverture: Catinka Keul, Cologne

Printed in France
ISBN 3–8228–6969–4

Sommaire

7 Bruxelles, carrefour et creuset fin de siècle

15 1830–1870
La ville et les arts:
de l'indépendance au réalisme

49 1870–1893
Une nouvelle génération:
la modernité

127 1893–1914
L'avant-garde:
modernité et conformisme

260 Conclusion

262 Notes

266 Notices biographiques

271 Bibliographie

275 Index

280 Crédit photographique

Bruxelles,
carrefour et creuset fin de siècle

La douceur d'une courbe, l'enroulement et le déroule-ment d'une ligne, d'une phrase, la volute d'une fumée, d'une réflexion, peuvent évoquer la grâce, la légèreté, mais révéler aussi un laisser-aller, une facilité, ou encore la perversité, sinon un serpent. Le style fin de siècle, où la courbe, croit-on, triomphe, se voit souvent associé à ces dernières notions. Il y a certes du vrai. Les décadents se nomment tels et y trouvent leur beauté ; les symbolistes se complaisent parfois en complaintes, en un romantisme évanescent, animé du seul dard des libellules. La liberté des sens transgresse l'audace, ses ivresses et ses charmes, et tombe dans le satanisme. Tout cela est vrai, mais outre ces symptômes, que de ferments ! Lautrec et ses affiches, Redon et son imagi-naire, Cézanne et ses montagnes, Van Gogh et ses tournesols, Gauguin et Noa-Noa ! La fin de siècle porte ses antidotes, dont l'Art nouveau ; les vocables sont clairs, ils passent de la langueur à l'éveil, les climats sont changeants, c'est la Belle Epoque aussi avec ses expositions, ses créations, ses fêtes. Et toujours ce peut être, selon Mallarmé, « Le vierge, le vivace et le bel aujourd'hui ».

Les courbes parfois se rencontrent et se nouent, formulent une expression inattendue, un graphisme vif, jeune. Parfois la courbe se résout en coup de fouet. Cela se produisit à Bruxelles, et l'auteur en fut Victor Horta, un architecte génial qui métamorphose l'em-boîtement des lieux d'habitation en un enchaînement d'espaces et de lumière. Le jeu des courbes chez lui donne un sentiment de respiration et dynamise les rap-ports entre l'intérieur et l'extérieur. Dans un chef-d'œuvre de vitalité architecturale – agencement, espace, forme, lumière, décoration –, que l'hôtel Solvay incarne dès 1895, il pousse le souci du bien-être jusqu'à

Victor Horta, maison et atelier personnels (aujourd'hui musée Horta), 1898–1901. Détail de la façade. 23–25 rue Américaine.

y installer un réseau d'aération, sorte de conditionne-ment d'air avant la lettre ; l'utile et l'agréable s'intègrent ainsi à la perfection du style.

Si la Belgique, avec Bruxelles pour capitale, ne devient une nation indépendante qu'en 1830, les pro-vinces qui la composent avaient été unies sous divers régimes depuis des siècles. Le terme même de Belgique n'est pas une innovation. Sans remonter à Jules César, Philippe le Bon n'était-il pas, au XVe siècle, selon Juste Lipse, « *conditor belgii* [1] » ? Bruxelles et la province qui l'entoure, le Brabant, occupent le cœur de ces régions. Lieu de rencontre et de pénétration réciproque de deux cultures, latine et germanique, ce territoire doit, en grande partie, à ce phénomène sa richesse et sa diver-sité. Mais il est d'autres circonstances – historiques, politiques, économiques ou intellectuelles – qui ont favorisé son épanouissement au cours des âges. Le rôle de centre administratif national, voire européen, que Bruxelles joue aujourd'hui trouve ses origines dans un lointain passé.

Au Xe siècle, Charles de France, fils cadet de Louis IV et duc de Lotharingie, en fait sa résidence et, cinq siècles plus tard, Philippe le Bon y installe sa cour. Dès le milieu du XVe siècle, Bruxelles est virtuellement la capitale de l'État bourguignon, abrite près de trente mille âmes, marque l'horizon des tours de son hôtel de ville et de sa collégiale Saint-Michel. Charles Quint choisit la grande salle du palais du Coudenberg pour abdiquer en 1555.

Si le Brabant compte, dès le Moyen Âge, un des centres du pouvoir civil les plus importants d'Occident, il possède dès 1425, avec l'université de Louvain, un des plus anciens hauts lieux intellectuels de la chrétienté. Parallèlement une activité économique s'y développe – déjà intense dans le domaine du drap à la fin du XIIIe siècle – pour connaître, à l'époque industrielle, un essor particulier. La province a su garder néanmoins ses beautés naturelles, et les grands hêtres de la forêt de

Soignes dialoguent avec les paysages doucement modulés du Pajottenland. Les premiers retiennent les regards d'Hippolyte Boulenger au XIXᵉ siècle, comme ceux d'un Jacques d'Arthois deux siècles auparavant ; les seconds sont le cadre des paraboles et des scènes animées de Bruegel l'Ancien, installé à Bruxelles en 1563, comme ils serviront de décor trois siècles plus tard aux thèmes sociaux d'un Eugène Laermans.

En art, l'efflorescence est en effet remarquable. Il suffit de citer quelques exemples au hasard des époques et des techniques : la notoriété internationale des retables en bois des XVᵉ et XVIᵉ siècles ; le gothique brabançon des hôtels de ville et l'architecture des églises jésuites ; les ouvrages xylographiques du monastère de Groenendael vers 1450 ; les ateliers de tapisserie qui, de Bruxelles, alimentent les pays voisins et auxquels le pape Léon X s'adresse en 1560 pour l'exécution de la suite des *Actes des apôtres* d'après les cartons de Raphaël.

Quant à la peinture, qui se révèle le langage dominant, l'école bruxelloise trouve son autonomie à partir du XVᵉ siècle, et la venue du Tournaisien Roger de le Pasture, dit Rogier Van der Weyden, en est la cause déterminante. Sa personnalité s'impose, magistrale. Un atelier très actif accueille des artistes étrangers, forme des élèves et exerce son influence au-delà des frontières. À cette même époque, le Gantois Hugo Van der Goes, admis comme frère convers à Rouge-Cloître, non loin de la ville, y exécute ses derniers tableaux. Bruxelles rayonne donc au siècle des Primitifs. Vient ensuite Bernard Van Orley, peintre en titre de Marguerite d'Autriche, et la ville reprend sa place prépondérante avec Bruegel qui y peint ses principaux chefs-d'œuvre. Anvers, grande métropole commerciale, règne sans défaillance sur le XVIIᵉ siècle avec Rubens, Van Dyck, Jordaens et Bruegel de Velours. Léopold-Guillaume, gouverneur général des Pays-Bas et grand collectionneur, pour conserver et enrichir sa galerie de tableaux, attire à Bruxelles, dès 1651, David Teniers le jeune, artiste fécond, estimé et célèbre.

Après le XVIIIᵉ siècle, période ensommeillée mais non sans charme, c'est à Bruxelles ainsi qu'à Anvers que renaît la création picturale, que le respect du sujet, le savoir-faire technique et l'enseignement des gildes avaient entretenue et enrichie à travers les âges. Cette affirmation renouvelée d'une personnalité spécifique est reconnue à Paris, dès 1855, par Edmond About lorsqu'il déclare : « L'exposition belge est la plus brillante

après la nôtre » ; et, sept ans plus tard, lors de l'exposition internationale de Londres, Thoré-Bürger souligne : « Ce qui surprend les Anglais et tout le monde, c'est l'école belge[2]. » Bruxelles avait connu avec les frères Stevens le renouveau d'un courant réaliste autochtone en 1848 ; c'est à Bruxelles que s'anime, en 1868, la Société libre des Beaux-Arts et que brille, en 1884, d'un éclat international, le cercle des XX ; c'est Bruxelles enfin qui, capitale d'un royaume, devient centre de convergence des arts.

La fin du siècle enregistre et diffuse à la fois des sons et des couleurs multiples. Si l'époque a vu s'ériger les nationalismes et se marquer les découpes géographiques de l'Occident, celui-ci a par ailleurs élargi ses frontières. L'aventure coloniale se développe et aux grandes nations d'alors – Angleterre, France ou Allemagne – le souverain d'un petit pays, Léopold II, n'hésite pas à prêter l'oreille aux projets audacieux de l'explorateur Stanley et se taille un empire au cœur de l'Afrique. Mal comprises des citoyens, chez qui le sens du gain ignore celui de la prospective, les ambitions royales rencontrent plus d'hostilité que d'encouragements. La fortune privée du roi est dès lors sérieusement entamée et l'étranger, conscient des richesses potentielles du Congo, déguise son envie, entre autres sous le couvert d'une caricature où Léopold II, en montreur d'animaux sauvages, déclare : « Prenez mon ours, say-tu[3]. » Comme quoi l'histoire belge, à Paris ou ailleurs, ne date pas d'aujourd'hui !

La Belgique doit à son souverain, outre les ressources d'une colonie pendant plus d'un demi-siècle, un sens de la grandeur en maints domaines, qui ne fut pas toujours bien perçu. D'Ostende, petite ville côtière, le roi fit une cité balnéaire que fréquenta l'Europe. À Bruxelles, il fut bâtisseur et urbaniste, suscitant les tracés larges, les espaces verts, les monuments, de l'avenue de Tervueren au jardin du Roi et à l'arche du Cinquantenaire ; souvent sa cassette privée fut mise à contribution. Sans doute, s'il voyait grand, ne regardait-il pas toujours d'assez près les problèmes sociaux qui se posaient gravement dans son pays, tout comme ailleurs. Son discours du trône de 1886, où il souligne la nécessité de réformes, obéit peut-être à la pression des événements, encore faut-il lui reconnaître la fermeté du langage et la générosité des propos.

Cette époque demeure partout curieusement sourde aux revendications du monde ouvrier et aux idées du marxisme ; de même l'individu, prisonnier des conventions établies, devait-il rester longtemps étranger aux questions que soulèvera un Sigmund Freud. La fibre artistique se révèle plus sensible, et le prolétariat sera davantage compris par les artistes que par les politiques. En 1850, Courbet démontrait – au scandale de tous – « qu'un casseur de pierres vaut un prince », pour citer un de ses rares défenseurs[4]. En Belgique, dès 1848, des peintres réalistes dénonçaient eux aussi l'injustice et, en fin de siècle, les œuvres les plus éloquentes et les mieux abouties sont bruxelloises. Constantin Meunier donne à l'ouvrier dignité et noblesse, et Octave Mirbeau loue cet art lorsque le sculpteur expose, en 1896, dans la galerie parisienne de Bing, à l'enseigne de *l'Art Nouveau.* Un tableau d'Eugène Laermans, *Soir de grève,* fut en 1893 – et le reste peut-être encore – l'image la plus puissante d'une juste revendication. La vision émeut, non par son naturalisme, mais par la force de son langage plastique, celle d'un réalisme que l'on pourrait qualifier d'outrepassé. En cela, l'œuvre s'inscrit dans un courant majeur de l'art belge au XIXe siècle qui annonce, avec Guillaume Vogels ou Henri Evenepoel, et affirme, avec James Ensor, l'expressionnisme à venir.

Ensor fut l'homme habité, le peintre novateur. Submergé par ses fantasmes, il offre la palette violente de son subjectivisme et la vision irréaliste d'un univers où le foudroiement des anges et les masques se disputent le premier plan. Agressif et incompris, fidèle malgré tout à l'épopée du cercle bruxellois des XX, son rôle de précurseur ne sera vraiment reconnu, à l'étranger, qu'après sa mort, lorsqu'un historien d'art américain, parlant des *Tribulations de saint Antoine,* une toile datée de 1887, écrira : « En vérité, à ce moment de sa carrière, Ensor était probablement le plus téméraire des peintres vivants[5]. »

L'esprit de ce temps était mieux accordé aux inventions et nuancements du symbolisme. Félicien Rops, illustrateur étonnant des *Diaboliques* de Barbey d'Aurevilly en 1879, fera dire à la critique parisienne : « Il y a là un frisson nouveau dans l'art.[6] » ; l'ancien président de la Société libre des Beaux-Arts avait acquis une

Paul Hankar, maison personnelle, façade, 1893–1894. 71, rue Defacqz. Photographie ancienne. Bruxelles, coll. archives d'architecture moderne.

réputation qui dépassait les frontières, y compris celles de la bienséance par son parfum de soufre ! Le symbolisme est multiple. Il peut être « le frisson des choses, le souffle flottant », aux dires du poète Charles Van Lerberghe, tout comme il se trouve, selon Maurice Maeterlinck, dans « les grands trésors de l'inconscience[7] ».

L'auteur de *Pelléas,* Gantois de naissance, prix Nobel de littérature en 1911, fut un écrivain majeur. André Gide n'hésite pas en 1894 : « Nous n'avons à présent en France aucun écrivain qui vaille à beaucoup près Maeterlinck[8]. » *Les Serres chaudes* révèlent un précurseur d'Apollinaire et des surréalistes. La preuve ? « Il y a une ambulance au milieu de la moisson », ou « Ailleurs la lune avait fauché tout l'oasis ». Le poète fut également un rénovateur du théâtre fin de siècle avec Ibsen, Strindberg ou Shaw. Son *Oiseau bleu,* tout comme *Pelléas,* connurent alors un succès mondial. Le Russe Constantin Stanislavski, l'Allemand Max Reinhardt, le Français Lugné-Poe assureront des mises en scène avec un art qui faisait d'eux les premiers de leur temps. *Pelléas* connaîtra les musiques de Gabriel Fauré, Claude Debussy, Arnold Schönberg ou Jean Sibelius. Les écrits de Maeterlinck, qui éveillent une telle attention et de tels hommages, sont portés par une langue souvent en marge de la tradition. Avec ses lenteurs, ses déviances, s'il y a maladresse parfois, l'intensité y trouve ses ressorts et, pourquoi pas, ses coups de fouet !

Émile Verhaeren, lui aussi, est poète d'un autre lieu du langage lorsqu'il traduit, dans *Les Villages illusoires,* la pluie du plat pays :

> Longue comme des fils sans fin, la longue pluie
> Interminablement, à travers le jour gris,
> Ligne les carreaux verts avec ses longs fils gris,
> Infiniment, la pluie,
> La longue pluie,
> La pluie.
> …

Mallarmé reconnaît là néanmoins un « neuf et grand poète » disant, dans un *Toast,* sa « joie du grandiose, du / vrai jusqu'au poignant et au tendre, / de l'étrange, du tumultueux, / du grave qu'accorde, entre eux, / selon un génie humain, son / Vers[9] ».

La peinture symboliste, quant à elle, trouve chez Fernand Khnopff un remarquable officiant. Hautain en apparence, introverti et narcissique en réalité, fier de sa devise « On n'a que soi », il inventait et invoquait des images à la fois précises et lointaines, à la fois subtiles et mémorables. Ici, pourrait-on dire, l'originalité réside davantage dans le choix que dans la manière de formuler. Xavier Mellery ne disait-il pas : « Celui qui aura fait oublier la couleur et la forme au prix de l'émotion aura atteint le but le plus élevé[10] » ? Si l'émotion doit rester primordiale pour qu'il y ait art, Khnopff en filtre les effets jusqu'à l'énigme ; William Degouve de Nuncques, par contre, garde les yeux ouverts « pleins d'enfance étonnée et pensive[11] ».

Tout cela et bien d'autres tonalités se voient réunis au cœur du cercle des XX, groupe polymorphe qui, dès 1884, par des expositions annuelles – auxquelles participent les Whistler et Cézanne, Monet et Renoir, Gauguin et Van Gogh, Burne-Jones et Seurat –, par ses concerts, ses conférences et ses prolongements dans *La Libre esthétique,* transforme Bruxelles en un creuset de l'avant-garde. Octave Maus, avocat et mécène, avec sa revue *L'Art moderne* et ses amis Edmond Picard, Émile Verhaeren ou Théo Van Rysselberghe, orchestre « trente années de lutte pour l'art ». La musique s'accorde dans une vie intense, de Wagner à Debussy, de César Franck à Guillaume Lekeu, des opéras de la Monnaie aux Concerts populaires, de Vincent d'Indy et Georgette Leblanc à l'archet d'un Eugène Ysaÿe.

Fin de siècle et Art nouveau s'identifient à Bruxelles à travers l'architecture et ses décors, avec Victor Horta, mais aussi avec Paul Hankar et Henry Van de Velde, que le destin devait mener à fonder l'École des arts décoratifs de Weimar en 1908. L'Art nouveau ne récolte pas tous les suffrages. En 1908 encore, Anatole France fait dire à un vieil amateur dans *L'Île des pingouins* : « On voit trainer sur les façades avec une mollesse dégoûtante des protubérances bulbeuses ; ils appellent cela les motifs de l'art nouveau …[12] ». Le rayonnement de cette « belle époque » fut le fait de ses artistes, soutenus par les éléments intellectuels et progressistes d'une bourgeoisie nantie, quelques-uns, comme toujours, en marge du goût traditionnel, académique ou éclectique. L'art se meurt, on le sait, dans une société, faute d'y trouver des points d'ancrage : l'Art nouveau, qui se voulait total, offrait son intégration et sa ponctuation architectonique.

En cette fin du XIXe siècle, les proximités furent grandes. Bruxelles n'était pas une succursale, mais bien un relais et un centre. Si Lautréamont, Rimbaud ou Mallarmé y publient leurs chefs-d'œuvre, dans des

conditions parfois obscures, Félicien Rops investira Paris, et Théo Van Rysselberghe offre au néo-impressionnisme français son génie de portraitiste. Le cercle des XX ouvre largement ses portes aux arts décoratifs et à Walter Crane en 1891, mais Willy Finch ira fonder, à Helsinki, l'école de céramique finlandaise. Si Khnopff triomphe à la Sécession de Vienne en 1898, l'Autrichien Josef Hoffmann construira à Bruxelles le palais Stoclet enluminé des mosaiques de Gustav Klimt. Ainsi l'Europe était-elle réalité avant que le nationalisme politique, en 1914, ne la déchirât.

Philippe Roberts-Jones

1830–1870
La ville et les arts :
de l'indépendance
au réalisme

Un État inventé

Riche d'un passé et d'une tradition flamboyants, la Belgique est née en août 1830 d'une révolution romantique qui devait chasser l'occupant hollandais. La légende veut qu'elle prît corps au hasard d'un opéra, *La Muerte de Portici*, joué à la Monnaie. Dans la tourmente insurrectionnelle qui embrasait l'Europe, le soulèvement portait la marque de différences de sensibilité, de culture et d'évolution entre le Nord, flamand et rural, et le Sud, francophone à vocation industrielle. L'indépendance a été le fait d'une bourgeoisie francophone catholique hostile à l'aristocratie protestante de la famille Orange-Nassau, qui se trouvait à la tête du pays depuis l'échec de Napoléon à Waterloo en 1815. Le désir de liberté se doublait d'une intention économique des élites francophones qui entraîna le pays dans une industrialisation massive.

L'identité belge qui s'est dessinée en 1830 témoigne d'un pragmatisme consensuel. La Belgique, pièce nouvelle sur l'échiquier européen, devra défendre le tracé de ses frontières et trouver les formules politiques de son unité grâce à une Constitution libérale, promulguée le 11 février 1831, et une monarchie (les Saxe-Cobourg-Gotha) acceptée par toutes les grandes puissances. La Constitution, de laquelle émanait l'idée de

progrès, garantissait les principales libertés individuelles mais réduisait le pouvoir électoral à une minorité de la population – 1 % en 1830, 5 % en 1880 – définie selon le cens. L'indépendance de la Belgique est acquise mais doit réfréner ses ambitions extérieures ; et le jeune État se voit imposer par les puissance européennes le concept de neutralité perpétuelle. Cette notion a consacré la vision d'une Belgique qui, au cœur de l'Europe, telle une clé de voûte, garantirait l'équilibre des nations. La naissance de la Belgique moderne a dû autant à la volonté britannique d'isoler la France qu'à l'incapacité des Pays-Bas à réunir ce qui avait été défait par la Réforme. Ainsi s'esquisse un État dont l'identité relève d'une image intérieure faite de progrès et d'archaïsme, de modernité et de conservatisme, d'invention et de tradition.

Nation créée, la Belgique vit, au long du XIXe siècle, au rythme d'une réalité qui ne tolère ni le pouvoir central fort ni l'unitarisme autocratique. Elle forme un petit État aux ressources naturelles nombreuses et diversifiées. On y trouve de la houille, source d'énergie indispensable au développement industriel, mais aussi différents minerais, divers matériaux (ardoise, pierre, terre à brique …), et de vastes forêts qui fournissent le bois nécessaire aux mines, à la construction et au chauffage. La superficie du pays permet aux industriels de ne jamais être très éloignés de ces richesses dont l'accès est bientôt facilité par le développement de nombreuses voies de communication[1].

Pays prospère, la Belgique a fondé son essor économique sur une situation sociale propre à l'Europe entière : le faible coût de la main-d'œuvre – avec pour corollaire la misère du peuple – autorise un développement industriel dans lequel une bourgeoisie triomphante depuis l'indépendance investit massivement. Aussi, la Belgique est-elle rapidement devenue l'un des pays les plus riches d'Europe, et Marx n'hésite pas à y voir le « paradis du libéralisme continental ». Les dirigeants du jeune État mènent une politique pragmatique et active qui vise à soutenir une industrie privée des débouchés offerts par le marché hollandais – fermé depuis 1830 – et entravée par l'établissement d'un péage sur l'Escaut. La construction d'un des réseaux ferroviaires, le premier du continent, les plus denses du monde et d'un nombre important de routes, tout en favorisant l'essor économique, impose la Belgique – et Bruxelles – comme carrefour de l'Europe moderne[2].

Action de la Compagnie générale de Chemins de fer et de Travaux public. Coll. part.

DOUBLE PAGE PRÉCÉDENTE : Guillaume Low, alignement d'hôtels particuliers de style éclectique, 1903–1905. Rue aux Laines.

Vue générale des bâtiments conçus par Gédéon Bordiau pour la célébration du Cinquantenaire de l'indépendance. Seuls les pavillons sont définitifs, l'arcade et les galeries sont en bois et en stuc. Photographie Damanet, 1880. Bruxelles, archives du Palais royal.

L'État aide aussi l'industrie et l'agriculture par des mesures de protection en matière douanière et par la réglementation de la circulation monétaire (création en 1850 de la Banque nationale). Durant cette première période, qui s'étend de 1830 à 1850, la Belgique connaît une relance de son activité industrielle et commerciale. Dès le milieu du XIXe siècle, l'État s'érige en champion du libéralisme économique. Sous l'impulsion notamment du libéral liégeois Walthère Frère-Orban (1812–1896), diverses lois suppriment les entraves à la libre circulation des marchandises. La plus célèbre est restée sans conteste la supression des octrois (1860) qui, en détruisant la ceinture de péages qui étouffaient les villes, a facilité les échanges et diminué le prix des denrées. Le pouvoir central apporte ainsi une aide directe et efficace au développement industriel en contrôlant lui-même un secteur clé pour l'établissement des coûts de production : les transports. Cette politique, inspirée par une bourgeoisie en plein essor, sera adoptée aussi bien par le parti libéral que par les catholiques.

La victoire du libre-échange correspond à une période de grande prospérité : le troisième quart du XIXe siècle est marqué par un développement tel que la Belgique apparait comme le pays le plus industrialisé du monde après l'Angleterre[3]. Le coût social et est toutefois énorme[4]. La situation du monde ouvrier et des campagnes frappe artistes et écrivains qui, témoignant de la misère, participent aux luttes sociales qui marqueront bientôt le siècle.

Culture et identité nationale

Dans ce pays nouvellement reconnu, l'identité nationale a constitué un des enjeux essentiels assignés aux arts. Dans son discours du trône, prononcé en 1865, Léopold II ne cache pas qu'il faut affirmer la grandeur du pays sur le plan culturel, donnant par là une expression politique à une réalité vécue depuis l'indépendance. Ainsi, l'identification à une culture doit contribuer à forger cette conscience nationale nécessaire à l'unité. Le débat sur l'existence d'un art national reste vivace tout au long du siècle : aux écrivains qui veulent se distinguer de Paris, répondent les peintres qui retrouvent dans l'éclat d'un Rubens ou dans la sensibilité concrète des primitifs l'expression d'une école nationale, autonome et riche. La commémoration du Cinquantenaire de l'indépendance sera l'occasion de dresser un premier panorama de l'art belge révélateur de ce souci identitaire.

Dès 1830, ce besoin d'affirmation s'était exprimé dans un courant romantique hostile à l'académisme[5]. Au rationalisme du néo-classicisme, souvent perçu comme une importation française étrangère à la tradition nationale, s'oppose une sensibilité baroque attachée à la sensualité des matières. Cette constante septentrionale devait s'affirmer à Anvers, ville au riche passé, à Malines et à Liège pour renaître dans la tourmente romantique. L'année 1830 marque le triomphe, au Salon de Bruxelles, du romantisme mené par Gustave Wappers et solidement implanté à l'académie d'Anvers. Aux formules néo-classiques développées prar les disciples de François-Joseph Navez – élève de David qui présida aux destinées de l'Académie des beaux-arts de Bruxelles –, le romantisme oppose une peinture spectaculaire, à l'iconographie héroïque. Le romantisme, à l'instar d'un Louis Gallait ou Antoine Wiertz, affirme la tradition nationale en recherchant pour ses compositions la monumentalité et le savoir-faire de la peinture flamande du XVIIe siècle, dans laquelle la forme tourmentée perd toute stabilité pour exprimer l'individu dans la subjectivité de ses passions.

Témoin du passé, l'art affirme des valeurs nationales tant par ses sujets que par cette facture qui emprunte à une longue tradition. Sur le plan littéraire, l'iconographie nationale trouvera à s'exprimer dans le roman historique qui connaît son essor entre 1815 et 1850. Durant cette période, les écrivains célèbrent de façon quasi systématique tous les événements marquants de l'histoire des provinces belges depuis le Moyen Âge – *Philippine de Flandres ou les Prisonniers du Louvre* de Moke, *La Cour du duc Jean IV* de Saint-Genois. Cherchant à affirmer sa spécificité, l'élite intellectuelle entend se détacher de la trop forte influence

Paul Bonduelle, temple maçonnique inauguré en 1910, intérieur. 79, rue de Laeken.

Le canal : bassin des marchands vers 1900. Photographie ancienne.
Bruxelles, archives de la Ville.

française. Ainsi, aux courants littéraires français, jugés
trop audacieux, voire immoraux, elle préfère des
modèles allemands et anglo-saxons.

Par ailleurs, si la contrefaçon permet le développement d'imprimeries puissantes, elle donnera, aux yeux
des critiques français, une image négative des productions littéraires belges. Coupées des nouveaux courants,
celles-ci chercheront trop souvent leur légitimité dans le
repli nationaliste.

Suivant les principes du mouvement saint-simonien,
dont l'influence se fait sentir parmi les forces vives du
pays, le romantisme participe activement à la construction d'un univers dont l'industrie apparaît comme le
principal vecteur de progrès. Du néo-classicisme au
romantisme, l'école picturale belge se signale par un
attachement à la réalité qui s'exprime librement dans
l'effet, dans le rendu du détail, dans la présence tactile
des matières. Le désir de représenter le réel se doublera
peu à peu d'un besoin de témoigner d'une réalité
vécue. À traves le réalisme, le positivisme et le naturalisme, la modernité s'affirmera dès les années 1870.

La ville : son rôle et sa signification

La capitale tire profit des succès du nouvel État, deve-
nant le symbole de sa réussite. Bruxelles occupe une
polace privilégiée dans la Belgique du XIXe siècle.

Point central du pays par sa position géographique, elle
s'affirme comme un nœud de communication por-
tuaire, routier et, plus tard, ferroviaire, qui en favori-
sera le développement tant commercial qu'industriel.

Elle s'impose aussi comme une place financière internationale : aux capitaux venus de l'Europe entière s'ajoutent les initiatives intérieures visant à garantir l'industrialisation rapide du pays. La Société générale, afin de
favoriser l'industrie nationale, et la Banque de Belgique
choisissent Bruxelles pour abriter leur siège central.

La présence de nombreuses petites entreprises à la
production fort diversifiée ainsi que l'interpénétration
très étroite des ateliers et des logements ont souvent fait
oublier que Bruxelles et ses faubourgs formaient déjà au
XIXe siècle le principal centre industriel du pays. C'est
aussi l'agglomération la plus peuplée. Elle a connu une
forte croissance démographique qui ne s'est ralentie
qu'au siècle suivant : de cent quarante mille habitants en
1831, la population est passée à environ deux cent trente
mille en 1846 et a atteint un demi-millon à la fin du
siècle. Les communes limitrophes ont profité de cette
augmentation liée aux transformations urbanistiques
qui ont donné à la capitale son visage moderne. Le
centre ville, quant à lui, a connu une évolution inverse[6].
Destiné à accueillir institutions, administrations et
édifices de prestige, il s'est progressivement vidé d'une
grande part de ses industries et de sa population : les
plus pauvres suivent les usines dans les banlieues du
nord-ouest, les plus riches élisent domicile dans de
nouvelles communes verdoyantes à l'est de la cité.

Bruxelles est le centre de l'activité nationale par la
présence de la famille royale, du personnel politique,
des principales institutions et des sièges d'importantes
sociétés. C'est aussi cette ville symbole que choisit le
parti libéral pour organiser, en 1846, son premier
congrès et, c'est toujours à Bruxelles que, trente-neuf
ans plus tard, le parti ouvrier belge se constituera offi-
ciellement. Corollaire de cette situation, la vie politique
communale dépasse le cadre strictement local. Tous les
partis cherchent à être présents au Conseil communal
de Bruxelles qui, tout au long du XIXe siècle, restera
un bastion du libéralisme doctrinaire. Peu préoccupé
par les problèmes sociaux – jusqu'à la fin du siècle,
Bruxelles n'a, par exemple, aucune politique sociale en
matière de logement –, ce libéralisme se caractérise par
un anticléricalisme militant qui s'oppose à une tradition
catholique fortement implantée depuis la Réforme.

C'est dans ce contexte qu'il faut replacer l'aide accordée par la ville à l'Université libre de Bruxelles. Créée en 1834 pour contrebalancer l'influence de l'université catholique de Louvain reconstituée au lendemain de l'indépendance, l'université de Bruxelles va jouer un rôle déterminant. Un grand nombre d'acteurs politiques et culturels de la fin du siècle se reconnaissent dans le principe du libre examen et dans l'anticléricalisme qui marque le combat libéral et nourrit l'idéal maçonnique. Dans la même optique, les autorités bruxelloises soutiennent le développement d'un enseignement communal neutre, comme elles prennent en charge les enterrements laïcs qui, en 1880, représentent plus du quart des cérémonies funéraires bruxelloises.

Les métamorphoses d'une capitale

> La Belgique est un livre d'art magnifique dont, heureusement pour la gloire provinciale, les chapitres sont un peu partout, mais dont la préface est à Bruxelles et n'est qu'à Bruxelles[7].

À l'occasion de son séjour à Bruxelles en 1875, Eugène Fromentin a situé clairement la ville face au reste du pays. La fonction de capitale du royaume et de siège des principales institutions implique en effet la construction de nouveaux bâtiments ainsi que divers aménagements urbains qui modifient la configuration de la ville. Trois problèmes se posent : transformer le centre, régler la question de la liaison entre le haut et le bas de la ville et gérer l'expansion de la cité vers les nouveaux quartiers, industriels et ouvriers au nord, résidentiels à l'est.

Entre 1851 et 1913, les limites de Bruxelles sont modifiées au moins dix fois : la capitale est passée d'une superficie de quatre cent quinze hectares en 1830 à mille quarante-six à la veille de la Première Guerre mondiale. Très vite, on a pratiqué le percement de grandes artères au cœur même de la cité. La ville s'est aussi étendue vers l'est, où les travaux du futur quartier

EN HAUT : La Senne avant les travaux de voûtement. Photographie ancienne réalisée par les frères Ghémar. Bruxelles, archives de la Ville.

CI-CONTRE : La Senne pendant les travaux de voûtement. Photographie ancienne. Coll. part.

Avenue Louise, carte postale. Photographie ancienne. Bruxelles, archives de la Ville.

Bois de la Cambre : la pelouse des Anglais, carte postale. Photographie ancienne. Bruxelles, archives de la Ville.

Léopold (incorporé à Bruxelles en 1854) ont tracé de nouvelles avenues rectilignes. Celles-ci ont attiré la haute bourgeoisie qui a délaissé les rues bruyantes et populaires du centre pour venir établir d'agréables demeures dans ces quartiers plus calmes du haut de la ville. Le tracé des rues du Trône, de la Loi et de l'avenue Louise – voie majestueuse qui conduit vers le bois de la Cambre et sur laquelle, à la fin du siècle, l'Art nouveau fleurira – a accentué encore cette extension vers l'est. Les allées du bois, aménagées par l'architecte paysagiste Édouard Keilig, sont devenues un lieu de promenade très apprécié des Bruxellois, tout comme

l'avenue Louise où sera inauguré, en 1869, le premier omnibus sur rail à traction chevaline.

Le règne de Léopold II, qui commence en 1865, sera celui d'un roi urbaniste, soucieux de l'essor de sa ville avant même qu'il accède au trône[8]. La volonté de renforcer le prestige de la capitale engendre un certain nombre de transformations. Il s'agit d'abord de donner à la ville un visage moderne. De vastes chantiers en bouleversent la nature profonde. Il convient de citer ici l'établissement de la distribution d'eau à domicile en 1854, la pose du système d'égout entre 1840 et 1870 et, surtout, les immenses travaux de voûtement de la Senne et de percement des boulevards centraux (1867–1871). Ces deux derniers projets expriment la nécessité d'assainir la capitale et d'y favoriser la circulation d'une population vouée à la croissance[9].

Les grands boulevards, inaugurés en 1871, ont développé un nouvel axe commercial et de circulation entre la gare du Nord et la nouvelle gare du Midi achevée deux ans plus tôt. Cette voie remplace désormais le traditionnel axe Est-Ouest qui passait par la montagne de la Cour, la rue de la Madeleine pour conduire au marché aux Poulets. Sur ces boulevards où les places s'ornent de sculptures, les constructions se sont multipliées : passages (passage du Nord en 1882), hôtels (Métropole en 1870), salles de spectacle (Alhambra en 1874) et cafés animent la cité. Ces derniers abritent une jeunesse qui s'entretient de littérature, de peinture ou de musique. Au Café Sésino, ouvert en 1872, se réunissent les membres de *La Jeune Belgique*. Bientôt, le centre ville accueille des grands magasins où se presse une foule bigarrée. À ces lieux de distraction se sont ajoutés les centres de décision. La Bourse de commerce est construite entre 1871 et 1873 par l'architecte Léon Suys, qui a réalisé le tracé des boulevards centraux. L'édifice, d'un style néo-classique très parisien chargé d'ornements, attire à Bruxelles des sculpteurs français comme Albert Carrier-Belleuse ou Auguste Rodin, privés de travail par la guerre franco-prussienne[10].

On parle d'« haussmannisation » de la cité par référence aux grands travaux entrepris dans la capitale française alors que, contrairement à ce modèle, la ville s'était refusée à imposer aux architectes des contraintes

PAGE DE DROITE : Alban Chambon, hôtel Métropole, 1893. Place de Brouckère.

La place de Brouckère. Photographie ancienne. Bruxelles, archives de la Ville.

semblables à celles qui donnent leur unité aux grands boulevards parisiens. Elle choisit plutôt de stimuler leur créativité en organisant en 1872 un concours de façades pour des immeubles de rapport, divisés en appartements avec commerce au rez-de-chaussée. Ces ensembles, ne recevant qu'un succès médiocre auprès du public, conduisent leur promoteur français à la faillite dès 1878.

L'année où Léopold II accède au trône, l'ingénieur Victor Besme propos un « plan d'ensemble pour l'extension et l'embellissement de l'agglomération de Bruxelles », car la ville s'étend en dehors de son ancienne ceinture de remparts ; il envisage la crétation d'une nouvelle ceinture de vingt-sept kilomètres qui engloberait des communes jadis rurales et devenues les faubourgs de Bruxelles, comme Schaerbeek, Saint-Gilles, Ixelles ou Saint-Josse-ten-Noode. Le plan suscite l'intérêt du souverain. Le roi intervient personnellement – et contribue financièrement – dans divers projets destinés à aérer la ville en ménageant de vastes perspectives et des parcs publics : Jardins du roi pour sauvegarder la perspective sur les étangs d'Ixelles depuis l'avenue Louise (1873), parc de Saint-Gilles-Forest (1875), tracé de l'avenue de Tervueren (1892), acquisition de terrains

à Tervueren entre 1865 et 1900 donnent à la cité une plus ample respiration. La ville croît au rythme de quartiers rasés, transformés, remodelés, créés selon le tracé de larges artères, scandés de places avec leurs édifices publics, leurs squares, leurs statues. Dans ces nouveaux noyaux d'habitations, les hôtels particuliers fleurissent en même temps que nombre d'ateliers d'artistes, dont certains vont s'affirmer comme de véritables entreprises. Ainsi, les ateliers de la rue de la Charité, fondés en 1874, sont célèbres pour leurs immenses panoramas qui sillonnent l'Europe entière[11].

Le tissu urbain, profondément transformé, accueille de nouveaux édifices qui répondent au goût du jour et aux besoins d'une capitale : passages couverts, églises, casernes, administrations, ateliers, hôpitaux, écoles, hôtels … L'année 1866 marque le coup d'envoi de ce qui, dix-sept ans durant, devait être le plus vaste chantier de construction en Europe : le palais de justice, dû à Joseph Poelaert. Curieusement, l'ampleur du bâtiment fut en général approuvée, car le palais de justice apparaissait comme un reflet « juste » de la grandeur de la nation belge. Le bâtiment domine le panorama bruxellois : les dénivellations du terrain accusent son aspect à la fois grandiose et mouvementé.

La rue de la Régence – qui depuis 1827 reliait la place Royale, où était installée la statue équestre de Godefroi de Bouillon due à Eugène Simonis, à l'église royale Saint-Marie – s'ouvre en 1872 en une majestueuse perspective sur le palais de justice. Sur la rue, face à l'église Notre-Dame-du-Sablon, un square orné de statues représentant les métiers est inauguré en 1890.

Dès l'indépendance, la sculpture était devenue un enjeu politique pour ceux qui voulaient inscrire dans la cité ces leçons de l'histoire devant cimenter l'union nationale. Monumentale ou en réduction, publique ou privée, la sculpture s'est multipliée et s'est diffusée. Durant les années 1870, l'ornementaction d'édifices nouveaux et la restauration des sculptures des bâtiments anciens ont offert du travail aux artistes. À Bruxelles, la Bourse de commerce, l'église du Sablon, l'Hôtel de Ville et la façade de l'université ont compté parmi les chantiers les plus conséquents. Tout au long du siècle, État, provinces et villes se sont lancés dans une politique de commandes : sur les façades, sur les places, dans les édifices publics, la sculpture décore autant qu'elle enseigne. Elle devient un langage accessibe à tous. Cette « statuomanie », reflet de l'autosatisfaction de la bourgeoisie de l'époque, va en s'accentuant au point qu'un critique déclare : « Ce ne sont plus les statues qui manquent aux places, ce sont les places qui manquent aux statues[12]. »

En 1875, Gédéon Bordiau dessine le plan d'implantation du quartier nord-est avec sa succession de squares qui, vingt ans plus tard, seront un lieu d'élection pour les architectes de l'Art nouveau. En 1880, pour les fêtes du Cinquantenaire de l'indépendance, il conçoit deux palais d'exposition – qui deviendront un musée de l'Armée et un musée d'Arts industriels – reliés par une arcade monumentale couronnant la perspective de la rue de la Loi et marquant l'amorce de la future avenue de Tervueren. Celle-ci sera construite en 1897, à l'occasion de l'Exposition universelle organisée à Bruxelles. Pour les deux palais, Bordiau choisit d'afficher en façade l'ossature métallique, posée sur un sou-

En haut : Alban Chambon, théâtre de la Bourse, 1885 (détruit par un incendie en 1890). Photographie ancienne. Bruxelles, coll. archives d'architecture moderne.

Ci-contre : Désiré De Keyser, Café Sésino (détruit), 1875. Boulevard Anspach. Photographie ancienne. Bruxelles, archives de la Ville.

Alban Chambon, hôtel Métropole, 1893. Place de Brouckère.

bassement néo-classique. L'arcade centrale ne sera achevée qu'en 1905 par Charles Girault. À nouveau l'intervention financière du roi Léopold II sera décisive : au début du XXᵉ siècle, le souverain investira les dividendes de sa politique coloniale dans l'achèvement du programme urbanistique entamé au siècle précédent.

L'une des principales conséquences des ces grands travaux est l'éloignement des ouvriers des lieux de prestige de la capitale. Rejetant les populations ouvrières à dominante flamande en banlieue, Bruxelles s'affirmera une ville francophone[13]. Une division de plus en plus nette de l'espace urbain se dessine : à l'est du pentagone, les quartiers aisés investis par la bourgeoisie ;

à l'ouest des grands boulevards, les quartiers ouvriers où se retrouve la mixité de l'habitat et des industries qui caractérisait autrefois le centre de la ville. De nombreuses entreprises importantes viennent s'établir le long du canal, en particulier à Molenbeek, où des usines comme les ateliers François Pauwels ou Cail et Halot, spécialisés dans le matériel ferroviaire, les chaudières et les machines à vapeur, emploient plusieurs centaines d'ouvriers. Cette forte concentration ouvrière avec ses logements misérables vaudra à la commune le surnom de « Manchester belge ».

L'assainissement du quartier Notre-Dame-aux-Neiges, compris entre le palais de la Nation, la rue

Léon Suys, la Bourse de commerce, 1868–1873. Boulevard Anspach.

Royale, l'actuelle avenue du Botanique et l'avenue des Arts, entraîne un exode de la population ouvrière. C'est sans doute en pensant à cette opération que Charles Buls, bourgmestre successeur de Jules Anspach en 1880, écrit dans *L'Esthétique des villes* : « Les auteurs de plans grandioses ne songent jamais aux souffrances des petits et des humbles qu'ils écrasent sous les décombres de leurs demeures qu'abat la pioche du démolisseur[14]. »

Les promoteurs taillent dans le vif et tracent au cordeau un réseau de rues privilégiant de longues perspectives, notamment vers la colonne du Congrès. Charles Buls se bat pour préserver l'aspect pittoresque

de la ville, suggérant d'utiliser les accidents de terrain plutôt que d'aplanir ; il propose de recourir aux tracés sinueux pour les rue et de ne pas dégager les bâtiments anciens afin de préserver l'effet de surprise lors de leur découverte. Ne pouvant faire prévaloir son opinion sur la question de la liaison entre le haut et le bas de la ville entraînant la démolition du quartier Saint-Roch (1897–1898), Buls donne sa démission en 1899.

Sous le règne de Léopold II, plus de deux cents projets ont été soumis en vue de transfomer le quartier qui se développe en contrebas de la place Royale. Le roi est souvent intervenu dans le choix. Ainsi, il appuie personnellement le projet d'Henri Maquet pour la

création d'une rue courbe (la future rue du Coudenberg) et l'aménagement du plateau sur lequel avait été érigé le Palais des beaux-arts (aujourd'hui musée d'Art ancien) où, dès 1884, le public bruxellois s'était pressé aux expositions du cercle des XX. Cet « acropole culturel », que Maquet baptise en 1903 mont des Arts, devait accueillir l'extension du musée, une bibliothèque et les archives du royaume. Il faudra attendre l'Exposition universelle de 1910 pour qu'un jardin vienne occuper le terrain vague résultant de la démolition du quartier Saint-Roch. Dans les année 1910, le quartier voisin, dit de la Putterie, disparaît pour laisser place à la gare Centrale, dont le plan est confié à Horta, et au chantier de la jonction ferroviaire Nord-Midi, qui ne sera inaugurée qu'en 1952.

Dans ses grandes entreprises urbanistiques, le roi s'est souvent heurté aux bourgmestres et conseils communaux, jaloux de leur indépendance. Grâce à l'accroissement de leur population et donc des recettes financières, des communes autrefois peu importantes se lancent dans la construction de prestigieux hôtels de ville[15]. Jules Jacques Van Ysendijck, l'architecte de deux d'entre eux, ceux d'Anderlecht et de Schaerbeek, respectivement inaugurés en 1879 et 1887, s'inspire des hôtels de ville anciens, de Bruxelles et de Louvain par

exemple, considérés au XIXᵉ siècle comme le symbole des libertés communales. Van Ysendijck mélange de façon très personnelle le style gothique et le style Renaissance flamande ; son architecture est colorée, pittoresque et d'une grande richesse d'ornementation. L'hôtel de ville de Saint-Gilles d'Albert Dumont, inauguré en 1904, sera l'objet de programmes décoratifs imposants réunissant quelques-uns des noms les plus en vue de la capitale[16].

Éclectisme et goût bourgeois

Au milieu du siècle, Bruxelles apparaît épanouie. Sa bourgeoisie se reconnaît dans un art de compromis qui lui renvoie l'image de sa sereine prospérité. La vague insurrectionelle de 1848 ne l'atteint pas : tout au plus veille-t-elle à expulser Karl Marx alors qu'elle accueille en exil le prince de Metternich. La vie bruxelloise se veut paisible. La musique pénètre la vie bourgeoise et devient un des points de ralliement d'une bonne société avide de culture autant que de plaisir. Ainsi, sur le plan musical, Bruxelles se situe, en 1860, entre une grande capitale et une petite ville de province. La vie des concerts oscille entre ambition et complaisance, au grand bonheur

PAGE DE GAUCHE, EN HAUT : rue de la Régence, vue sur le palais de justice. Photographie ancienne. Bruxelles, archives de la Ville.

PAGE DE GAUCHE, EN BAS : le Mont des Arts, vers 1910. Photographie ancienne. Bruxelles, archives de la Ville.

CI-DESSOUS : Albert Dumont, hôtel communal de Saint-Gilles, 1900–1904. 6, place Van Meenen. Photographie in *L'Émulation,* 1906

d'une bourgeoisie qui développe des goûtes et des pratiques culturelles aux prétentions limitées.

Les manifestations symphoniques et lyriques organisées par les trois grandes sociétés musicales en place – les concerts du Conservatoire, la Grande Harmonie et l'Association des artistes-musiciens – sont d'un intérêt variable. Les intermèdes de solistes y tiennent souvent une large part. La programmation, parmi les noms prisés du large public, opte aussi, dans le cas de l'Association des artistes-musiciens, pour de réelles

CI-CONTRE : Maurice Van Ysendijck, maison communale de Schaerbeek : salle des mariages, 1884–1887. Place Collignon.

CI-DESSOUS : Maurice Van Ysendijck, maison communale de Schaerbeek, 1884–1887. Photographie ancienne.
Bruxelles, coll. Bastin & Evrard.

découvertes en introduisant à Bruxelles Wagner ou Verdi. La musique de chambre, quant à elle, sort peu à peu de sa confidentialité naturelle grâce au talent de virtuoses que des associations comme le Cercle artistique et littéraire, fondé en 1844, présentent à un public bruxellois surtout sensible aux récitals de pianistes.

Le répertoire du théâtre de la Monnaie est resté celui de la majorité des scènes européennes : un mélange en apparence incohérent de grandes œuvres et d'œuvrettes destinées à plaire à un large public. Bel canto italien, grand opéra et opéra-comique français se sont ainsi partagé la scène bruxelloise.

Dans le domaine architectural, l'individualisme et la prospérité bourgeoise ont conduit à un usage éclectique des styles que les développements successifs de la capitale devaient exacerber. Trois courants se distinguent : classique, romantique et éclectique. Si le premier se signale par l'inspiration des styles grecs et romains, le deuxième par un retour au Moyen Âge, le dernier apparaît aux rédacteurs du *Journal de l'architecture* comme un vaste clavier prometteur de nouveaux accords. Important dans les années 1850–1860, le mouvement prendra des dimensions exceptionnelles durant la décennie suivante. Si, à partir de 1870, la crise économique a durement frappé les milieux les moins favorisés, la bourgeoisie a tiré de la défaite française de Sedan et de l'effondrement du second Empire un orgueil national qui trouve son expression dans le style néo-Renaissance flamand.

Ce dernier s'est affirmé dans un contexte général de renaissance d'un art national, renouant avec l'architecture des XVIe et XVIIe siècles qui avait superficiellement assimilé l'apport classique à une structure spatiale toujours sensible à l'esprit gothique. Faiblement attachée au classicisme, l'architecture belge s'en émancipe au gré de sa fantaisie. Dans les années 1870, Bruxelles offre le visage bigarré de ses façades aux styles multiples et aux matériaux variés : brique, verre, pierre, ferronnerie, boiserie jouent d'effets visuels qui tranchent avec l'ordonnance classique du style thérésien, importé au XVIIIe siècle par le régime autrichien. Parmi les inventeurs de l'Art nouveau, certains, comme Paul Hankar, resteront attachés à cette vision colorée de la vie.

L'architecture, privée ou publique, illustre la vitalité du pays. La restauration des témoins d'une gloire passée répond à l'édification des symboles de la nation nouvelle. Le vaste programme urbanistique qui traverse le siècle sera l'occasion d'un approfondissement du lien organique que lie désormais le style à la fonction du bâtiment. À travers la ville se multiplient hôpitaux, prisons, églises, casernes, galeries, théâtres, jardins … comme autant de lieux dont la fonction spécifique doit être soulignée par un style qui en rende l'esprit[17]. Le style prend une valeur morale qui frise parfois l'excès. Ainsi, le palais de justice de Joseph Poelaert s'impose par la démesure de ses proportions comme l'expression même des ambiguïtés de l'éclectisme. Dans cet édifice symbolique de l'universalisme ency-

CI-DESSUS : Joseph Poelaert, palais de justice, façade, 1866–1883. Place Poelaert.

À GAUCHE : le théâtre royal de la Monnaie. Photographie ancienne. Bruxelles, archives de la Ville.

CI-DESSOUS : Paul Hankar, projet pour le lotissement Spoelberch, 1894. Aquarelle. Bruxelles, coll. archives d'architecture moderne.

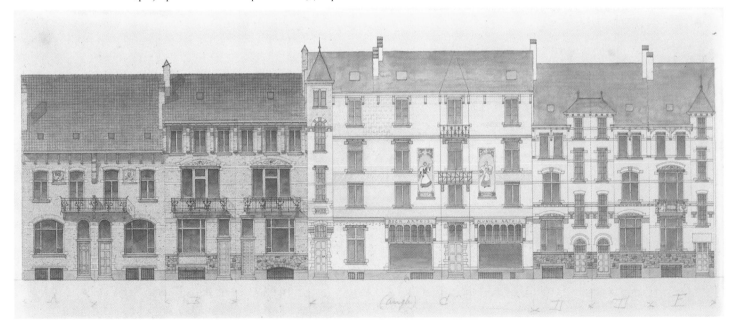

Joseph Poelaert, palais de justice : grande colonnade avec les deux philosophes, 1866–1883. Place Poelaert.

clopédique dont l'espace tend au panorama, l'ornement semble comme un couronnement édifiant qui donne à l'ambition de l'espace sa dignité exemplaire. L'édifice apparaît, telle la Justice, triomphant, au-dessus de la ville comme au-delà de l'humanité qu'il domine et soumet. L'ornement plonge le spectateur dans cet Élysée didactique et moral qui fait de l'éclectisme le champion de l'ordre établi.

La rhétorique monumentale engendrée par l'éclectisme s'attache aussi bien à l'intérieur qu'à l'extérieur. Nul seuil ne distingue l'espace public du champ clos de l'intimité. Cette indifférenciation de l'espace donne aux architectes une liberté que renforce l'usage des techniques nouvelles nées des progrès industriels : le fer et le verre bouleversent les pratiques et favorisent l'irrespect de la syntaxe conventionnelle des styles. L'unité qui lie l'ornement – comme convention d'expression – à une logique de construction vole en éclat. Les artistes jouent de l'un et de l'autre dans une

liberté d'autant plus grande que l'absence de référence classique les dispense de rendre compte de modèles idéaux.

Les débuts du réalisme critique

L'équilibre politique, économique, culturel et social de la Belgique reposait sur l'essor constant d'un pays jeune promis à un développement fracassant. Déjà, la tourmente révolutionnaire avait jeté ici et là en Europe les ferments d'une remise en cause de l'ordre social dominé par la bourgeoisie. Parallèlement à ce phénomène qui a vu, en France notamment, l'émergence d'une classe ouvrière perçue comme une menace, de nouveaux courants artistiques voient le jour, affirmant la nécessité d'ancrer la création dans la réalité présente.

En Belgique, ce désir de modernité a d'abord trouvé à s'exprimer dans la peinture. Ce souci de coller au réel constitue d'ailleurs une des caractéristiques de l'école belge depuis le néo-classicisme. À partir de 1848, une nouvelle génération entend montrer une réalité où l'injustice sociale voisine avec l'hypocrisie morale. Ainsi, Joseph Stevens, son frère Alfred – qui, sous le second Empire, s'illustrera à Paris comme peintre de la femme – ou Charles De Groux témoignent d'une nouvelle sensibilité à l'égard de la vie sociale, que ce soient les campagnes misérables, l'errance des mendiants ou les ravages de l'alcoolisme. La présentation des *Casseurs de pierre* de Gustave Courbet au Salon de Bruxelles en 1851 a confirmé la détermination d'une nouvelle école attachée à rendre les mœurs, les idées et les travers de son époque. Cette révolution a bouleversé les pratiques académiques et associé la maîtrise d'un métier de peintre à la volonté de rendre fidèlement la réalité, qu'il s'agisse du spectacle social ou de la nature éternelle. Ce réel immanent vaut désormais comme seul sujet important.

Durant ces années, la critique sociale est apparue encore désorganisée et dépourvue de véritable programme, tant esthétique que politique. Dès 1847, un modeste cénacle de peintres et d'écrivains, la Société des Joyeux, réunit à Bruxelles les animateurs d'un courant pour qui les œuvres de Courbet, de Duranty puis de Flaubert seront des drapeaux à brandir face aux codes établis. Dans ce cercle estudiantin proche de l'Université libre de Bruxelles, les jeunes Félicien Rops et

Charles De Coster s'attaquent aux institutions et aux idées reçues, défendant la liberté de pensée, pourfendant le catholicisme bigot, revalorisant le concept esthétique de laideur. Quelques revues prennent la défense d'une jeunesse que l'appareil académique persiste à refuser au Salon ou ne tolère qu'au prix d'un accrochage déplorable. Parmi elles signalons *L'Uylenspiegel. Journal des ébats artistiques et littéraires*, fondé en février 1856 et qui ne cessera de paraître qu'en 1864. Ce journal, auquel collabore notamment, aux côtés de De Coster et de Rops, l'écrivain Émile Leclercq, constitue à la fois une caisse de résonance de l'idéologie progressiste, un lieu de revendication artistique et le terreau d'où sortira, en 1867, l'œuvre littéraire majeure de la période, la seule qui bénéficiera d'une audience durable, quoique plus faible en Belgique qu'à l'étranger : *La Légende et les aventures héroïques, joyeuses et glorieuses d'Ulenspiegel et de Lamme Goedzak au pays de Flandres et ailleurs* de Charles De Coster, illustrée entre autres par Félicien Rops. Cette machinerie baroque, aux différents niveaux de langue, à la fois épopée et roman, reprend les scènes privilégiées par le roman historique pour les transformer dans une perspective ironique. De Coster rejoint ainsi le projet moral et politique des réalistes, tout en transcendant, sur le plan formel, les limites auxquelles ces derniers s'arrêteront. Toutefois, c'est dans l'oubli et la misère que De Coster meurt en 1879. Il faudra attendre l'émergence d'une nouvelle génération pour que son œuvre géniale soit accueillie comme elle le méritait.

Dans les années 1850, les jeunes peintres marqués par le réalisme se regroupent dans l'atelier libre Saint-Luc fondé en 1846 : Louis Artan, Charles De Groux, Félicien Rops, Constantin Meunier et Camille Van Camp s'y lient d'amitié et discutent du nouvel art. La réflexion théorique y apparaît moins prononcée que la recherche d'un métier qui puiserait ses racines dans ce « génie flamand » illustré avec truculence par De Coster.

Ainsi, ce réalisme belge est apparu comme un retour aux modèles du XVIIᵉ siècle. Paysage et marine sont devenus prétextes à l'affirmation d'un art « national ». Celui-ci se caractérise par la richesse de ses pâtes et la puissance de sa facture. La lumière sert l'objet et affirme l'harmonie d'un pan de nature qui doit refléter l'équilibre et l'opulence du pays. La robustesse de la touche, quant à elle, confirme un tempérament flamand

qui aspire à la puissance et à la force d'expression. Peu à peu, le réalisme s'impose comme un art national, attaché non plus à la représentation du passé mais à celle de la sensibilité et du tempérament de son peuple.

Le pleinairisme est apparu comme une réponse à un certain intellectualisme qui avait porté la génération précédente vers les grandes machines historiques. Avec Théodore Fourmois, actif au tournant des années 1850, le paysage s'écarte des formules préconçues pour retranscrire, à la manière des peintres de Barbizon, la lumière dans les mouvements de la matière. Ce retour au paysage, imprégné d'une longue tradition nationale, d'un esprit romantique et d'un désir d'éluder peu ou prou le sujet, consacre le recul progressif des poncifs académiques.

Sous couvert d'un réalisme qui puise tant dans l'actualité de Corot, Daubigny ou Rousseau que dans une tradition « nationale » – elle-même à l'origine de l'école de Barbizon[18] –, les paysagistes affirment la nécessité d'un retour à la nature bientôt interprété comme un rejet de cette industrialisation qui hisse la Belgique au rang de grande puissance. La solitude des embruns ou l'idéal agreste ne sont pas sans mélancolie. Le « réveil des âmes dans le frisson des feuillages », pour reprendre l'expression de Camille Lemonnier, sonne comme un exil volontaire loin des villes bientôt tentaculaires. Aux portes de Bruxelles, Hippolyte Boulenger, jeune peintre dépressif et gravement malade, s'est retiré dans le village forestier de Tervueren. Il y donne libre cours à un art du paysage, moins sensible à la représentation mimétique de la nature qu'à l'expression libre des sensations traduites avec fouge dans l'instant. La couleur vibre et donne au réalisme une dimension préexpressionniste. La vision de Boulenger est sentimentale, pathétique. Elle ne conserve de l'impression que l'effet expressif. Reçu au Salon de Bruxelles en 1866, il est à l'origine du renouveau du paysage en Belgique en fondant, en une réplique qui répond au succès de Barbizon, l'école de Tervueren, dont il sera le seul et unique représentant[19].

Dans le domaine littéraire, la première rupture avec les formes du conformisme bourgeois est venue d'un groupe d'artistes en contact avec les proscrits français du second Empire émigrés en Belgique. Leurs options politiques se situent dans la mouvance du libéralisme progressiste. Cet apport d'informations extérieures et la distance prise à l'égard des vertus du nationalisme

leur ont permis de relayer en littérature la percée du courant réaliste en peinture.

Le combat des peintres et sculpteurs ne peut être dissocié de celui des écrivains, même si, au long des années 1870, la littérature a semblé marquer le pas sur les arts plastiques. Le roman réaliste se développe, en particulier sous l'impulsion d'Eugène Van Bemmel qui dirige *La Revue trimestrielle* (1854–1869). Dans le sillage de la Société des Joyeux, de jeunes écrivains affirment dans leurs œuvres une nouvelle image de la Belgique : ils s'intéressent aux petites gens, au drame des artistes ratés, aux difficultés amoureuses de personnages issus de couches sociales qui n'avaient pas encore eu les honneurs du roman. La déchéance de la protagoniste d'*Une fille du peuple* (1874), d'Émile Leclercq, peint le malheur d'une enfant des « basses classes », mais ne se borne pas à en établir le constat. Dans ce texte, l'auteur poursuit le même objectif que ses amis peintres, De Groux, Hermans ou Stevens, lorsqu'ils montrent des chiens errants ou des pauvres : il veut susciter une « réaction saine » chez ses lecteurs bourgeois.

Entre la parution de *La Légende d'Ulenspiegel* de De Coster et les premières livraisons de la revue *La Jeune Belgique*, en 1881, aucune œuvre marquante ne paraît, mais c'est à cette période que se transforment insensiblement les conditions sociales et morales qui mèneront à la fécondité créatrice des vingt dernières années du siècle. Celles-ci s'expriment dans une littérature naturaliste qui apparaît donc en léger décalage dans le temps à l'égard de son modèle pictural.

De la Société libre des Beaux-Arts à l'Essor

Avec les années 1860, la nouvelle génération doit faire face à l'hostilité des milieux académiques. Le 1er mars 1868, la Société libre des Beaux-Arts est constituée à Bruxelles pour défendre le nouveau credo réaliste. Son programme, sans réellement rompre avec la tradition, aspire à l'« interprétation libre et individuelle de la nature[20] » comme principe éternel de renouvellement des arts. Aux côtés de Louis Dubois, qui s'impose comme son porte-parole[21], la Société libre réunit les

Louis Artan, *La Nuit*, 1871. Huile sur papier marouflé sur toile, 133,5 x 53,5 cm. Bruxelles, musées royaux des Beaux-Arts de Belgique.

Hippolyte Boulenger, *L'Inondation*, 1871. Huile sur toile, 102 x 144 cm. Bruxelles, musées royaux des Beaux-Arts de Belgique.

anciens de l'atelier libre Saint-Luc, ceux qui, comme Rops, Artan ou Dubois, fréquentaient depuis 1860 l'atelier de la rue aux Laines, et la quasi-totalité des artistes réalistes qui, à Bruxelles comme en province, travaillent dans cet esprit. Seules quelques personnalités, tels Henri De Braekeleer ou Hippolyte Boulenger, soucieuses de leur indépendance, refusent d'adhérer au mouvement. Formés en société, poursuivant en cela une action que d'aucuns qualifieront plus tard de syndicale, les artistes affichent leur liberté dans le même rejet de la hiérarchie des genres et dans le commun désir d'exposer, sans réserves, ce qui se fait au présent. En décembre 1868, la Société libre organise sa première exposition dans les locaux du quotidien *La Chronique* installés dans la Galerie du roi. D'emblée, le groupe se veut international. Les œuvres de Courbet, Millet, Rousseau et Daubigny qu'elle présente au public bruxellois soulèvent l'enthousiasme de jeunes littérateurs qui, comme Camille Lemonnier, se réunissent bientôt sous la bannière du naturalisme.

L'année suivante donne lieu à la progressive entrée du réalisme au Salon. Qu'il soit français avec Boudin, Corot, Daubigny, Daumier, Courbet, ou belge avec De Groux, Stobbaerts ou De Braekeleer, le mouvement se voit couronné et le roi Léopold II fait l'acquisition de toiles de jeunes artistes : Artan et Meunier seront du nombre. Fort de son assise dans la tradition paysagiste des anciens Pays-Bas, le réalisme s'impose au tournant des années 1870. En 1872 et 1873, plusieurs expositions viennent confirmer la vitalité du réalisme. Que ce soit pour des actions de charité ou pour un vaste Salon d'ensemble, tel celui qui s'ouvre en mai 1872 au Cercle artistique et littéraire, le réalisme s'impose comme un mouvement national à part entière[22].

Les idées forment et rattrapent ce que la seule peinture laissait pressentir. Il s'agit désormais d'être de son siècle[23]. Le 15 décembre 1871, la création de la revue *L'Art libre* par Camille Lemonnier offre aux peintres et aux écrivains une tribune essentielle à la formation d'une avant-garde qui dépasse les frontières de la Bel-

Félicien Rops, *Le Pendu*, 1867. Illustration pour Charles De Coster,
La Légende et les aventures d'Ulenspiegel et de Lamme Goedzak.
Eau-forte, 20,2 x 13,6 cm. Bruxelles, coll. Van Loock.

gique. Dès son deuxième numéro, la revue publie le manifeste de la Société libre. Fondamentalement hostile à l'académisme, les ténors de *L'Art libre* ne font toutefois pas l'économie d'un sentimentalisme patriotique encore auréolé de l'idéal romantique. Le fait est surtout sensible dans le domaine littéraire. Malgré les collaborations prestigieuses de Houssaye, Champfleury, Hérédia ou Mallarmé, la déroute de la revue est consommée en décembre 1872. *L'Art universel* lui succède en février 1873. Lemonnier dirige le bimensuel dans un esprit d'ouverture internationale afin de rendre compte de la modernité dans la diversité de ses engagements. La cohérence de la revue s'exprime avant tout dans le domaine pictural : Stevens, De Groux, Boulen-

ger, Dubois, Heymans ainsi que Corot ou Millet sont mis à l'honneur. Rops fournit quelques eaux-fortes intéressantes qui témoignent d'un génie de graveur que se disputeront Barbey d'Aurevilly, Verlaine, Mallarmé ou Péladan. Illustrateur de génie, Rops attire aussi sur lui le soufre du scandale avec ces planches érotiques qui estompent bientôt son œuvre de paysagiste. Artiste visionnaire, il révèle les multiples facettes d'une modernité qui voit dans l'univers un champ d'investigation infini : littéraire ou intuitif, sensible ou démoniaque, sublime ou pittoresque.

Au Salon de 1875, une toile de Charles Hermans, intitulée *À l'aube*, consacre le triomphe du réalisme défendu par la Société libre des Beaux-Arts. Si l'œuvre ne soulève plus la critique pour son infidélité à la hiérarchie des genres en présentant un sujet à portée morale à l'échelle d'une peinture d'histoire, elle marque l'orientation sociale qui rapproche à présent le réalisme du naturalisme. L'artiste adopte désormais une attitude critique à l'égard des travers et des inégalités de la société.

Vers 1875, les difficultés financières, semble-t-il, conduisent à la dissolution de la Société libre des Beaux-Arts. Grâce à l'action énergique de Rops, un nouveau cercle lui succède, la Chrysalide, dont la première exposition ouvre ses portes à Bruxelles en novembre 1876. Parmi les membres de la nouvelle association, nombre d'anciens de la Société libre assurent la continuité : Baron, Meunier, Artan ou Rops, qui dessine le carton d'invitation. Si la cible reste l'Académie, la Chrysalide semble néanmoins rencontrer l'adhésion du public puisqu'un nombre important d'œuvres sont vendues. L'ambition du cercle apparaît davantage orientée vers le réalisme que vers ce naturalisme qui remet en cause la société bourgeoise attachée aux valeurs matérielles. Dans les trois expositions qu'elle organise, en 1876, 1878 et 1881, l'accent est mis, comme l'indique Victor Reding dans *La Fédération artistique*, sur les impressions et les imitations de la nature[24]. Aux côtés des anciens apparaissent de nouveaux noms qui s'illustrent bientôt au sein du cercle des XX : Vogels, Ensor, Finch et Pantazis.

La nature est au centre des préoccupations de la jeune avant-garde, tant littéraire que plastique. Dans son programme, paru en novembre 1875, *L'Artiste* entend définir l'objectif d'un courant réaliste belge libre de toute implication sociale[25]. Le mouvement puise dès lors l'essentiel de son originalité dans sa facture, dans l'intensité d'un travail plastique libéré des conventions académiques, dans une peinture émancipée du primat du sujet et de sa fonction narrative. Définissant l'ambition du mouvement, Lemonnier lui-même en convient rétrospectivement :

> Faire de la peinture saine et forte, sans jus ni recettes ; en revenir au sens vrai du tableau, aimé non pour le sujet mais pour sa matérialité riche, comme une substance précieuse et comme un organisme vivant ; peindre la nature dans sa réalité, sa franchise et son accent, dans un détachement des maîtrises et des systèmes connus[26].

Sous couvert de robustesse et de santé, il s'agit d'affirmer la jeunesse dans son désir de modernité non seule-

Edmond Lambrichs, *Portraits des membres de la Société libre des Beaux-Arts*, s. d. Huile sur toile, 175 x 236 cm.
Bruxelles, musées royaux des Beaux-Arts de Belgique.

ment contre les « pontifes de la routine », mais face à une société promise à la décrépitude et à la décadence. Aspirant à peindre « amoureusement et honnêtement » ce qu'elle voit, cette peinture s'illustre dans les domaines du portrait et, surtout, du paysage, en respectant ce qui, aux yeux de Lemonnier, en fait le fondement : la nature, l'individu et la couleur. Aussi, Louis Artan devait-il s'imposer comme peintre de marine exaltant la lumière en un geste chargé de matière. Dans ses œuvres, la sensation colore l'atmosphère des nuances propres à chaque instant. Le désir de dépouillement tend à affirmer la peinture en tant que telle. On y retrouve l'enthousiasme portant le peintre à ne faire qu'un avec l'univers que son regard embrasse, à rechercher dans la facture la sensation dans sa puissance expressive, quitte à le faire au détriment du rendu de l'objet.

Au tournant des années 1870–1880, l'évolution des peintres réalistes, réunis sous la bannière de la Société libre des Beaux-Arts, va dans le sens d'un affranchissement progressif de la facture au profit d'une image plus instinctive. Sans souci de rendu objectif, le peintre tient à exprimer la sensation dans la fluidité des lumière et la suavité des taches de couleurs qu'il lui faut assembler. Très vite, la critique remarque cette qualité de matière qui anime le coloris de ce réalisme belge.

Charles Hermans, *À l'aube*, 1875. Huile sur toile, 248 x 317 cm. Bruxelles, musées royaux des Beaux-Arts de Belgique.

À DROITE : Alfred Stevens, *L'Inde à Paris : Le Bibelot exotique*, s. d. Huile sur toile, 73,7 x 59,7 cm. Amsterdam, Vincent Van Gogh Museum.

Que ce soit dans la rudesse et la robustesse d'Artan ou de Rops, ou dans la préciosité délicate d'Alfred Stevens, la couleur apparaît, dans sa matérialité même, comme le fondement du réalisme, sans être nécessairement assimilée à la lumière. La voie empruntée, pour parallèle qu'elle soit, se distingue de celle prise par l'impressionnisme français.

L'accent mis sur le métier ne signifie pas que le réalisme pictural néglige le sujet. L'idée de « retour à la nature » consacre d'une certaine manière une mise en question de la sociabilité urbaine. Pour d'autres, à la manière de Rops et de ses amis peintres du bord de la Meuse, elle reste liée à une mondanité joyeusement vécue. Loin des villes, l'homme aspire à renouer les liens avec une nature qui ignore tout du caractère artificiel

des rapports sociaux, des obligations, des relations et des jeux de la vie publique. À cette mise en retrait correspond vite un désir de retour aux sources, à des valeurs intemporelles. Échapper à l'évolution d'une société désormais industrielle passe par le repli à la campagne, dans la sérénité des villages de Flandre ou de Wallonie.

Dans ce contexte général, un artiste se distingue : Constantin Meunier. À l'image de Millet en France et de Charles De Groux en Belgique, il a vu dans la réalité une dimension sociale qui, en 1878, est sortie renforcée de sa découverte des charbonnages liégeois alors en pleine crise. Formé à la peinture et à la sculpture, Meunier n'a pas encore découvert ce « peuple farouche qui attendait dans l'ombre qu'il lui ouvrît les portes de l'art », pour reprendre la formule de Lemonnier, mais

une atmosphère qui voile la transparence de l'air et donne au vide son opacité lumineuse. Avant de s'attacher à la grandeur héroïque du travail, il en a ressenti la vérité fragile, sensible, non pas dans le sujet mais dans une touche divisée qui rend à l'espace sa matérialité.

Aux côtés de la Société libre des Beaux-Arts ou de la Chrysalide, l'Essor – cercle d'élèves et anciens élèves des académies des beaux-arts créé en 1876 – organise de grandes expositions avec loterie, où quelques membres de l'avant-garde se mêlent aux éléments les plus conservateurs de la scène bruxelloise. Jusqu'en 1891, date de sa dissolution, l'Essor jouit d'un réel succès public, renforcé par le patronage royal. Mêlant la création dans la diversité de ses tendances, l'Essor oblige tous les milieux artistiques à une confrontation, dont ressort un « juste milieu[27] » où la convention académique se couvre d'un voile moderniste.

Sculpture et réalité

Si la peinture a ouvert la voie, la sculpture a eu tendance à fermer la marche. Davantage liés au monde politique et aux autorités publiques dont ils dépendent, les sculpteurs répugnent à ancrer dans le marbre des sujets vulgaires. Conscients de leur mission éducative, ils sont restés attachés aux grands sujets et au respect des styles, même si, comme pour Rude, l'étude de la nature s'impose de plus en plus largement dans les ateliers.

La « statuomanie » poursuit son œuvre, ornant places et jardins publics d'innombrables sculptures qui allient académisme et mystique saint-sulpicienne. Aux poncifs romantiques répondent aussi quelques tentatives qui, pour des raisons économiques, s'inscriront dans la glaise. Ainsi, le Liégeois Léopold Harzé sculptera de vastes ensembles, comme *Le Marché de Liège* (1859) qui regroupe une centaine de personnages et mêle au sens du détail un désir de témoigner de la vie des rues. Son intention repose moins sur l'exactitude scientifique voulue par Zola que sur un sentimentalisme provincial sensible au folklore populaire. À la la référence classique, confortée par le traditionnel voyage en Italie, se substitue peu à peu un modèle choisi pour sa contemporanéité. Le monde du travail attire l'attention. Ainsi, le monument en bronze de *John Cockerill*, exposé en 1870 et 1871, permet à son auteur, Armand Cattier, d'introduire aux côtés du portrait en

Julien Dillens, *Sphinx-Énigme*, 1875. Bronze, 90 x 100 cm. Gand, Museum voor Schone Kunsten.

pied de l'industriel quatre allégories du travail qui sont la figure vivante d'un mineur, d'un mécanicien, d'un puddleur et d'un forgeron. Une nouvelle conception plastique s'exprime, en marge de toute référence à l'antique. L'individualisation des figures gêne nombre de critiques qui y décèlent des moulages sur modèle vivant. Au marbre on préfère la glaise et le bronze, de facture plus mobile, plus souples au rendu des détails, plus sensibles à la modulation du volume et à la saisie spontanée de l'impression. Dans ce registre, le recours à la cire perdue permet au sculpteur d'imprimer dans le bronze la plus éphémère sensation. À l'articulation des volumes clairement tracés, succède désormais un art de modulation des lumières qui transforme les volumes en passages complexes. Le nouvel art, confirmé par la découverte de Falguière, Mercié, Carrier-Belleuse, Carpeaux ou Rodin, et épaulé par la Société libre des Beaux-Arts puis par la Chrysalide, trouve en Charles

Van der Stappen, Jef Lambeaux, Julien Dillens, Thomas Vinçotte, Paul De Vigne ou Léon Mignon des représentants attachés à l'étude du réel. Le portrait est expressif, cherchant l'individualisation jusque dans le moindre détail. Le nu s'inscrit hors des conventions quitte à choquer, comme cette femme de Dillens intitulée *Énigme*, qui révulse le public par sa pose surprenante et le rendu précis d'une constitution malingre. Dillens récuse l'idéalisation classique qui marque encore en profondeur Van der Stappen, Vinçotte ou De Vigne, pour inscrire son œuvre dans ce présent auquel Lambeaux donne les traits en guenilles des laissés-pour-compte de la société industrielle. Aux scènes de genre académiques qui trouvent dans le réel une touche de pittoresque, succèdent des scènes de réalité d'autant plus dérangeantes que la sculpture les dresse en « icônes » de l'injustice sociale.

Bruxelles : entre Paris et Bayreuth

La modernité musicale s'est, elle, esquissée sous les feux du wagnérisme. En mars 1860, Richard Wagner arrive de Paris à Bruxelles, espérant qu'une invitation du théâtre de la Monnaie va lui permettre de gagner quelque argent. Mais malgré le succès public des deux concerts où il dirige des extraits du *Vaisseau fantôme*, de *Lohengrin* et de *Tannhäuser*, il quitte Bruxelles toujours aussi démuni.

Sa visite a toutefois bouleversé quelques tenants de la nouvelle génération dont Adolphe Samuel, prix de Rome, talentueux élève de Fétis et surtout de Mendelssohn, ami de Berlioz, professeur d'harmonie au conservatoire de Bruxelles. Progressiste, il l'est non seulement d'un point de vue musical mais aussi d'un point de vue social : l'éducation des masses devait trouver dans la vie des concerts un pendant à l'enseignement collectif de la musique, dispensé dans des écoles toujours plus nombreuses. L'exemple de Jules Pasdeloup, fondateur des Concerts populaires à Paris en 1861, marque Samuel qui l'imite à Bruxelles en créant en novembre 1865 la Société des concerts populaires de musique classique. L'association entame une longue carrière, où le nom de

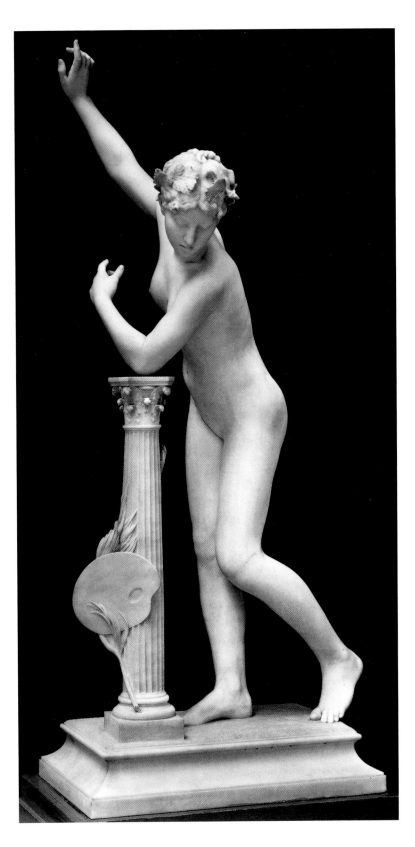

Paul De Vigne, *L'Immortalité*, 1881 ou un peu avant 1884.
Marbre, 187 x 64,5 x 81 cm. Bruxelles, musées royaux des Beaux-Arts de Belgique.

Wagner brillera d'un éclat particulier. Aux abonnés s'ajoutent les invités issus des classes laborieuses : ouvriers, soldats et enfants remplissent ainsi la salle à chaque concert.

Les notables bruxellois mettent un point d'honneur à partciper au financement de l'entreprise dont la dizaine de concerts annuels atteste la bonne santé. Les programmes symphoniques cherchent l'originalité en même temps qu'une « utilité » didactique : on y trouve des ouvertures, des symphonies complètes, de la musique de chambre transcrite pour orchestre. De nombreuses œuvres constituent des premières auditions pour Bruxelles. Les préférences de Samuel vont à la musique allemande : Beethoven ou Mendelssohn dominent. Au répertoire s'adjoint la présence de grands virtuoses qui font des Concerts populaires un réel événement. Parmi eux, l'Allemand Louis Brassin, devenu professeur de piano au conservatoire de Bruxelles, contribue à la diffusion de Wagner.

À la Monnaie, les nouveautés se font plus ambitieuses. Gounod assiste en février 1861 à la première bruxelloise de *Faust*. Avec *Philémon et Baucis* (1862), *Mireille* (1865), *Roméo et Juliette* et *La Colombe* (1867), il devient une valeur sûre du répertoire. Meyerbeer a sa place : six mois après la première parisienne, *L'Africaine* est créée à Bruxelles avec un succès sans précédent. Les Bruxellois aiment les grands opéras, mais aussi le bel canto : ténors et divas soulèvent l'enthousiasme de la bonne société bruxelloise.

Sous l'influence de Louis Brassin, Jules Henry Vachot, promu à la tête de la Monnaie en 1869, fait venir à Bruxelles le jeune chef d'orchestre Hans Richter. Futur héros de Bayreuth, bataillant pour le respect de la partition, Richter préside aux études de *Lohengrin*, dont la création, en mars 1870, fait grand bruit. Le wagnérisme, mêlant aux légendes anciennes la musique nouvelle et les aspirations d'une bourgeoisie pour laquelle la culture est un facteur de progrès social, trouve à Bruxelles sa caisse de résonance et embrase toute une génération. Il s'impose comme l'expression d'une modernité qui déborde largement les frontières de la Belgique. Les wagnériens de Paris viennent en nombre pour participer à un événement impensable dans la capitale française qui, à partir de 1870, verra dans le wagnérisme l'expression de « l'orgueil germanique ».

La place plus grande accordée à la musique dans la société bruxelloise trouve sa concrétisation dans les grandes manifestations qui ont ponctué le siècle. Lorsque la gare du Midi, destinée à accueillir dignement les hôtes parisiens, est inaugurée en 1869, Adolphe Samuel reçoit tout crédit : quelque mille cinq cents concertistes prennent part à une exécution – la première complète en Belgique – du *Messie* de Haendel, devant près de huit mille auditeurs. L'exemple a payé. Tout au long du siècle, les sociétés musicales se multiplieront, témoignant de l'engouement de la bourgeoisie pour la musique[28]. Cet art a constitué un des piliers de l'éducation bourgeoise. Sa diffusion et sa consommation sont allées croissant, favorisant l'apparition de périodiques spécialisés, dont, dès 1855, *Le Guide musical*. D'importance locale à ses débuts, cette publication s'impose à la fin du siècle comme le plus important hebdomadaire musical en langue française, surclassant *Le Ménestrel* parisien.

L'intérêt pour le mouvement flamand s'est exprimé en musique comme en peinture ou en architecture. Les initiatives de Peter Benoit, auteur de grandes pages lyrico-symphoniques, en faveur d'un art musical national flamand, ont généralement été suivies avec sympathie à Bruxelles, où s'est installé son émule Arthur Wilford.

Dans les années 1870, les grands capitaines ont succédé aux grands pionniers. La vie musicale bruxelloise a pris un tournant décisif avec l'arrivée sur sa scène de deux personnalités d'envergure, François-Auguste Gevaert et Joseph Dupont, auxquels il faut ajouter César Franck qui exerce une influence depuis Paris.

Gevaert, d'abord compositeur, va s'imposer comme le pape de la musicologie la plus austère. Ses succès parisiens, *Georgette* ou *Le Moulin de Fontenoy*, et la réussite de *Quentin Durward*, joué à l'Opéra-Comique en 1858, confirment sa notoriété. Dès cette époque, sa plume élégante s'applique également aux recherches historiques, et il n'hésite pas à s'opposer avec hargne à son compatriote Fétis par *Gazette musicale* parisienne interposée.

Dés son installation à la tête du conservatoire de Bruxelles en 1871, Gevaert, auréolé de son ancien titre de directeur de chant de l'Opéra de Paris (1867–1870), règne en maître sur la musique belge. Abandonnant presque la composition pour la recherche théorique, il régénère le conservatoire et opère une sélection impitoyable dans le choix de ses professeurs. Fort de son autorité et de l'appui que lui apporte le roi, il peut se reposer sur cette équipe et porter son attention aux

Décors de *L'Africaine* de Giacomo Meyerbeer (acte I), présentée au théâtre royal de la Monnaie en 1865. Photographie ancienne. Bruxelles, archives du théâtre royal de la Monnaie.

concerts du conservatoire. Réformé, l'orchestre s'impose tant dans la musique symphonique, de Mozart à Schumann, que dans le répertoire plus ancien. Les grandes pages de Haendel et de Bach renaissent avec un nouveau souci d'authenticité, malgré les coupures, arrangements et *tempi* adoptés par Gevaert, qui participent d'un éclectisme alors dominant. Ce souci est relayé par le Musée instrumental du conservatoire fondé en 1877. Le mot d'ordre est alors de redonner vie aux instruments anciens, fût-ce en passant par la reconstitution. Ainsi, aux concerts du conservatoire, les bois, cuivres, violes d'amour et clavecins du musée résonnent à chaque fois que leur présence est possible.

En 1873, Joseph Dupont, engagé par la Monnaie, accède à la direction des Concerts populaires et conservera cette fonction durant vingt-six saisons. Il sent parfaitement la carte à jouer par l'institution : offrir un contrepoids aux résurrections d'un passé – même proche – chères au conservatoire, présenter au public bruxellois de la musique moderne, et l'initier, plus rapidement que ne pouvait le faire la Monnaie, à Wagner. En 1877, dans l'effervescence consécutive à l'inauguration du festival de Bayreuth, deux concerts exclusivement consacrés à Wagner sont organisés. D'autres suivront : « la maladie wagnérienne », comme Paris l'appelle déjà, se propage.

À côté de la flamme wagnérienne qui s'anime et croît, les Concerts populaires ouvrent aussi leurs portes à une création contemporaine de qualité, épaulée par des interprètes de renom. La meilleure musique belge (Vieuxtemps, Mathieu, Auguste Dupont, Franck, Raway, Blockx, Huberti) y côtoie la musique française (Berlioz, Saint-Saëns, Bizet, Massenet, Godard), sans compter la présence « naturelle » des écoles germanique et slave – outre les romantiques, les « contemporains » comme Liszt, Brahms, Raff, Dvořák, Tchaïkovski, Anton Rubinstein. Chef d'orchestre clairvoyant, orchestrateur de talent, wagnérien « raisonnable », Joseph Dupont marque cette période de son empreinte.

Dans le même temps, à Paris, César Franck accède à une nouvelle renommée. Pianiste virtuose, formé à Liège, installé dans la capitale française dès son adolescence, élève de Reicha, il est tôt remarqué par Liszt, qui encourage la publication des *Trios* écrits en 1841. Cependant, ayant échoué dans sa carrière de pianiste, il s'affirme en 1870 comme un professeur réputé, organiste de renom, titulaire, depuis 1859, de l'orgue Cavaillé-Coll de Sainte-Clotilde. En 1871, il participe avec Saint-Saëns à la fondation de la Société nationale, dont le rôle dans la rénovation de la musique française va être fondamental. Succédant en 1872 à son maître François Benoist à la classe d'orgue du Conservatoire de Paris, il la transforme en classe de composition. À ce moment, il a déjà à son actif d'avoir formé, à titre privé, deux des meilleurs compositeurs français de l'époque : Duparc et Castillon.

Décors de *Sigurd* d'Ernest Reyer (acte IV, scène I), présenté en création mondiale au théâtre royal de la Monnaie en 1884. Photographie ancienne. Bruxelles, coll. Fievez.

Lentement, les échos des premiers succès de ses compositions – en dehors de l'orgue – arrivent en Belgique. Les *Éolides* sont joués aux Concerts populaires et la partition du Quintette, créé en 1880 à Paris par Saint-Saëns et un quatuor belge, passe rapidement la frontière. L'explosion franckiste qui va marquer la fin du siècle se prépare.

À la Monnaie, la découverte de Wagner ne se poursuit pas longtemps. *Tannhäuser*, introduit en 1872–1873, produit pourtant les plus fortes recettes de la saison suivante. Après une valse de directeurs qui, de 1872 à 1875, témoigne de l'instabilité du temps, et malgré l'arrivée au pupitre de direction du wagnérien Joseph Dupont, l'exploration wagnérienne est ralentie à l'arrivée, en 1875, du duo directorial Stoumon-Calabresi. Le triumvirat performant ainsi constitué va fonctionner jusqu'en 1885. Stimulés par le talent de Dupont, composant bien leur troupe, Stoumon et Calabresi sauront s'attacher le soutien inconditionnel de la ville de Bruxelles, qu'ils mettront plus tard à profit pour prolonger leur règne au-delà de la raison.

Stoumon et Calabresi méprisent Wagner. Ils lui préfèrent des nouveautés plus légères, signées Guiraud, Paladilhe, Massé, Dubois, Mathieu ou … Stoumon. Aussi les faits marquants, jusqu'en 1880, sont-ils surtout constitués de représentations d'artistes et d'opéras latins – *Carmen*, *Aïda*, *Paul et Virginie*, *Cinq-Mars*,

La Guzla de l'émir, *Le Timbre d'argent* – joués par un orchestre toujours plus performant.

En 1881, une nouvelle ère s'ouvre : celle des « déçus de l'Opéra ». Entendons de l'Opéra de Paris. Certes, des événements extra-musicaux avaient déjà suscité la création d'œuvres françaises à Bruxelles : la célèbre *Fille de Madame Angot* de Lecocq a été créée à l'Alcazar en 1872. Désormais, ce sont des arguments musicaux qui l'emportent. Les directions rétrogrades du palais Garnier permettent à Bruxelles de recevoir à bras ouverts quelques-uns des plus éminents compositeurs français refusés à l'Opéra. Massenet sera le premier avec *Hérodiade*. Le 19 décembre 1881, après que la place de la Monnaie ait été encombrée toute la nuit de files d'attente, une distribution éclatante donne naissance à l'œuvre. La reine Marie-Henriette et sa suite, le gouvernement, les édiles bruxellois se partagent les loges avec le gratin des compositeurs français : Saint-Saëns, Reyer, Godard, Joncières, Guiraud … Le succès est immense. Vingt semaines plus tard, Massenet vient clôturer la saison de la Monnaie en dirigeant la cinquante-cinquième représentation d'*Hérodiade*.

Déclaration d'amour de Bruxelles à la France, le succès d'*Hérodiade* n'en a pas pour autant tout à fait évacué Wagner, malgré le relatif maintien de l'école italienne (*Mefistofele*, de Boito, fera trente-quatre représentations en 1883). L'écho de la révélation de *Parsifal*, en 1882, la présentation à la Monnaie, en janvier 1883, d'une *Tétralogie* fort attendue interprétée par une bonne partie de la troupe de Bayreuth, les campagnes de presse, tout cela a entretenu la flamme wagnérienne qui reprend vigueur depuis Paris. Ernest Reyer, successeur remarqué de Berlioz au *Journal des débats*, arrive à Bruxelles avec un opéra dont les noms des héros signalent le goût de l'auteur pour les mythes nordiques sourds à la clarté latine.

Longtemps attendu, *Sigurd*, qui deviendra un des opéras français les plus joués en France pendant soixante ans, est créé triomphalement le 7 janvier 1884. La distribution est éclatante, particulièrement du côté féminin avec une des grandes voix de la fin de siècle : Rose Caron[29].

Avec la création en langue française des *Maîtres chanteurs*, le 7 mars 1885, Bruxelles s'impose un peu plus encore comme une capitale du wagnérisme hors d'Allemagne. Quelques-uns des principaux exégètes et adaptateurs de Wagner ne sont-ils pas belges ? Maurice Kufferath, venu au wagnérisme à vingt ans, avait pris progressivement le contrôle de fait du *Guide musical*, jusque-là plutôt traditionaliste. Fin lettré, possédant un instinct sûr des nouveaux talents, pourfendeur du médiocre, bretteur téméraire, il explique sans relâche Wagner à ses lecteurs. En France, seul Adolphe Jullien rivalisera avec sa plume alerte. Les traductions de Victor Van Wilder (devenu Victor Wilder pour la France) font autorité. À Paris, la voix du jeune Ernest Van Dyck brille dans le registre wagnérien tout comme celle d'Émile Blauwaert, encouragé par Peter Benoit. En avril 1883, un concert Wagner, dirigé par Dupont aux Concerts populaires, réunit un admirable trio : Rose Caron, Van Dyck et Blauwaert. Ce dernier, remarquable Gurnemanz du *Parsifal* donné à Bayreuth en 1889, devait être l'une des vedettes du festival wagnérien en 1891, mais il meurt subitement. À son enterrement, dans un petit cimetière aux portes de Bruxelles, un orchestre invisible, caché loin de la tombe, joue, dans la froidure de février, les thèmes de la Foi et du Graal de *Parsifal*... Bruxelles allait désormais vivre et mourir au rythme de Wagner.

EN-HAUT : Armand Rassenfosse, *Portrait de César Franck*, s. d. Litographie rehaussée aux crayons de couleur, 17,6 x 14,5 cm. Coll. part.

CI-CONTRE : Rose Caron dans *Salammbô* de Reyer (1889–1890). Bruxelles, coll. Fievez.

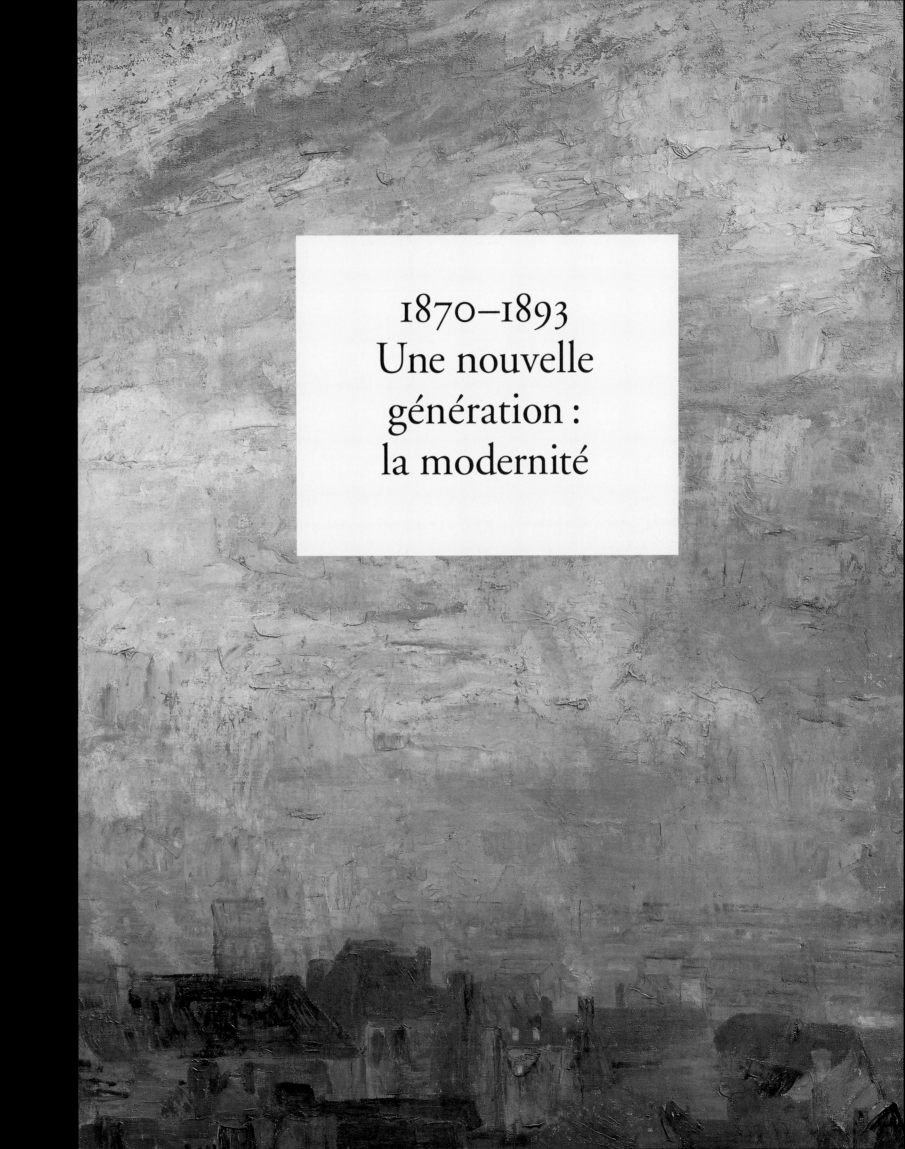

1870–1893
Une nouvelle
génération :
la modernité

Jan Toorop, *Après la grève,* vers 1888. Huile sur toile, 65 x 76 cm.
Otterlo, Rijksmuseum Kröller-Müller.

Crise économique et remise en question

La période d'intense développement économique qui
avait marqué la Belgique depuis son indépendance
prend fin avec la crise qui éclate en 1874. À la suite de
la guerre franco-prussienne, les marchés se ferment.
Puis la récession s'aggrave lorsque les États-Unis stop-
pent leurs commandes de charbon et d'acier nécessaires
à l'édification de leur réseau de chemins de fer. Dépendant du commerce international, la Belgique est durement frappée par ces conditions. Une phase de longue
dépression s'amorce, qui ne prendra fin que vers 1895.

L'agriculture connaît elle aussi de graves difficultés
avec l'arrivée sur le marché d'importantes quantités
de blé américain. De nombreux ouvriers agricoles
désœuvrés se dirigent vers les industries urbaines ;
mais, atteintes par la crise, elles sont incapables de les
absorber. La récession se répercute directement sur les

masses ouvrières par des diminutions de salaires et par
une augmentation du nombre de sans-emploi ; elle
plonge dans la misère de nombreuses familles qui n'ont
aucune forme d'assurance chômage pour les protéger.

La crise économique atteint son paroxysme dans
les années 1880. Une pression de plus en plus forte sur
l'emploi engendre des manifestations de chômeurs au
cours de l'hiver 1884–1885. Bientôt des grèves spora-
diques éclatent dans le Borinage et, en mars 1886, une
véritable « jacquerie industrielle », née à Liège, embrase
le Hainaut et les principaux centres industriels du pays.
Cette révolte, accompagnée d'affrontements sanglants
entre les travailleurs et la troupe, provoque un mouvement de frayeur dans le monde politique qui n'avait pas
vu venir la menace, en même temps qu'une vague de
sympathie profonde dans les milieux artistiques liber-
taires. Ensor, Toorop, Picard, Verhaeren témoignent de
leur attachement à la cause ouvrière. Deux ans plus tôt,
dans une brochure consacrée à la crise, Eudore Pirmez
écrivait : « C'est la situation des propriétaires et des
capitalistes qui est la moins bonne, ce sont eux qui
souffrent. Nulle plainte du côté du travail[1] !»

Après 1886, la question ouvrière ne peut plus être
niée. Les discours du roi en attestent ; à plusieurs
reprises il revient sur le déficit social qui mine le pays.
Le monde politique se résout à adopter quelques
timides mesures sociales. Il met sur pied une Commission du travail qui dresse un premier bilan de la condition des travailleurs et favorise l'adoption de quelques
lois telles que la création de conseils de l'industrie et du
travail, la suppression du *truck system*, l'incessibilité
et l'insaisissabilité des salaires. Par ces mesures, la
Belgique ne fait qu'aligner sa législation sur celle en
vigueur depuis plusieurs décennies en Allemagne et en
France.

Au moment où éclate la crise de 1886, le parti
catholique est au pouvoir depuis deux ans. Il va assurer
seul la direction des affaires du pays jusqu'à la Première
Guerre mondiale, mais doit néanmoins compter avec
l'apparition d'une nouvelle force politique, le parti
ouvrier belge, né en 1885 des revendications en faveur
du suffrage universel, et qui a réussi à fédérer les nombreuses ligues ouvrières. Le parti ouvrier doit attendre
1894 avant d'accéder au Parlement. Dans l'intervalle, il
organise des coopératives, des syndicats, des sociétés de
secours mutuel. Cette importante activité est illustrée
à Bruxelles par la construction de la Maison du peuple,

où l'architecte Victor Horta donne toute la mesure de son talent.

La présence, dans les rangs de ce parti bruxellois, d'artisans, militants actifs mais peu enclins à la violence révolutionnaire, et surtout d'intellectuels venus de la bourgeoisie a influencé son évolution. Une intelligentsia s'est développée dans la capitale qui est devenue un des lieux privilégiés du débat idéologique. Elle est alimentée par de nombreux penseurs étrangers fuyant les régimes conservateurs européens, mais aussi par l'existence de l'université de Bruxelles où s'est développé un courant progressiste volontaire.

Au cours de cette période, la ville a poursuivi sa croissance : une comparaison entre les professions indépendantes exercées à Bruxelles au milieu et à la fin du XIXe siècle montre une nette augmentation du niveau de vie. La vie urbaine s'est organisée ; les petits commerces se sont développés tandis que croît le nombre de cabarets, de cafés, de restaurants et de théâtres.

Les ouvriers bruxellois sont particulièrement exposés. Durement touchés par cette crise économique, ils ont dû affronter une politique urbanistique qui les a rejetés vers les faubourgs enserrant désormais la capitale.

Architecture et éclectisme

L'élaboration d'un style authentiquement national est apparu comme la pierre de touche de la vie culturelle belge durant le troisième quart du siècle. Elle a marqué la sculpture avec son sens éducatif, la littérature, soumise à la mode du roman historique, ou la peinture, aux prises avec une tradition flamande qui tend au conformisme. Dans les années 1870, elle a consacré

Henri Beyaert, Maison des chats, 1874–1876.
1–3, bd A. Max. Photographie ancienne.
Bruxelles, archives de la Ville.

DOUBLE PAGE SUIVANTE

À GAUCHE, EN HAUT : Alphonse Balat,
musées royaux des Beaux-Arts, 1875.

À GAUCHE, EN BAS : Alphonse Balat, Palais royal,
escalier d'honneur, 1868. Place Royale.

À DROITE : Octave Van Rysselberghe, habitation, 1882.
10, rue Faider.

dans le registre architectural une volonté de rupture à l'égard de cet éclectisme que d'aucuns ont qualifié de « carnaval » ou de « confusion de Babel[2] ». La Renaissance flamande, considérée comme l'âge d'or des Pays-Bas, va apparaître comme la source d'inspiration la plus indiquée. En témoigne le pavillon belge de l'Exposition universelle de Paris en 1878, dû à l'architecte Émile Janlet. Satisfaisant à la fois le goût du mouvement, de la couleur et du pittoresque que les Belges s'attribuaient, ce style va, pour certains, être à l'origine de l'Art nouveau en Belgique.

Le néo-Renaissance flamand va poursuivre son essor jusqu'à la déclaration de guerre d'août 1914, et trouver son principal représentant en la personne d'Henri Beyaert. Lorsqu'en 1875 ce dernier remporte avec la Maison des chats le concours de façades organisé par la ville de Bruxelles, la revue *L'Émulation* y salue « l'expression d'une pensée flamande, XVIe siècle pour le caractère, mais revêtu du *sentiment,* de l'*esprit* de notre siècle, c'est-à-dire exprimée avec plus d'élégance que ne l'eût fait, sans doute, Vredeman De Vries[3] ». Beyaert tire cette grâce de son expérience antérieure inscrite sous le sceau éclectique d'un néo-Louis XV chargé d'ornements. Il estime en effet que son rôle ne s'arrête pas à l'architecture, mais comprend aussi la décoration intérieure. À cette conception, s'adjoint un souci archéologique qui, comme son modèle Viollet-le-Duc, dépasse la simple reconstitution pour faire œuvre d'imagination : ainsi sa restauration de la porte de Hal, vestige fort abîmé de la deuxième enceinte de Bruxelles, menée durant les années 1860.

La Maison des chats, boulevard Anspach, marque une étape importante dans sa carrière. De prime abord, la façade rappelle l'ordonnance des maisons de la Grand'Place toute proche, mais la façon dont Beyaert superpose un pignon d'une grande fantaisie ornementale à la trame rigoureuse de la façade relève de l'éclectisme. Au niveau du troisième étage, il défonce littéralement la façade par une loggia, un creux rendu spectaculaire parce qu'aux étages inférieurs il correspond à la projection des balcons de taille différente dans l'espace de la rue. Ce type de jeu, adouci par l'emploi de lignes courbes qui animent d'un seul mouvement la façade tout entière, est caractéristique de l'art d'Horta.

À la fin des années 1870, Beyaert apporte à Bruxelles un embellissement notable en dessinant le square du Petit Sablon. Ce qui aurait pu n'être qu'un

îlot de verdure parsemé de quelques statues et clos par une simple grille devient un espace urbain d'une grande richesse grâce au dessin des chemins et des parterres, aux niches de verdure, au jeu des dénivellations, à l'introduction de la pièce d'eau. L'architecte subvertit habilement la rigide scansion des colonnes de pierre et de grilles affichant toutes un dessin différent. Sans nul doute, la liberté d'invention ornementale et la perfection artisanale de la réalisation vont-elles être d'un puissant enseignement pour Paul Hankar, qui collabore d'ailleurs au projet. De son passage dans l'atelier de Beyaert (1879–1892), Hankar retient un goût prononcé pour le travail du fer forgé.

La célébrité de Beyaert est telle qu'en 1883, après l'incendie qui ravage le palais de la Nation, il est chargé des réparations et de l'agrandissement de l'hémicycle. En 1888, l'architecte dessine l'hôtel Hanrez, sur la chaussée de Charleroi, au moment précis, semble-t-il, où Horta, probablement entraîné par Hankar, effectue un bref mais bénéfique stage dans son atelier.

Beyaert reconnaît avec fierté qu'il s'approprie le style de la Renaissance flamande. Sa recherche d'une architecture individualisée, l'étude soigneuse du programme, le choix du matériau adapté à sa fonction, le goût de l'ornement intégré aux structures architecturales annoncent l'éclosion de l'Art nouveau.

En 1888, Horta rédigera dans *L'Émulation* un article consacré au Théâtre flamand, réalisé quatre ans plus tôt par Jean Baes, rue de Laeken. Tout en qualifiant l'architecture de ce dernier d'« impressionniste », il souligne l'adéquation de la conception au programme dicté par des préoccupations de sécurité. Les terrasses extérieures disposées en gradins, tout en conférant au bâtiment une allure pittoresque, permettent à chaque niveau une évacuation rapide des spectateurs. Fait rare dans un théâtre, la salle est éclairée par un vaste lanterneau circulaire qui permet l'organisation de manifestations en journée. Dans le foyer, signalé en façade par les trois vastes fenêtres du premier étage, l'ossature de fer est apparente et son aspect ouvertement fonctionnel contraste avec la décoration intérieure – carrelages, lustres en fer forgé, sgraffites et fresques – empruntée à la Renaissance flamande.

L'éclectisme reste l'incarnation du parfait mélange de conformisme et d'originalité, d'archaïsme et de nouveauté que la Belgique de Léopold II érige en valeurs nationales. Quatre architectes vont bénéficier de la

faveur royale : Alphonse Balat, Henri Maquet, Alexandre Marcel et Charles Girault. C'est en 1866 que Balat est chargé par le roi de transformations au Palais royal de Bruxelles. Le souverain avait dû être séduit par la sobre grandeur du palais d'Assche (aujourd'hui siège du Conseil d'État) construit en 1856–1858. Balat y avait tiré un surprenant effet de contraste entre les surfaces de pierres nues et les chambranles de fenêtre vigoureusement ornés. Au Palais royal, Balat réalise la façade côté jardin, la grande galerie ainsi que la salle de bal et la salle de marbre, mais c'est surtout l'escalier d'honneur qui retient l'attention des contemporains. L'architecte s'y inspire de l'architecture française de la seconde moitié du XVIIIᵉ siècle, notamment du « Grand projet » d'Ange J. Gabriel à Versailles. Toutefois, les sources de lumières ambiguës, l'usage des miroirs qui troublent la perception de l'espace ainsi que le choix de parements nus, contrastant avec la fine ornementation sculptée qui souligne les articulations de l'architecture, sont propres à Balat.

Le goût classique de Balat s'allie au sens de la couleur. Il aime opposer la blancheur de la pierre à la somptuosité colorée des granits et des marbres. En témoigne le Palais des beaux-arts, commencé en 1875. Balat aspire à une conception idéale sans pour autant se plier aux formes du passé. À l'inverse du « romantisme d'emballement » d'un Poelaert, l'organisation de l'espace ne se réduit pas ici à l'ornement et à sa mise en scène théâtrale. L'architecte de Léopold II tient à affirmer une structure classique même lorsque le recours aux techniques modernes lui permet plus de liberté. Comme le signale Horta dans ses Mémoires, « une œuvre de Balat se reconnaît dans son ensemble, mais ses détails, au contraire de ceux de Poelaert, sont impersonnels[4] ».

L'éclectisme, qui traverse le siècle, s'est imposé dans un mélange de liberté à l'égard des pratiques architecturales et de convention dans la recherche d'un art national qui refléterait aussi l'ordre établi d'une bourgeoisie rayonnante, orgueilleuse et fière. Tout en met-

EN HAUT : Henri Beyaert, hôtel Hanrez (détruit), 1890. 190, chaussée de Charleroi. Gravure. Reproduit in *Travaux d'architecture par Henri Beyaert*, s. d., éd. Neirinck, Bruxelles. Bruxelles, coll. archives d'architecture moderne.

EN BAS : Jean Baes, le Théâtre royal flamand, 1887. 146, rue de Laeken. Photographie ancienne.

Le roman naturaliste

Le monde littéraire a enregistré à sa manière l'évolution sociologique que nous avons suggérée. À la génération des écrivains réalistes, qui pour la plupart étaient issus de milieux modestes et concevaient l'écriture comme une activité de divertissement, succèdent des auteurs nés autour des années 1860 dont l'écriture devient la raison sociale. Ceux-ci se tournent vers la France et soutiennent le mouvement naturaliste.

Cet intérêt est d'abord marqué par la série de revues artistiques et littéraires – *L'Art libre* (1871–1872), *L'Art universel* (1873–1875) et *L'Artiste* (1875–1880) – qui s'illustrent dans la défense des peintres réalistes. Dans les colonnes de ces périodiques, Camille Lemonnier mène campagne en faveur de *L'Assommoir* puis de *Germinal*. Plusieurs disciples de Zola y collaborent, notamment Paul Alexis, Henri Céard et Joris-Karl Huysmans. Leur rapprochement ouvre la voie aux relations nourries entre Bruxelles et Paris qui vont caractériser la fin de siècle. Il faut aussi noter que des auteurs français moins connus – comme Léon Cladel – bénéficient d'un accueil chaleureux de la part des Belges, et ce n'est pas un hasard si le chantre du roman régionaliste se voit ainsi reçu dans un pays où ce genre littéraire connaît le succès après le déclin du naturalisme à la Zola.

Des œuvres prennent rapidement le relais de ces éditoriaux. Camille Lemonnier, que l'on surnommera bientôt le « maréchal des lettres », est le premier écrivain professionnel qui ait réussi à s'imposer à ses contemporains. Après avoir débuté en « faisant les Salons » de peinture, il conçoit le projet d'étudier différents milieux sociaux, et, en 1880, fait paraître dans le journal *L'Europe,* qu'il dirige, un premier roman naturaliste intitulé *Un mâle.* Le scandale est immédiat ; il accompagnera presque chacun de ses nouveaux livres. La réprobation publique entraîne aussi le soutien des confrères parisiens, Daudet et Huysmans notamment, et la mobilisation de ses jeunes admirateurs locaux.

Un mâle rompt avec le réalisme par la sensualité qu'il affiche et par le caractère sauvage de ses personnages. Il raconte les amours clandestines du braconnier Cachaprès et de Germaine, la belle-fille d'un riche fermier. Mais tandis que la passion grandit dans le cœur de l'homme des bois, elle s'évanouit peu à peu dans celui de la belle qui souhaite s'unir avec un paysan des

tant en cause l'idée même de style, l'architecture éclectique répond à la demande d'une frange de la société qui, pour une part, s'est remise en question lors de la crise économique des années 1870.

Dans Bruxelles, la bourgeoisie n'a pas directement subi les conséquences de la crise. Le triomphalisme des années antérieures perdure, tandis que de nouvelles industries, la chimie notamment, font leur apparition. Mais le pays a produit une classe moyenne dont le nombre a augmenté avec l'enrichissement national. Or cette classe, dont le niveau culturel est à la mesure des efforts consentis par le système scolaire, n'a pas accès à un pouvoir politique toujours fondé sur le seul critère du cens. La qualification des nouveaux diplômés, frais émoulus de l'université mais marginalisés dans le système politique, engendre une frustration menant quelques-uns de ces jeunes bourgeois vers les forces de rupture qui s'organisent dans le mouvement ouvrier. Sur le plan culturel, ils s'opposeront aux valeurs de la génération précédente. Dans cette perspective, d'aucuns ont, à juste titre, lié l'émergence du courant naturaliste à ce décalage social, né du souvenir d'une prospérité passée et sourde aux exigences présentes qu'elle a engendrées[5].

PAGE DE GAUCHE : Émile Claus,
Camille Lemonnier, vers 1903. Huile sur
toile, 230 x 107 cm. Bruxelles, Maison
Camille Lemonnier.

CI-CONTRE : James Ensor, *Le Possédé,*
s. d. Crayon noir rehaussé de rouge,
17,6 x 11 cm. Dessin pour un frontispice
de Camille Lemonnier, *Le Possédé,* 1890.
Bruxelles, Maison Camille Lemonnier.

environs. Cachaprès rôde autour de la ferme jusqu'au jour où un coup de feu le blesse à mort. Traqué par les gendarmes, il va mourir dans un fourré, au cœur de la forêt qui, elle, ne l'a pas trahi. L'œuvre est lyrique autant que naturaliste : le héros et la nature vivent des passions assorties. Le déterminisme du milieu relève certes de l'esthétique de l'école de Médan, mais c'est à Barbey d'Aurevilly que l'œuvre est dédiée – un auteur dont l'idéalisme et le style précieux plaisaient plus à Lemonnier que l'âpreté de Zola. Cette vocation poétique se traduit par de longues descriptions où abondent les métaphores musicales et picturales. De nombreux artistes s'en inspireront.

Après ce coup de maître, Lemonnier donne encore *L'Hystérique* (1885), étude psychologique d'une névrosée qu'envoûte un prêtre au pouvoir magnétique, *Happe-Chair* (1886), roman de la classe ouvrière qui se déroule dans les usines sidérurgiques du Centre, *La Fin des bourgeois* (1892), qui trace une épopée familiale à la manière des Rougon-Macquart. Il aborde aussi le roman psychologique (*Claudine Lamour,* 1893) avant de se plonger dans le « naturisme » (*L'Île vierge,* 1897).

L'autre grand romancier naturaliste belge est Georges Eekhoud, écrivain moins prolixe que son aîné mais dont l'œuvre présente une plus grande unité, due sans doute aux thèmes obsessionnels qui l'habitent. Eekhoud s'intéresse à tous les milieux marginaux, des pauvres aux prisonniers, du *lumpenproletariat* aux prostituées et aux homosexuels. Ce petit-bourgeois bruxellois portant binocle et menant une vie des plus rangées est un révolté et un libertaire qui ne dissimule pas ses sympathies pour toutes les causes difficiles : l'anarchisme, le mouvement flamand et, dès la fin de la Grande Guerre, le pacifisme.

La Nouvelle Carthage, publiée à Bruxelles en 1888 et rééditée en 1893 dans une version considérablement augmentée, permet à Eekhoud de dépeindre sa ville natale à la manière naturaliste. Au héros de son roman anversois, l'auteur, dont la grand-mère était née Euphrasie Paridaens, a donné un patronyme qui lui était cher : Laurent Paridael. Si l'histoire de Laurent ressemble à celle des autres héros de l'écrivain, qui sont

Charles Van der Stappen, *Ompdrailles.* Socle de Victor Horta, 1895–1897. Jardin du Roi. Monument d'hommage à Léon Cladel inspiré d'un des romans de l'écrivain : *Ompdrailles ou le Tombeau des lutteurs.*

tous des personnages en révolte contre leur milieu d'adoption, elle sert ici une véritable fresque sociale et une critique audacieuse du capitalisme triomphant. En des pages justement célèbres, Eekhoud décrit les abords pestilentiels de la fabrique, l'influence délétère des acides, la pollution qui gagne les quartiers ouvriers ; il montre le courage impuissant de ceux qui, honnêtes et probes, voudraient vivre des seuls revenus de leur travail ; il présente de manière suggestive les quartiers sinistres du port et l'émigration forcée vers le continent américain des villageois flamands ou wallons réduits à la misère. Des artistes comme Eugène Laermans vont s'inspirer de la puissance visionnaire de ces scènes qui forment, en prose, le pendant exact des *Villes tentaculaires* d'Émile Verhaeren.

L'influence d'Eekhoud sur les peintres – Henry De Groux, par exemple, se souvient de son premier roman, *Kees Doorik* (1882), pour évoquer les *Gansryders* – n'est d'ailleurs pas un trait propre à cet artiste. Elle recoupe une des caractéristiques de toute la production littéraire belge jusqu'à la fin du siècle et sans doute encore après : sa relation privilégiée avec le domaine pictural.

Depuis le milieu du XIXe siècle, la littérature française a fait une large place à l'inspiration picturale. Des transpositions de Gautier à celles de Flaubert, des vies d'artistes présentées par Balzac ou Zola aux descriptions vivantes des Salons, le domaine pictural prend une part majeure dans l'imaginaire littéraire. Il atteint son apogée avec l'œuvre de Proust. En Belgique aussi les peintres sont présents en littérature, mais à Bruxelles une importance toute particulière est donnée aux grandes écoles de la peinture flamande : aux primitifs pour leur mysticisme et leurs représentations de la vie populaire, et aux peintres baroques, Rubens et Jordaens surtout, dont les truculences animent des descriptions colorées. Pour nombre d'écrivains, la peinture sert à la fois de référent identitaire et de supplément de légitimité. En évoquant de grands artistes connus dans le monde français, ils escomptent une notoriété qu'aucun substrat symbolique ne pourrait leur offrir. Grâce à la peinture, ils s'ancrent dans un contexte culturel local, bénéficiant d'une large audience internationale. *Le Massacre des innocents* de Bruegel, tiré de saint Matthieu, se retrouve ainsi dans un conte de jeunesse de Maeterlinck, encore fort proche de son modèle, mais qui n'est pas sans annoncer aussi quelques-uns

des thèmes des *Aveugles* ; on en suit l'influence dans *La Mort aux berceaux* (1897) d'Eugène Demolder, dans une œuvrette de Franz Hellens, pseudonyme de Frédéric Van Ermengem, *Massacrons les innocents*, puis dans une série de textes postérieurs à 1914. La « transposition d'art » prend ainsi une importance toute particulière en Belgique, tant dans les premiers poèmes de Verhaeren, qui n'hésite pas à les dédier « Aux Flamandes de Rubens », que chez un auteur, beau-fils et ami de Rops, qui passera pour le maître du genre : Eugène Demolder. *La Route d'émeraude* (1899) de ce dernier présente des scènes inspirées par les tableaux de Jordaens, de Rembrandt et des peintres de genre hollandais. Dans le *Royaume authentique du grand saint Nicolas* (1896), il brossera un amusant portrait de son ami James Ensor sous les traits de saint Fridolin. De même – et on pourrait multiplier les exemples – Lemonnier a évoqué les proverbes de Bruegel et Albert Giraud écrivait :

Je rêve un théâtre de chambre,
Dont Breughel peindrait les volets,
Shakspear [*sic*], les féeriques palais,
Et Watteau, les fonds couleur d'ambre[6].

Si l'on a pu voir, dans le roman naturaliste une description à vocation réaliste de la société du temps, il ne faut cependant pas perdre de vue que le genre n'est pas insensible à d'autres projets. L'esthétique « décadente » s'y coule sans difficultés, d'autant que la tradition naturaliste de l'étude de « cas » ouvre le chemin aux analyses psychologiques. Entre la peinture de la dégénérescence des familles et une attention portée aux névroses, il n'y a qu'un pas que de nombreux auteurs franchissent résolument. Eekhoud s'était déjà passionné pour le non-conformisme sexuel, Lemonnier pour la peinture des frustrations bourgeoises : les « petits naturalistes », qui s'inspirent de leur exemple, allaient renforcer ces traits. Dans *Les Béotiens*, Henri Nizet décrit avec délectation un Bruxelles littéraire plus médiocre que nature ; Henri Eslander reprend dans *Rage charnelle* (1890) la trame d'*Un mâle* en accentuant les aspects nécrophiles et sensuels ; enfin, dans *Gueule rouge* (1894), Marius Renard veut rédiger un *Germinal* wallon.

Par ailleurs, les thèmes n'étant pas le monopole de certains genres, on voit poindre à la fin du siècle, une poésie urbaine qui semble entrer en concurrence avec

Eugène Laermans, *Les Émigrants,* 1894. Huile sur toile, 150 x 211 cm. Bruxelles, musées royaux des Beaux-Arts de Belgique. Tableau réalisé d'après un chapitre de *La Nouvelle Carthage* de Georges Eekhoud.

les motifs privilégiés par le roman naturaliste. Telle est bien la révolution que Verhaeren a fait subir au genre : *Les Campagnes hallucinées* (1893), *Les Villes tentaculaires* (1895) sont les premières tentatives de fonder un lyrisme dépourvu d'expression personnelle, s'émouvant du processus historique de la dépopulation des campagnes et glorifiant l'évolution des villes en ce qu'elle détruit le vieux monde sur lequel devrait s'ériger une société nouvelle.

Les revues et la renaissance littéraire

Les années 1880 sont caractérisées par la publication d'une série de revues culturelles et littéraires : *La Jeune Belgique* (1881–1897), *L'Art moderne* (1881–1914), *La Revue moderne* (1882–1883), *La Société nouvelle* (1884–1897), et une vingtaine d'autres, moins importantes, ont marqué l'entrée dans la carrière des lettres d'une génération née entre 1850 et 1860. Ces jeunes auteurs vont exprimer leur désir d'échapper aux attentes de la société pour se consacrer exclusivement à leur création. Ce désir de « l'art pour l'art » s'affirme à la manière d'un nouveau romantisme : les « Modernes » contre les « Anciens ».

Dans *Pauvre Belgique !* Baudelaire notait ironiquement ce qui lui paraissait caractériser les tenants du réalisme : « En général ici, le littérateur (?) exerce un autre métier. Employé le plus souvent[7]. » C'est bien avec cette image que veulent rompre les animateurs du mouvement de 1880, qui parlent de leurs aînés en termes belliqueux : « Ils sont là une vingtaine, épaves dernières de la littérature et de l'art d'autrefois, avocats ou professeurs endéans la semaine, écrivains le dimanche, qui me font penser à je ne sais quelle garde civique de l'art, pleine de dédain pour l'armée active[8]. » La rupture des années 1880 est donc avant tout le fait de modifications sociologiques, celles qui permettent à Ywan Gilkin d'écrire : « Si je m'orientais vers la carrière d'avocat, j'étais à part moi fermement résolu à devenir un poète [...][9]. » Les auteurs sont devenus des « écrivains professionnels » et veulent se séparer des « écrivains du dimanche ». Sur le plan esthétique, ils se tournent vers la modernité française et s'inspirent désormais des grands modèles que leur offrent Baudelaire, Hugo et Flaubert.

Le premier numéro de la plus importante revue littéraire du temps paraît le 1er décembre 1881. Fondée par Albert Bauwens et Max Waller – pseudonyme de Maurice Warlomont – mais rapidement dirigée par ce dernier seul, *La Jeune Belgique* offre un titre ambigu. On peut l'interpréter dans un sens nationaliste que confirmerait la devise « soyons nous », fièrement arborée par la revue. L'expression renvoie aussi au célèbre organe romantique, *La Jeune France,* et à une autre revue française qui portait le même titre, publiée entre 1881 et 1888.

En fait, la formule « mouvement de la jeune Belgique » qui va s'imposer durablement recouvre deux acceptions qu'il convient de séparer pour comprendre l'émergence de la modernité en Belgique. La première désigne une réalité multiforme que traduit la succession des « -ismes » (naturalisme, symbolisme, décadentisme ...) et dans laquelle se mêlent les formules caractéristiques de la fin du siècle : révolte antibourgeoise, pessimisme marqué par la figure tutélaire de Schopenhauer, rapprochement des arts inspiré par Wagner, sédiments d'une utopie sociale et réévaluation des expériences créatrices antérieures ainsi que des manifestations de l'art populaire. C'est bien à ce corpus d'innovations que se réfèrent Maeterlinck ou Verhaeren lorsqu'ils décrivent à leurs amis étrangers l'état des lettres belges ou leur propre itinéraire spirituel. Dès les années 1890, l'expression passe dans le langage commun, et lorsque la *Revue encyclopédique Larousse* demande à Edmond Picard, directeur de *L'Art moderne,* de composer un article sur la Belgique, c'est en tant que représentant du « mouvement de la Jeune Belgique » que les Français s'adressent à un homme qui n'a cessé de critiquer la vision de l'art pour l'art que défendait la revue homonyme !

La revue de Max Waller rassemble effectivement les principaux représentants de la modernité artistique du moment : des poètes symbolistes (Maeterlinck, Verhaeren, Van Lerberghe), un poète néo-parnassien (Albert Giraud), des romanciers naturalistes (Eekhoud et Lemonnier) y ont collaboré, et il n'est aucun autre périodique littéraire belge qui ait pu se prévaloir d'une aussi prestigieuse pléiade de collaborateurs. Toutefois, si elle reste le point de passage obligé des artistes qui se veulent d'avant-garde, *La Jeune Belgique* est aussi un lieu de contradictions, de débats, de ruptures. Son histoire s'est nourrie de scissions, d'exclusions, d'excommunications plus ou moins lourdes de conséquences. Ainsi, Verhaeren et Maeterlinck, ses deux plus illustres représentants, en sont rejetés, quoique pour des motifs différents. Si *La Jeune Belgique* a bien été le point de ralliement des jeunes auteurs, si elle a joué un rôle important dans la légitimation de la carrière littéraire en Belgique, elle n'a pas su s'adapter aux innovations qui vont se cristalliser avec le mouvement symboliste. Celui-ci est le fait d'artistes qui ont rompu avec la revue, dont les positions parnassiennes ou classiques apparaissen bientôt comme rétrogrades en face de la révolution du langage poétique de Mallarmé.

L'esthétique de La Jeune Belgique et la réaction symboliste

Les étudiants et anciens étudiants qui se sont rassemblés pour fonder *La Jeune Belgique* forment une équipe, non une école. S'ils ne cachent pas leurs sympathies pour un naturalisme modéré, ils se vouent pour la plupart à la poésie et, dans ce domaine, ne se déclarent pas en faveur d'une option particulière. L'hésitation se comprend : en France l'heure n'est plus aux proclamations. Le romantisme a jeté ses derniers feux et le Parnasse commence à trop sentir l'académisme pour ces jeunes gens anticonformistes. Pour Max Waller, à ce moment, la seule école digne de ce nom est « celle de la personnalité ». Le jeune écrivain s'inscrit alors de plain-pied dans ce vaste mouvement d'affirmation de l'individu qui depuis les années 1870 caractérise la peinture et, plus timidement, la sculpture. Durant leurs réunions de fin d'après-midi au Café Sésino, Waller et ses amis veulent d'abord créer un cénacle où ils peuvent parler d'art et manifester leur esprit d'impatience et d'indépendance, non se rallier à des groupuscules dont ils connaissent encore très mal les distinctions. En novembre 1882, lorsque Waller rachète la revue à son premier propriétaire, il en fait un organe de combat en faveur de l'activité artistique en soi, un étendard dressé contre les critiques les plus établis et les tendances à juger de la beauté en termes utilitaires. *La Jeune Belgique* devient le siège d'un bouillonnement d'énergies : publications, conférences, manifestations publiques et provocations diverses.

En avril 1883, le jury officiel chargé de l'attribution du prix quinquennal est divisé sur l'écrivain à récompenser et ne décerne pas de distinction. En réaction, *La Jeune Belgique* organise un grand banquet en faveur de Camille Lemonnier pour provoquer la « Pâque publique » de la renaissance.

Fernand Khnopff, *Le Baiser.* Dessin pour le frontispice de Max Waller, *Le Baiser,* 1883. Encre de Chine et rehauts de crayon Conté sur papier, 23,6 x 16,2 cm. Coll. part.

Ces jeunes auteurs ont d'abord subi l'influence de leurs lectures. Ils ont pratiqué Leconte de Lisle, Baudelaire et Hugo. Avec une insatiable curiosité, ils se sont communiqué leurs découvertes, comme celle de cet ouvrage mystérieux trouvé parmi les invendus d'un libraire local et dont la livraison du 5 octobre 1885 de *La Jeune Belgique* offre un large extrait : *Les Chants de Maldoror* de Lautréamont. Maurice Maeterlinck dira plus tard, en la reniant, l'impression profonde que lui firent cette « beauté indicible », ces « correspondances électriques et inouïes, métaphores phosphorescentes dans la nuit flamboyante du subconscient[10] ». Toutefois, aux yeux de ces jeunes poètes, les formes fixes (sonnets, rondels …) ont conservé leurs privilèges. Les corrections qu'ils s'apportent mutuellement les montrent attentifs au choix du terme exact et à la régularité des vers.

Nombre de textes prennent pour sujet l'image que ces poètes se font d'eux-mêmes. ils se retrouvent dans les figures du pitre, du pierrot, de l'exilé. La vocation

Fernand Khnopff, *Une crise*, 1881. Huile sur toile, 114 x 175 cm. Coll. part.

est un martyre à l'image de celui décrit par Albert Giraud dans *Les Croix* :

> Les beaux vers sont de larges croix
> Où saignent les rouges Poètes
> Aveuglés par les gypaètes
> Qui volent comme des effrois
> [...]
> Ils ont trépassé, cheveux droits,
> Loin de la foule aux clameurs bêtes,
> Les soleils couchants sur leurs têtes
> Comme des couronnes de rois !
> Les beaux vers sont de larges croix[11] !

Avec plus d'ironie, même si celle-ci est teintée d'amertume, Max Waller évoque la vie d'artiste :

> Faire des vers, des vers gamins
> Et rire, et rire, et rire encore,
> Et comme un pierrot qui picore,
> Cueillir leurs parfums aux jasmins

> Forger des vers comme des armes,
> Pointus, effilés, sans merci,
> Ou, pour expier son souci,
> Égrener des *ave* de larmes,

> C'est bon supérieurement
> Et tout le reste est journalisme
> La strophe d'or est comme un prisme
> Où s'irise le firmament. [...][12].

Les thèmes que les poètes de *La Jeune Belgique* illustrent à ce moment se retrouvent avec peu de modifications chez leurs confrères symbolistes. On passe en effet sans transition de la représentation parnassienne de l'artiste à celle que vont développer les auteurs de la fin de siècle. Car la révolution poétique, pour les disciples de Mallarmé, touche moins les registres du sens que ceux de l'audace formelle.

Dans un de ses rares textes théoriques, consacré au peintre Fernand Khnopff, Émile Verhaeren insiste très justement sur la nature précise de la réaction symboliste :

Henry Van de Velde, *Portrait de Max Elskamp*, s. d. Pastel sur papier, 60 x 42,7 cm. Bruxelles, coll. Crédit Communal.

L'évolution vers le symbolisme s'est faite presque inconsciemment d'abord, puis lentement accentuée par réaction directe contre le naturalisme. Celui-ci était l'émiettement descriptif, l'analyse microscopique et minutieuse. Aucun résumé, aucune concentration, aucune généralité. On étudiait des coins, des anecdotes, des individus et toute l'école se tablait sur la science du jour et, par conséquent, sur la philosophie positiviste.

Le symbolisme fera le contraire. Au naturalisme, la philosophie française des Comte et des Littré, à lui la philosophie allemande des Kant et des Fichte. C'est de logique entière. Ici, le fait et le monde deviennent uniquement prétexte à idée ; ils sont traités d'apparences, condamnés à la variabilité incessante et n'apparaissent, en définitive, que rêves de notre cerveau. C'est l'idée s'y adaptant ou les évoquant qui les détermine et autant le naturalisme accordait de place à l'objectivité dans l'art, autant et plus le symbolisme restaure la subjectivité. L'idée est intégralement imposée en toute sa tyrannie. Art de pensée, de réflexion, de combinaison, de volonté donc. Rien à l'improvisation, à cette espèce de rut littéraire, qui emportait la plume à travers des sujets énormes et inextricables. Toute parole, tout vocable pesé, scruté, voulu. Et pour arriver au but : considérer la phrase comme une chose vivante par elle-même, indépendante, existant par ses mots, et debout, et couchée, et marchant, et emportée, et éclatante, et terne, et nerveuse, et flasque, et roulante, et stagnante : organisme, création, corps et âme tirés de soi et si, [sic] parfaitement créés, plus immortels certes que leur créateur.
Tel le symbolisme littéraire[13].

La différence de talent mise à part, c'est bien dans ce sens nouveau du rythme poétique, cette conscience de la langue et cet abandon des modèles anciens que l'on peut différencier l'évocation de l'image des « serres chaudes » chez Ywan Gilkin, encore tout imprégné par *Les Fleurs du mal,* et chez les poètes symbolistes :

Dans les jardins d'hiver, des fleuristes bizarres
Sèment furtivement des végétaux haineux,
Dont les tiges bientôt grouillent comme les nœuds
De serpents assoupis aux bords boueux des mares
[…]
Et moi je vous ressemble, ô jardiniers pervers !
Dans les cerveaux hâtifs où j'ai jeté mes graines,
Je regarde fleurir les poisons de mes vers[14].

Maurice Maeterlinck. Photographie ancienne. Gand, fondation Maeterlinck, Stadsarchief.

On retrouve cette antinature chez Maeterlinck, à ce moment encore retenu par les règles métriques :

Sous la cloche de cristal bleu
De mes lasses mélancolies,
Mes vagues douleurs abolies
S'immobilisent peu à peu :

Végétations de symboles,
Nénuphars mornes des plaisirs,
Palmes lentes de mes désirs,
Mousses froides, lianes molles[15].

Le futur dramaturge développera la même image symbolique dans son œuvre la plus audacieuse, en changeant le rythme et la force de ses comparaisons :

Ô serre au milieu des forêts !
Et vos portes à jamais closes !
Et tout ce qu'il y a sous votre coupole
Et sous mon âme en vos analogies !

Les pensées d'une princesse qui a faim,
L'ennui d'un matelot dans le désert,
Une musique de cuivre aux fenêtres des incurables[16].

On ne saurait trop insister sur ces questions apparemment techniques dont la portée s'est aujourd'hui perdue. Pour Verhaeren, la question du vers reste discriminante. Ainsi, au moment de prendre ses distances avec

La Jeune Belgique, il confiera à son ami Georges Khnopff, frère cadet du peintre, qu'il a volontairement introduit des vers faux – lisons : irréguliers – dans *Les Soirs* (1888), où la dislocation de l'alexandrin rejoint celle de la syntaxe pour évoquer l'image de la raison morte. La célèbre apostrophe d'Albert Giraud, qui lui reproche d'exécuter « la danse du scalp » de la langue et d'écrire en « macaque flamboyant », s'appuie précisément sur les audaces prosodiques de Verhaeren.

Dans le même registre, Max Elskamp confie à son ami peintre Henry Van de Velde : « Je voudrais trouver une langue nouvelle que n'ait point prostituée le métier […][17]. » En 1892, le recueil Dominical déclenche les violentes réactions des tenants du classicisme. Ceux-ci n'ont pas de mots assez durs pour fustiger l'« infantilisme », le « gâtisme » (Valère-Gille) du poète anversois. Pour Elskamp, le besoin de faire du neuf participe d'une recherche plus profonde, quasi mystique, de ce que Paul Gorceix appelle « l'image analogique », une suggestion capable d'éveiller chez le lecteur l'intuition de la vie intérieure du poète. Cette langue nouvelle, Elskamp la cherche dans les chansons populaires et l'emploi de tournures volontairement gauches. Mais c'est surtout la syntaxe qui fait l'objet de ses recherches : il vise à en défaire l'ordonnance au profit d'une expressivité qui, pour sembler parfois précieuse, n'en révèle pas moins une rigueur dont la critique contemporaine n'a pas encore pris toute la mesure. Par ailleurs, en s'ouvrant à la vie et à l'art populaires, Elskamp a su rendre à la poésie un matériau abondant dont elle s'était privée. L'alliance subtile de la métaphysique et du concret se voit représentée graphiquement dans son œuvre dont il grave les bois et imprime lui-même les pages.

L'élément formel dépasse le registre de la seule poésie. Si la première édition de *Bruges-la-Morte* de Georges Rodenbach porte le sous-titre « roman » – ce qu'oublient nombre d'éditeurs –, c'est assurément pour souligner que ce texte intervient dans le débat sur le statut du roman symboliste. L'auteur a voulu écrire un récit, une « étude passionnelle », comme il le précise dans son Avertissement, mais aussi brosser un « paysage urbain », un décor qui nimbe l'événement « d'une aura poétique ». On ne peut décider à quel genre – poétique ou romanesque – appartient l'œuvre, et cette ambiguïté est précisément l'objet de l'éloge que Mallarmé décerne à l'auteur dans une lettre du 28 juin 1892 : il y voit la réalisation de cette « tentative contemporaine

de lecture […] de faire aboutir le poème au roman, le roman au poème[18] ». L'immense succès de cette œuvre a relevé pour une large part des conséquences stylistiques de ce jeu fondé sur l'ambiguïté des genres.

Un bref conte de Charles Van Lerberghe, intitulé *Sélection surnaturelle* (1900), témoignera de façon quasi allégorique de cette attention portée au texte, dans ses aspects les plus matériels. L'auteur y présente un héros typiquement décadent, un Hamlet mélancolique, qui cherche parmi les mots de la langue ceux qui refléteront le mieux son état d'âme. Au cours d'un voyage en mer, le prince de Cynthie se débarrasse successivement des mots grossiers, des termes concrets, des verbes de mouvement, de la quincaillerie des pronoms, des articles et

Fernand Khnopff, frontispice pour Georges Rodenbach, *Bruges-la-Morte,* Flammarion, Paris, 1892. Bruxelles, musée de la Littérature, Bibliothèque royale Albert Ier.

Charles Van Lerberghe, *La Belle Mélusine,* dessin repris de son *Journal,* t. V. Bruxelles, musée de la Littérature, Bibliothèque royale Albert Ier.

PAGE DE DROITE : Théo Van Rysselberghe, *Portrait d'Octave Maus,* 1885. Huile sur toile, 90,5 x 75,5 cm. Bruxelles, musées royaux des Beaux-Arts de Belgique.

des conjonctions. « Dieu » même passe par-dessus bord. La nef s'allège à mesure que disparaît l'encombrant lexique. Un dernier verbe, petit et tremblant, parle enfin à l'âme du prince : « j'aspire ». On comprend que c'est chez un poète aussi attentif à la langue et aussi conscient des mouvements d'idées de son temps que le symbolisme belge donnera sa plus grande réalisation poétique, au terme d'une longue incubation d'une dizaine d'années. Avec *La Chanson d'Ève,* parue en 1904, Van Lerberghe porte la maîtrise du code poétique à un degré de perfection jamais atteint, et dont Gabriel Fauré, séduit, en doublera les vers d'une mélodie subtile.

La Chanson d'Ève se compose de quatre parties, librement inspirées par la figure d'Ève : Premières paroles, la Tentation, la Faute et Crépuscule. On ne peut résumer l'œuvre ; elle reste une recherche de l'informulable, une description lyrique de l'appropriation du monde jusqu'à l'accord final – vie et mort confondues – de l'être avec la nature panique. Les étapes de l'initiation de la jeune fille sont autant de rythmes musicaux : à la phase contemplative du début succède le tempo accéléré du désir et de la sensualité, jusqu'à ce que la journée s'achève en même temps que la vie fragile, mais toujours renaissante, de la chanson :

> L'âme chantante d'Ève expire,
> Elle s'éteint dans la clarté ;
> Elle retourne en un sourire
> À l'univers qu'elle a chanté.
>
> Elle redevient l'âme obscure
> Qui rêve, la voix qui murmure,
> Le frisson des choses, le souffle flottant
> Sur les eaux et sur les plaines,
> Parmi les roses, et dans l'haleine
> Divine du printemps.
>
> En de vagues accords où se mêlent
> Des battements d'ailes,
> Des sons d'étoiles,
> Des chutes de fleurs,
> En l'universelle rumeur
> Elle se fond, doucement, et s'achève,
> La chanson d'Ève[19].

Ce travail de la langue, les peintres le pratiquent avec leurs propres instruments, recherchant dans le matériau le fondement d'un langage plastique de moins en

Les vingtistes, 1889. Photographie ancienne. Bruxelles, musées royaux des Beaux-Arts de Belgique, archives d'architecture moderne.

Une salle d'exposition du Salon des XX de 1884 au Palais des beaux-arts de Bruxelles. Photographie ancienne. Bruxelles, musées royaux des Beaux-Arts de Belgique, archives de l'Art contemporain (fonds O. Maus, donation Vanderlinden).

moins dépendant de l'apparence extérieure. Il s'agit désormais de donner son plain-chant à l'expression d'une subjectivité déliée. La littérature vaudra pour modèle, même si l'histoire de la peinture belge dans les années 1880 maintient fermement le cap d'une modernité qui, à travers la Société libre des Beaux-Arts et la Chrysalide, s'est déjà formé sa propre tradition.

Dans cette lutte pour la modernité, l'union des écrivains et des peintres devait se poursuivre dans les années 1880. L'activité des revues connaît un formidable essor. La création de *La Jeune Belgique* et de *L'Art moderne* en 1881, suivie par celle de *La Wallonie*, fondée à Liège par Albert Mockel en 1886, offre aux arts plastiques une tribune en même temps qu'un fabuleux laboratoire d'idées venues de l'Europe entière.

La fondation du cercle des XX

Lorsque, à l'instigation de l'avocat et journaliste Victor Arnould, *L'Art moderne* paraît le 6 mars 1881, la revue se situe clairement dans la succession de *L'Artiste* qui vient de cesser ses activités. Le comité de rédaction réunit Eugène Robert, Edmond Picard, Octave Maus et, bientôt, Émile Verhaeren. À côté d'Octave Maus, qui veille aux problèmes d'organisation et s'intéresse surtout aux questions musicales, la figure d'Edmond Picard s'impose comme théoricien de la modernité sous le signe de l'art social. Attentif à l'évolution de la scène culturelle, *L'Art moderne* s'enthousiasme bientôt pour un nouveau cercle artistique.

À la fin de 1883, quelques peintres se détachent de l'Essor que d'aucuns considéraient trop embourgeoisé et dont le fonctionnement est alourdi par des règles très strictes. Le cercle des XX naît du regroupement d'une poignée d'artistes – ils sont à l'origine moins de vingt : Théo Van Rysselberghe, Frantz Charlet, Fernand Khnopff, Jean Delvin, Paul Du Bois, Willy Schlobach, Jef Lambeaux, James Ensor, Willy Finch, Frans Simon, Théo Verstraete, Charles Goethals, Périclès Pantazis, Guillaume Vogels et Gustave Vanaise. Son organisation se signale par sa souplesse[20]. Le groupe entend exposer librement – sans jury ni comité d'accrochage – et inviter les artistes du monde entier qui participent d'un même esprit moderne. Maus, devenu secrétaire du cercle, définit l'ambition du groupe : « [...] nous nous proposons de tout casser pour remettre notre

LE SALON DES XX

Détails d'une page satirique sur le Salon des XX, in *Le Patriote illustre*, 2 février 1890. Bruxelles, musées royaux des Beaux-Arts de Belgique, archives de l'Art contemporain. La caricature tourne les XX en dérision sur le mode de la *Parade* de Seurat. Les sculptures représentées sont de George Minne.

— Vois-tu, mon fils, les frères Siamois dont on t'a si souvent parlé : ils doivent être à présent très vieux, car ils n'ont plus de cheveux !...

pauvre bourgeois de pays à la place qu'il devrait occuper[21]. »

Annoncé depuis plusieurs semaines par *L'Art moderne,* le premier salon des XX ouvre ses portes le 1er février 1884 au Palais des beaux-arts de Bruxelles. À côté de l'exposition, où les œuvres d'un même artiste sont réunies en un ensemble cohérent, les XX présentent aussi un programme de concerts et de conférences au sein même des salles d'exposition.

Le 9 février 1884, à l'occasion d'une conférence, Picard souligne la parenté qui unit le nouveau cercle à la Société libre des Beaux-Arts, à la Chrysalide et à l'Art libre. Réalisme et étude de la nature constituent les fondements de cet « art vrai », défendu par *L'Art moderne* et affirmé par les XX[22]. L'accent est mis sur le nécessaire ancrage de l'art dans la réalité afin que, conscient de sa mission sociale, il fortifie l'homme et l'élève par l'émotion en le rendant meilleur.

La composition du cercle des XX connaît d'incessants changements. Dès les premières années, certains, parmi les plus conservateurs, ont démissionné après avoir fait l'objet d'attaques virulentes de la part des critiques favorables aux XX. Les places laissées vacantes font l'objet d'âpres débats. En 1885, Isidore Verheyden, Jan Toorop et Guillaume Charlier sont élus membres ; en 1886, Anna Boch et Félicien Rops ; en 1887, Henry De Groux ; en 1889, Georges Lemmen, Henry Van de Velde et Auguste Rodin ; en 1890, Robert Picard, un des fils de l'avocat. En 1891, c'est au tour de George Minne et de Paul Signac. La présence de deux Français ne peut masquer le désir de la plupart des vingtistes de rester entre Belges. Cet ancrage national s'exprime dès 1886 face à la candidature de Whistler. Vogels et surtout Ensor défendent alors une politique d'appui aux jeunes artistes locaux plutôt qu'à une gloire étrangère dont l'ascendant se faisait déjà sentir sur Finch, Van Rysselberghe et Khnopff.

Les relations avec Paris ont constitué un des points essentiels de la politique menée par Octave Maus. Au travail de prospection répondait l'établissement de relations personnelles fondées sur la confiance et bientôt l'amitié. Émile Verhaeren, Eugène Boch, Théodore de Wyzewa, Paul Signac et Théo Van Rysselberghe servaient « d'agents de liaison ». Ce dernier secondait Maus avec application tout au long de l'aventure des XX puis de la Libre Esthétique. En dix ans, ce travail de recherche permit d'accueillir à Bruxelles près de cent trente invités venus de tous les horizons géographiques et esthétiques. Mais plus encore, à travers les invitations s'est esquissée une politique d'exploration de la modernité qui, aux côtés des célébrités de l'époque comme Fantin-Latour, Bracquemond, Gervex, Frémiet, Liebermann, Sargent ou Whistler, a attiré à Bruxelles des mouvements en quête de reconnaissance dans leurs propres pays. Ainsi, les XX ont reçu les impressionnistes Monet (1886, 1889), Renoir (1886, 1890), Sisley (1890–1891), Morisot (1887) ou Caillebotte (1888). En 1886, ils s'enthousiasment pour le néo-impressionnisme et invitent Seurat (1887, 1889, 1891 et 1892), Signac (1888), Pissarro (1887, 1889, 1891), Dubois-Pillet (1888, 1893), Luce (1889, 1892) ou Cross (1889, 1893). À côté des mouvements qui marquent l'actualité, les XX accueillent des artistes encore inconnus comme Lautrec (1888, 1890, 1892 et 1893), Gauguin (1889 et 1891) ou Van Gogh (1890 et 1891), offrant à ce dernier

l'opportunité de vendre ses *Vignes rouges* à Anna Boch, la seule toile qui lui sera achetée de son vivant.

Au cours de son histoire, le cercle des XX accueillera l'avant-garde dans la diversité de ses poétiques, dans l'antagonisme de ses options, dans la vitalité de ses engagements. Avec son exposition annuelle et le soutien des revues qui prolongent le débat, il fait de Bruxelles la « caisse de résonance » des révolutions parisiennes et le carrefour de la modernité en Europe.

Cette situation de pointe ne doit pas faire oublier la politique menée à l'intérieur même des frontières belges. En janvier 1887, six artistes, parmi lesquels on découvre le jeune Henry Van de Velde, fondent à Anvers *L'Art indépendant*. Épaulé par Max Elskamp, le cercle anversois prend modèle sur son aîné bruxellois et invite plusieurs de ses membres aux côtés de représentants de l'Essor et du cercle anversois Als Ik Kan. Le scandale soulevé par l'exposition – et particulièrement par la présence du *Pornokratès* de Rops, qui avait déjà agité Bruxelles – conduit à la dissolution du groupe. En 1892, Elskamp et Van de Velde renouvellent l'initiative en créant, toujours à Anvers, l'Association pour l'art, qui l'année suivante mettra l'accent sur les arts décoratifs, reflétant ainsi une tendance déjà sensible dans la dernière exposition des XX.

Les difficultés rencontrées en province par les cercles artistiques sont quelque peu compensées par l'accueil fait à l'esprit des XX hors du pays. À Paris, les Trente, qui présentent leur première exposition en décembre 1887 chez Georges Petit, rue de Sèze, reprennent les statuts du cercle bruxellois et ne manquent pas d'inviter pour l'occasion Van Strydonck, Khnopff, Rops, Van Rysselberghe et Charlier. Aux Pays-Bas, Vogels et Toorop sont chargés par la Société du panorama d'Amsterdam de monter une exposition des XX. En 1889, un choix d'artistes belges comprenant Boch, De Groux, de Regoyos, Dubois, Finch, Lemmen, Rops, Schlobach, Toorop, Van Rysselberghe, Van Strydonck et Vogels est présenté au public de la métropole. Fort de ce succès, Toorop propose de renouveler l'expérience en 1892. Cette nouvelle manifestation, présentée au Kunstkring de La Haye, constitue la première grande exposition néo-impressionniste aux Pays-Bas regroupant Lemmen, Pissarro, Van Rysselberghe, Signac, Seurat et Van de Velde.

Partout où s'esquisse un désir de rupture à l'égard des pratiques conventionnelles – ce que les pays germaniques ont nommé Sécession –, les XX vont trouver un écho renforcé par les contacts personnels de chacun. Ainsi, Khnopff, présent en Angleterre avec ses chroniques dans la revue *The Studio,* en Autriche et à Munich, aux côtés de Minne, avec ses participations aux expositions de la Sécession, va marquer Klimt et von Stück ; Van de Velde, internationalement reconnu pour son activité pédagogique, donnera naissance au Bauhaus.

Dès leur formation, les XX ont récusé tout esprit de chapelle, reprenant en cela le programme annoncé en 1881 par *L'Art moderne.* Sans démentir cette position, leur évolution a toutefois témoigné d'un engouement pour certains mouvements qui, à leurs yeux, incarnaient la modernité : l'impressionnisme, rapidement suivi du néo-impressionnisme à la fin des années 1880, le symbolisme et le renouveau des arts décoratifs qui, en 1893, a conduit à la dissolution des XX au profit de la Libre Esthétique.

Entre ces trois phases, l'unité ne relèverait-elle pas de ce désir d'ancrage dans la réalité qui avait marqué réalistes et naturalistes ? Avec l'impressionnisme et le néo-impressionnisme, le réel est perçu en termes de sensation visuelle dont certains vingtistes, influencés par la réflexion positiviste, cherchent à exprimer la signification profonde dans un langage scientifique. Interrogeant les fondements de la perception visuelle, les peintres remettent en question la notion même de réalité. Cette recherche ouvre la voie à une évolution « naturelle » du réalisme vers le symbolisme. De la représentation de la nature appréhendée par le seul regard, l'image se transforme en un lieu d'interrogation de la réalité, au-delà de son apparence première, pour en extraire l'idée, le principe fondamental assimilé à la beauté. Cette voie symboliste ne relève pas exclusivement de l'idéalité telle que les disciples de Péladan la conçoivent. Elle repose sur une mise en question de la sensation et sur la volonté de dépasser l'illusion pour rendre du réel un reflet chargé de sens. Avec le symbolisme l'intelligibilité de l'image se brouille pour chercher du neuf, lui-même chargé de ce progrès social qui agite les milieux progressistes. Sensible à la fonction sociale de la création, l'avant-garde se tournera bientôt vers les arts décoratifs. Le réel, détaché de la perception visuelle et de toute réflexion métaphysique, s'assimile à la présence concrète de l'objet voué à l'usage quotidien.

Constantin Meunier, *Le Grisou,* 1888–1889. Bronze, 150,5 x 212 x 110 cm. Bruxelles, musées royaux des Beaux-Arts de Belgique.

Naturalisme et idéalité : Meunier et le réel

Le projet naturaliste, lentement imposé au cours des années 1870, n'a pas échappé à l'aspiration idéaliste qui a conduit à ébaucher l'avenir sur le mode utopique. Cette fusion du réel et de l'idéal, Constantin

Constantin Meunier, *La Femme du peuple*, 1893. Bronze,
72 x 43,8 x 34,5 cm. Bruxelles, musées royaux des
Beaux-Arts de Belgique.

Constantin Meunier, *Buste d'un débardeur*, 1896. Bronze,
59 x 38 x 39,5 cm. Bruxelles, musées royaux des
Beaux-Arts de Belgique.

Meunier l'a exprimée dans son œuvre sculpté. Ayant
découvert le monde du travail au début des années
1880, il affirme le caractère réaliste de son œuvre tout
en renonçant progressivement à la peinture au profit de
la sculpture. Aux alentours de 1884, Meunier s'impose
par son style personnel qui ne retient que l'essentiel et
n'hésite pas à prendre des libertés avec le modèle pour
renforcer l'effet expressif. L'impression d'inachèvement,
tant de fois reprochée à Ensor et aux impressionnistes,
s'adresse aussi à ces figures puissantes aux accents pré-
expressionnistes. Malgré quelques succès, la reconnaissance ne vient qu'en 1896 avec l'exposition chez Bing à
Paris. En Belgique, seuls Picard et *L'Art moderne* prennent sa défense. En 1885, Meunier expose aux XX cinq
projets qui témoignent de son engouement pour les
figures du travail : puddleur et débardeur renversent les
conventions héroïques traditionnelles pour encenser la
noblesse du travail industriel. Dès 1886, il s'attaque à

la grande statuaire. Si les figures du *Marteleur* (1886),
de la *Hiércheuse* (1887) ou d'un *Débardeur* (1900)
attestent de cette idéalisation du monde ouvrier, *Le
Grisou* (1889) ou *La Femme du peuple* (1893) s'affirment
comme de vibrantes critiques des conditions de vie
misérables du prolétariat. Meunier maintiendra toute
sa vie cette tension interne entre idéalisation et représentation, comme un désir d'expression puissante d'un
tempérament en réaction avec l'ordre immanent et
incarnation spirituelle d'un idéal basé sur la grandeur
du travail. Dans cette perspective, le vaste ensemble
posthume du *Monument au travail* devait constituer
une synthèse des ambitions de l'artiste. Au tournant du
siècle, son œuvre connaît un véritable succès qui, de
Berlin à Dresde, en passant par Vienne et Bruxelles,
en fait un maître du réalisme social.

Le réalisme : entre impression et expression

En 1884, puis en 1886 et 1888, Whistler, alors internationalement connu, est présenté aux XX. Son influence sur Vogels, Finch, Toorop, Charlet, Van Rysselberghe, De Regoyos et Khnopff est instantanée et profonde. Avant même que l'impressionnisme français soit arrivé à Bruxelles, les jeunes peintres découvrent dans les *Symphonie en blanc* et autres *Nocturnes* une science de l'harmonie fondée sur l'utilisation musicale de la palette. La lumière assied cette unité en un jeu d'accords où les tons, les teintes, les lignes et les formes s'équilibrent. Par ses compositions symphoniques, Whistler ouvre la voie à un impressionnisme qui déborde le cadre du réalisme :

> Que cet art soit faux, que cette lumière soit arrangée, soit. Nous admettons volontiers ces superbes non-réalités, convaincus que l'artiste ne doit point s'asservir à reproduire adéquatement ce qu'il voit, mais avant tout le tirer à travers son cerveau et le colorer comme il sent et imagine[23].

Parmi les jeunes peintres belges attachés à rendre l'éclat d'une lumière qui ignore le plein soleil et préfère les effets de brume, de crachin ou de neige, Fernand Khnopff se révèle sensible à ce mystère qui, sous l'illusion, dévoile une vérité essentielle. La lumière assourdie, la palette monochrome, la densité de l'atmosphère, l'harmonie musicale qui se dégage des paysages témoignent de la présence de l'insaisissable, au-delà même de cette réalité que la tradition belge se plaît à interpréter en termes subjectifs.

Les XX expriment cet attachement au réel dès leur première exposition. Dans les années 1880, le lyrisme réaliste se mue en « expressionnisme ». Guillaume Vogels, disciple de Boulenger, s'affirme comme le maître d'une nouvelle conception du paysage en associant la fluidité de la lumière au jeu des hautes pâtes. S'attachant aux effets de saison – pluie, neige, brouillard –, il transforme l'illusion de la nature en un vaste mouvement de masses colorées qui emporte sur son passage la précision du trait, le ton local, la structure perspective et l'intégrité du volume. À la reproduction du réel, il substitue l'image d'une nature intériorisée, un monde d'impressions « fait de nuances, exclusif de toute dureté, charmant dans ses négligences mêmes et qui exprime à miracle les chatoiements de la lumière,

les clartés blondes du jour, les pâleurs crépusculaires, le scintillement du soleil sur les eaux, c'est une impression réconfortante d'air sain dont la fraicheur surprend et ravit[24] ». Dans ces jeux de matière, la réalité reflue en une « rêverie de la nature, quelque chose comme une description paresseuse de faits lointains, comme une musique doucement berçante dont les harmonies se combinent, vagues et indécises, voluptueusement[25] ».

En 1885, Ensor, Finch, Toorop et Vogels passent pour révolutionnaires, moins par leurs sujets que par la hardiesse d'une facture « tachiste » de plus en plus affirmée. La couleur s'identifie à la lumière sans que celle-ci se confonde avec le soleil. Ensor est rapidement apparu le plus engagé sur cette voie où la lumière est le réel sujet des toiles. Il fait figure de chef de file de cette peinture nouvelle. Dans ses paysages comme dans ses scènes d'intérieur, l'éclairage donne sa signification à l'image, instillant ici une fluidité joyeuse, enveloppant

James Ensor. Photographie ancienne. Archives CERAM.

Guillaume Vogels, *Temps de chien,* s. d. Huile sur toile, 104 x 152,5 cm.
Bruxelles, musées royaux des Beaux-Arts de Belgique.

James Ensor, *Le Nuage blanc,* 1884. Huile sur toile, 80 x 99 cm.
Anvers, Koninklijk Museum voor Schone Kunsten.

là un corps d'un voile de mélancolie. La tension du geste, dans sa spontanéité, induit un effet d'inachèvement que nombre de critiques – jusqu'au sein de *L'Art moderne* – ressentent comme une négation de la « juste interprétation de la nature ». Le caractère subversif que d'aucuns pensent percevoir chez Ensor et, plus largement, dans les XX n'est que l'application de cette liberté d'expression héritée du réalisme.

Dès 1885, les audaces plastiques d'Ensor sont qualifiées d'« impressionnistes » sans qu'on puisse réellement comparer son désir de libre expression à une réflexion portée sur la lumière en tant que telle. L'Ostendais reste lié à une tradition locale qui voit dans la couleur le support d'une émotion tracée dans la pâte d'un geste franc. Le paysage favorise l'émergence d'une couleur plus légère, plus sensible aux variations atmosphériques : ainsi dans l'écriture gracile de Théo Van Rysselberghe, dans les empâtements mesurés de Finch, dans les harmonies musicales de Pantazis, dans les effets de matière de Toorop.

Profitant de la présence de Monet et de Renoir aux cimaises des XX, *L'Art moderne* répond, en février 1886, aux accusations d'impressionnisme dans un article où la tradition belge est comparée à la modernité parisienne[26]. Pour l'auteur, il est clair qu'aucun vingtiste ne s'attache, à l'instar de Monet, à rendre la lumière par la couleur pure. Les Belges restent dans le droit fil de la tradition ouverte par Boulenger ou Artan. Leur sens de la lumière est intuitif, leur travail de la couleur ignore le mélange optique[27] : il affirme la liberté d'expression d'une conscience qui voit dans la toile moins une fenêtre qu'un écran sur lequel sentiments, émotions et impressions sont projetés avec force.

Non sans arrière-pensées nationales, les Belges fondent leur remise en cause de l'ordre académique sur une tradition attachée à la libre manifestation du tempérament détaché de toute intention théorique. L'influence de l'impressionnisme français est toutefois sensible en Belgique. Elle favorise un net éclaircissement du ton et transforme la gamme jusque-là marquée par les ocres, les terres et les gris. Ensor, sorti de l'Académie de Bruxelles et retiré dans la maison familiale d'Ostende, s'affirme comme un des artistes les plus originaux au sein des XX. Sa *Mangeuse d'huîtres,* peinte en 1882 et exposée aux XX en 1886 après avoir été refusée au Salon et à l'Essor, rompt avec la palette jusqu'alors employée. Il tire parti des recherches menées depuis 1880 dans ses

marines où la couleur, allégée, opte pour plus de musicalité sans renoncer à la densité de ses pâtes. L'intérieur bourgeois apparaît en 1882 dans l'éclat de tons lumineux qui lui permettent de resserrer son écriture pour rendre l'instantanéité de la scène et en dépasser l'illusion éphémère en un questionnement sensible, voire douloureux. Le climat est encore intime dans le chaud silence d'un huis clos bourgeois. Celui-ci explosera bientôt en une fantasmagorie de couleurs acides. Ensor s'impose à la fois comme le meneur d'une avant-garde anticonformiste et turbulente et comme la cible privilégiée des critiques installés. Entre le peintre et l'univers qui l'entoure – à commencer par les XX qui l'observent sans vraiment le comprendre –, le lien reste ténu.

L'impressionnisme n'apparaît pas en Belgique comme une révélation, mais davantage comme la confirmation d'une tradition locale ancrée dans ce réalisme expressif qui trouve en Vogels et Ensor une puissance expressionniste. En 1887 – alors qu'avec Seurat les XX découvrent une interprétation scientifique de la lumière –, Ensor présente au public bruxellois consterné *Les Auréoles du Christ ou les Sensibilités de la lumière.* Ces dessins hallucinés rompent définitivement avec la douce harmonie des intérieurs bourgeois pour jeter, pêle-mêle sur le papier, un monde d'angoisse, d'ironie, de cauchemar et de fantasme. La lumière, spiritualisée, s'émancipe de la représentation d'un coin de nature pour exprimer une réalité vécue intérieurement. L'exemple de Rembrandt et de Turner a bouleversé Ensor. La forme s'arrache au néant dans un mouvement violent que la lumière anticipe, précède, révèle. Pour Ensor, la lumière consacre un dépassement des conditions humaines. En marge des contingences sociales, elle assimile l'aventure de la création à la Passion du Christ. Tel Gauguin, Ensor trouve dans l'image du Rédempteur l'expression idéale de l'artiste moderne : critique à l'égard de l'ordre établi, sensible au destin des humbles, attentif aux lendemains.

Sous le crayon d'Ensor, le réel, avec ses menaces et ses angoisses, se fond au monde inconscient qui émerge dans l'image en une « apothéose extraordinaire où se mêlent la fantaisie la plus grotesque et la plus pure sublimité de la lumière[28] ». Ensor a fusionné l'illusion

James Ensor, *Les Masques scandalisés,* 1883. Huile sur toile, 135 x 112 cm. Bruxelles, musées royaux des Beaux-Arts de Belgique.

James Ensor, *La Chute des anges rebelles*, 1889. Huile sur toile,
108 x 132 cm. Anvers, Koninklijk Museum voor Schone Kunsten.

PAGE DE GAUCHE : James Ensor, *L'Entrée du Christ à Jérusalem*, 1885.
Crayon noir et brun et collage de papier sur papier marouflé et sur
papier Japon, 206 x 150,3 cm. Gand, Museum voor Schone Kunsten.

du réel – déjà chargé de mystère – à la réalité d'une illusoire conscience ne pouvant affirmer qu'angoisse et ironie. Dès 1883, le thème du masque avait souligné l'ambiguïté qui désormais habiterait le réel, définitivement hors de portée de la raison.

Parti d'une étude luministe de la nature, Ensor déborde la représentation strictement mimétique pour élaborer une « esthétique de l'étrange », dont l'intensité annonce tant le symbolisme que l'expressionnisme. Angoissé par la mort, obsédé par le diable, attiré par l'étrange, habité par un théâtre de masques, marqué par la thématique de la Tentation et de la Chute, fasciné par la démesure biblique, Ensor rêve d'une apocalypse qui ruinerait l'ordre bourgeois. En libertaire, il

s'est attaqué aux piliers du pouvoir : gendarmes, magistrats, militaires, critiques, professeurs, roi sont caricaturés et plongés dans un univers grotesque qui prend forme dans un cortège de squelettes, de visages déformés, de parodies acides, de masques singuliers – ils encadreront l'artiste-dieu lors de sa monumentale entrée à Bruxelles. Cet univers intérieur pénétré de visions boschiennes n'est jamais détaché de la réalité sociale du temps. Le regard ironique d'Ensor épingle les travers d'une bourgeoisie triomphante. À l'ordre consacré succède un univers mouvant, instable et lumineux, où rêve et réalité ont définitivement partis liés. Fidèle à

CI-DESSUS : James Ensor, *L'Entrée du Christ à Bruxelles en 1889,* 1888. Huile sur toile, 260 x 430,5 cm. Malibu, The J. Paul Getty Museum.

À GAUCHE : James Ensor, *Les Cuisiniers dangereux,* 1896. Craies de couleur et rehauts à la plume sur papier, 22 x 31 cm. Anvers, Plantin-Moretus Museum.

la mission dont il se sent investi, le peintre connaît une situation de plus en plus marginale, tant à l'égard de la société qui l'ignore que de l'avant-garde qui ne le comprend guère. Maus, irrité par les prises de position du peintre, le repousse. En 1888, contre les principes mêmes édictés par le cercle, Ensor se voit refuser l'accrochage de sa *Tentation de saint Antoine*, aujourd'hui au Museum of Modern Art de New York. L'année suivante *L'Entrée du Christ à Bruxelles* est déboutée. L'œuvre d'Ensor gênait-elle les XX, alors que l'école néo-impressionniste trouvait à Bruxelles son écho le plus large et que Maus voyait enfin reconnue cette

peinture de la lumière chère à son cœur ? En libertaire, Ensor menaçait-il le consensus de bon ton que l'animateur des XX s'efforçait à imposer selon ses propres vues ? Entre le peintre et ceux qui dictaient la marche de la vie des arts, les relations étaient tendues. En témoignent ces *Cuisiniers dangereux* figurant Picard et Maus en train de préparer à leur façon la tête de Vogels et celle d'un « Art Ensor » – pour hareng saur – à servir à des critiques au nombre desquels on reconnaît Lemonnier ou Verhaeren. Tandis que Maus tenait solidement les rênes du cercle, épaulé et conforté par les articles hebdomadaires de *L'Art moderne,* Ensor s'enfermait dans

son isolement. Entouré de ses visions, il élaborait un univers clos, posant sur le monde moderne un regard critique en un trait acerbe et une palette acide.

L'idée de système : le néo-impressionnisme et l'école belge

L'année où l'impressionnisme était présenté à Bruxelles, la dernière exposition du groupe, fondé en 1874, était organisée à Paris, rue Laffite. La présence de Seurat fit scandale, et son manifeste chromo-luminariste, *Un dimanche après-midi à l'île de la Grande-Jatte,* fut l'objet de tous les quolibets. Verhaeren alerta Van Rysselberghe et Maus. Dans leur désir de provocation, ils ne pouvaient qu'être attirés par celui que le secrétaire des XX qualifiera de « messie d'un art nouveau ». Dans un compte rendu de l'exposition – dont le titre,

Les Vingtistes parisiens, rattache les artistes français au projet bruxellois –, *L'Art moderne* pressent le scandaleux succès qu'une telle œuvre garantirait aux XX[29]. Ceux-ci invitent Seurat, Pissarro et Signac en 1887. Comprennent-ils le sens profond de cette *Grande Jatte* devant laquelle le public s'irritera ? Face à cette peinture cérébrale, Maus sait que le scandale, promesse de succès public, ne peut suffire. Aussi *L'Art moderne* a-t-il pour mission de livrer les clés nécessaires à la compréhension de cette peinture énigmatique. De 1886 à 1892, de la huitième exposition impressionniste aux hommages posthumes rendus à Seurat, plusieurs textes seront publiés en vue d'expliquer le sens profond du néo-impressionnisme ainsi que sa portée historique. Au nombre de ceux qui collaboreront à ce travail, il convient de signaler Félix Fénéon. Correspondant parisien de *L'Art moderne,* ce dernier va profiter de cette tribune pour développer le premier exposé théorique du

Page de gauche : James Ensor, *Les Masques singuliers*, 1892. Huile sur toile, 100 x 80 cm. Bruxelles, musées royaux des Beaux-Arts de Belgique.

Ci-dessous : William Finch, *Les Meules*, 1889. Huile sur toile, 32 x 50 cm. Bruxelles, musée communal d'Ixelles (coll. O. Maus).

néo-impressionnisme, qui trouve son appellation à l'occasion d'un article publié en septembre 1886 dans la même revue[30]. Les textes de Fénéon se révèlent essentiels : ils exposent au public, mais aussi aux artistes belges confrontés aux œuvres mêmes, la modernité de ce moment qui, en fait, constitue moins une résurgence de l'impressionnisme que son dépassement radical, voire sa négation drastique. Fénéon situe son propos dans une perspective évolutionniste : à l'impressionnisme qui faisait « grimacer » la nature pour « empreindre une de ces fugitives apparences sur le subjectile », succède une peinture qui élabore sa propre technique sur une réflexion scientifique – la décomposition de la lumière selon le prisme – afin de saisir non l'instantané, mais une vérité essentielle délaissant « l'accidentel et le transitoire » pour « synthétiser le paysage dans son aspect définitif[31] ».

La recherche de Seurat repose donc autant sur un fondement positiviste que sur une ambition idéaliste. Fénéon insistera surtout sur le caractère scientifique de la démarche de Seurat pour supplanter l'impressionnisme de Monet, Sisley ou Renoir. Un artiste belge a consacré à la lecture symboliste de l'œuvre de Seurat quelques articles d'autant plus remarquables qu'ils se distinguent des discours entendus. Ce peintre, Henry Van de Velde, se rallie au néo-impressionnisme et prolonge dans ses œuvres sa perception originale. Dans ses « Notes d'art », publiées en février 1890 dans la revue symboliste *La Wallonie,* il situe l'objectif du néo-impressionnisme « au-delà du réel » :

> Fixer le Rêve des réalités, l'Informulé planant sur elles, les disséquer impitoyablement pour voir leur Âme, s'acharner à la poursuite de l'intangible et se recueillir – dans le silence – pour en noter la Mystérieuse Signification[32].

Ambigu dans les interprétations qu'il offre, le néo-impressionnisme s'impose en Belgique dans le prolongement logique de l'impressionnisme tout en présentant, avec Van de Velde, un aspect symboliste conçu comme « Architecture raisonnable de l'Idée ».

Au Salon des XX de 1888, où apparaît une « école du pointillé », on parlera d'abord de l'ancien et du nou-

Henry Van de Velde, *La Plage à Blankenberghe*, 1888. Huile sur toile, 77,5 x 100 cm. Zurich, Kunsthaus.

vel impressionnisme[33]. L'émergence d'une esthétique scientifique s'impose comme l'expression la plus aboutie de la modernité. Aux côtés de Seurat, dont le tempérament introverti n'incite pas aux contacts, Signac, par son enthousiasme et son éloquence, noue au sein des XX des liens d'amitiés qui lui vaudront en 1890 de devenir membre du cercle. Signac retrouve dans l'action de Maus la combativité qui anime à Paris l'esprit des indépendants. En 1887, les vingtistes découvrent Seurat et Signac. Celui-ci sera présent en force en 1888.

Durant l'hiver 1887–1888, Willy Finch, le premier, passe à la technique divisionniste selon les indications reçues de Signac. Ses œuvres, présentées aux XX en février 1888 – avec un dessin pointillé reproduit dans le catalogue –, font l'objet de vives attaques de la part de la critique qui ne manque pas de stigmatiser ce geste de soumission au modèle français. Finch donne à ses paysages un dépouillement et une rigueur comparables aux compositions de Seurat. À la lumière blonde du Français, il oppose une luminosité diffuse, inspirée par l'atmosphère de la mer du Nord. L'harmonie de la composition se fonde sur l'unité de la palette : le contraste des teintes est adouci par cette dominante blanche qui donne aux lumières leur matérialité sensuelle.

Théo Van Rysselberghe, *Portrait
d'Alice Sèthe*, 1888. Huile sur toile,
194 x 96,5 cm. Saint-Germain-en-
Laye, musée départemental du
Prieuré.

Jan Toorop, *Pêcheurs de coquillages*, 1891. Huile sur toile, 61,6 x 66 cm. Otterlo, Rijksmuseum Kröller-Müller.

L'exemple de Seurat s'intègre chez Finch aux leçons de Whistler, alors fort prisé parmi les XX : équilibre de la composition – que renforce encore le recours au cadre peint refermant l'image sur elle-même et la coupant du monde extérieur –, unité de la palette, harmonie de la lumière.

L'année suivante, Anna Boch, Théo Van Rysselberghe et Henry Van de Velde se rallient aux théories de Seurat, non sans y apporter leur propre spécificité. Aux côtés de Lemmen, Van Rysselberghe s'illustre comme le principal portraitiste néo-impressionniste. Dès 1888, il résout la question du modelé des visages et des corps en assouplissant la trame des points dans les carnations. Prenant des libertés avec le système chromo-lumina-riste, il resserre la texture de sa touche afin de donner aux corps leur qualité de matière caressée par la lumière. Notons que Seurat s'attaquera lui-même à la question de la représentation humaine sans parvenir à un résultat satisfaisant. En témoignent les remarquables études pour *Les Poseuses,* présentées aux XX en 1889, qui trahissent l'ambiguïté d'un traitement du corps humain réduit au papillotement de « puces colorées ».

Avec Van Rysselberghe, Lemmen s'illustre aussi par ses portraits néo-impressionnistes. Ceux-ci se signalent

Georges Lemmen, *Coucher de soleil sur la plage de Knokke-Heist*, 1891. Huile sur bois, 37,5 x 46 cm. Paris, musée d'Orsay.

par leur sens des matières. Dans *Les Sœurs Serruys,* il multiplie les effets, jouant de modulations infimes pour rendre la sensation de lourdeur du tapis, la luminosité argentée des monnaies-du-pape, la fraîcheur des jeunes carnations, la délicatesse des étoffes.

L'engagement des Belges aux côtés des néo-impressionnistes révèle non seulement une réelle fascination à l'endroit de la modernité parisienne, mais aussi une volonté d'aller au bout d'une pensée positiviste qui voit dans le progrès scientifique un outil d'émancipation sociale et de révélation de la vérité. L'engagement anarchiste de Signac est indissociable de ses conceptions

esthétiques. Dans son sillage, Henry Van de Velde donne à ses aspirations sociales une forme moderne. En 1888, son passage au néo-impressionnisme s'effectue dans une période de doute personnel et d'engagement politique socialiste. À Blankenberghe, cité balnéaire de la côte belge fort prisée par la bonne société bruxelloise, Van de Velde met en place, dans ses premières compositions, les conceptions qu'il exposera bientôt dans *La Wallonie.* L'espace, architecturé avec soin, se signale par son dépouillement et sa rigueur. La composition trouve son équilibre dans le mouvement harmonique de grandes plages colorées. Les teintes qui s'équilibrent par complémentarité sont modulées en d'infimes jeux de tonalités. L'ensemble y acquiert à la fois la mobilité de son éclat lumineux et la sérénité de son statisme architectural. Scandant la composition et lui donnant son rythme, la ligne apparaît encore comme une démarcation. Elle prendra bientôt son autonomie. Les formes sont abstraites, la palette irréelle, axée sur le contraste violet-vert. Ces vues de plage esquissent une réflexion formelle qui affirme le travail de la ligne structurant la composition en de larges aplats. À côté de ces œuvres « abstraites » dans leur principe architectural, Van de Velde poursuit son travail sur la vie des campagnes avec les six toiles réunies sous le titre générique *Faits de village*. La composition reste musicale : aux plans construits avec rigueur répond la douceur des éclairages, mettant en évidence l'harmonie d'un monde pacifié.

L'année même où Van de Velde adopte la division du ton, Toorop, artiste hollandais installé à Bruxelles, passe au néo-impressionnisme tout en conservant le souvenir de ses œuvres antérieures peintes dans l'esprit de Whistler. Sensible aux conditions de vie des mineurs et en hommage aux grèves qui en 1886 avaient embrasé les régions houillères, il réalise une série de toiles divisionnistes ayant pour objet les grèves et la vie ouvrière. Le point, moins régulier, s'anime d'un mouvement mélodique auquel répond la suavité des lumières. Vision tragique de la condition ouvrière, *Après la grève* exprime ce désir de fondre l'idée de progrès à l'expression plastique de la modernité. Rentré aux Pays-Bas en 1890, Toorop, comme Van de Velde, évolue vers un néo-impressionnisme symboliste où la couleur est un principe symphonique et la ligne un agent mélodique : les teintes se déclinent en d'infinies nuances qui jouent sur la toile comme les sons d'une partition. Symboliste dans son esprit, la toile intitulée *Pêcheurs de coquillages* transforme le principe de division du ton en un prétexte décoratif que nourrira bientôt l'Art nouveau. L'artiste parlera de son « idéalisme linéaire » comme d'un désir d'associer une recherche esthétique à une quête mystique non dénuée de préoccupations sociales.

Parmi les XX, cette frénésie pointillée ne resta pas sans effet. L'aile sympathisante obtient que l'affiche du Salon de 1889 soit réalisée par Van Rysselberghe dans une veine divisionniste, mais elle s'oppose à ceux qui, comme Ensor et Khnopff, suivent la critique réactionnaire pour réduire le néo-impressionnisme à une épidé-

mie de pustules colorées. En France, Sisley et Renoir se détournent de Bruxelles. Avec les néo-impressionnistes, présents en grand nombre aux côtés de Seurat, figurent Paul Gauguin et James Ensor. Les voies offertes à l'art moderne sont multiples. L'année suivante, Cézanne et Van Gogh sont présentés à Bruxelles, et leurs œuvres déclenchent l'ire de symbolistes comme Henry De Groux.

En 1891, la mort de Seurat est l'occasion d'une nouvelle série d'articles et d'une première rétrospective au Salon des XX de 1892. Toutefois, l'enthousiasme se tarit. Les défections se préparent. L'heure est à la redécouverte des arts décoratifs ou à l'engagement symboliste. L'enthousiasme de l'avant-garde bruxelloise en faveur du néo-impressionnisme aura non seulement permis à ce dernier de s'imposer et de s'étoffer sur le plan théorique, mais il aura aussi contribué à transformer la mentalité de nombre d'artistes belges. À la constante réaliste, vécue comme une peinture d'instinct enracinée dans un tempérament flamand généreux et volontaire, succède un besoin de penser la peinture comme un projet, dont le fondement esthétique rejoint les préoccupations sociales partagées par l'avant-garde littéraire et politique. L'évolution de Van de Velde en atteste. À la répétition mécanique et fastidieuse de la technique divisionniste, l'artiste oppose son désespoir de voir ses nerfs s'user à ce « strict pignochage », qui n'aboutit qu'à une image décorative. Le recours à la ligne le rapproche de Van Gogh, le besoin de formes uniformément colorées et soulignées par un cerne le place dans le sillage de Gauguin. L'arabesque annonce l'objet et remet en cause le bien-fondé des engagements passés. Elle gagne jusqu'aux compositions néo-impressionnistes qui, à l'instar de cette *Plage de Knokke-Heist,* peinte par Lemmen en 1891, vire à l'irréalisme par le traitement décoratif des épais nuages faisant du ciel un tapis de touches lumineuses.

Pour certains, l'abandon du néo-impressionnisme se justifiera comme un retour à la vie. Hostile à l'intellectualisme qui sous-tend une peinture devenue mécanique, ces artistes veulent retrouver la spontanéité de la sensation, la mobilité de l'intuition, la sensualité d'une lumière qui enveloppe l'objet plus qu'elle ne crée – théoriquement – la réalité. Cette attitude portera plusieurs peintres vers un luminisme aspirant à l'effet sans en rechercher la cause, sans même en deviner le principe. À côté d'une importante production paysagiste qui vire au conformisme en jouant d'audaces de circonstance, en usant de la couleur selon une rhétorique polissée, en abusant d'un brio factice et d'une facture faussement déliée, il convient de signaler le travail de ceux qui, marqués par l'intimisme des Nabis, trouvent dans la division du ton, nettement assouplie, le support d'une peinture sensible attachée à la matérialité de cet air chaud des demeures patriciennes. Lemmen excellera un temps dans ce registre avec ses portraits de Verhaeren ou de Toorop et ses vues d'intérieur, saisies comme par indiscrétion, et qui rendent l'atmosphère sereine de ce cocon familier où chacun vit une existence secrète et où la couleur prend la saveur des objets longtemps fréquentés et aimés.

La question de l'utilité de la peinture de chevalet s'esquisse, alors que la création oscille entre interrogation métaphysique et maîtrise technique. Symbolisme et arts décoratifs relaient le néo-impressionnisme, ce dernier ayant cependant permis aux jeunes artistes belges d'élargir leur vision de la peinture et de la réalité. Émile Claus et Franz Gailliard, toujours attachés à la pratique picturale, conserveront du néo-impressionnisme une attention spéciale pour la lumière, renonçant aux recherches théoriques pour retrouver dans l'emploi de la couleur pure cette intensité subjective chère à Boulenger, Artan et Vogels.

Émergence du symbolisme

De manière générale, le symbolisme s'est affirmé comme cette rupture que les Allemands qualifieront de Secession. Tel est d'ailleurs le premier point que Verhaeren soulignait : il s'éloigne de la philosophie française de Comte et de Littré, autrement dit du positivisme dominant. C'est pourquoi la traduction française du *Monde comme volonté et représentation* (1886–1890) de Schopenhauer marque en profondeur les esprits des futurs symbolistes, de Van Lerberghe, qui y voit la confirmation de son idéalisme, à Max Elskamp, chez qui cette lecture provoquera une véritable « crise des tourments[34] ». Ce tournant, dans lequel s'est joué non seulement une représentation du monde, mais aussi l'identité même de ceux qui s'étaient destinés à la carrière artistique, sera vécu de façon intense par tous les artistes. Van de Velde rapporte dans ses *Mémoires* la profonde dépression qui le hante pendant son séjour en

Campine. Comment ne pas rapprocher son récit des témoignages biographiques que l'on conserve de la « crise de Tournon » de Stéphane Mallarmé, des nuits douloureuses de Maeterlinck en proie aux « visions typhoïdes », au désarroi que connaît Max Elskamp entre 1887 et 1892, aux incertitudes permanentes de Van Lerberghe ? Ne faut-il pas rapprocher la fascination du jeune Verhaeren pour les moines, titre de son deuxième recueil paru en 1886, des dessins que Constantin Meunier rapporte de son séjour à la Trappe ? Ces somatisations sont inséparables de la crise symboliste : elles en indiquent la profondeur vécue.

Toutefois, cette remise en question ne freine pas l'élan créateur, elle l'alimente plutôt, à en juger par la célèbre *Confession de poète* qu'Émile Verhaeren publie dans *L'Art moderne* en mars 1890 : « Se torturer savamment », tel est le mot d'ordre et telle est l'image que l'artiste veut transmettre de lui-même.

George Minne, frontispice pour Maurice Maeterlinck, *La Princesse Maleine*, in *La Jeune Belgique*, 1890, t. IX. Bruxelles, musée de la Littérature, Bibliothèque royale Albert Ier.

Les registres thématiques qu'explore le symbolisme, et qui ne lui sont pas spécifiques, participent pour la plupart de cette esthétique de la rupture. Les figures de la marginalité qu'incarnent le fou, le pierrot, le clown, le pauvre, ces images dépourvues de rentabilité économique ou d'existence sociale – l'androgyne, la femme, et aussi la mort, l'eau, le végétal, l'inconscient, l'indicible – sont autant de domaines que le discours symboliste mobilise contre le positivisme ambiant. Deux univers entrent ici en contradiction : celui de l'artiste s'oppose à celui de sa classe d'origine et aux valeurs dominantes. Il n'est pas étonnant que des poètes, attentifs à révéler dans leurs textes le vécu de leur inspiration, aient fait de cette tension un de leurs thèmes privilégiés. L'image de la serre chaude évoquait déjà la séparation. Nous y revenons pour montrer comment elle se décline en figures aquatiques où, peu à peu, l'artiste cherche un climat qui lui soit favorable, puis un état d'immobilité qui corresponde à ce qu'il appelle son bonheur, avant d'être le lieu d'où il observe le monde de manière critique. Ainsi Rodenbach dans *Les Vies encloses :*

Ah ! mon âme sous verre, et si bien à l'abri
Toute elle s'appartient dans l'atmosphère enclose ;
Ce qu'elle avait de lie ou de vase dépose ;

Le cristal contigu n'en est plus assombri,
Transparence de l'âme et du verre complice,
Que nul désir n'atteint, qu'aucun émoi ne plisse !
Mon âme s'est fermée et limitée à soi ;
Et, n'ayant pas voulu se mêler à la vie,
S'en épure et de plus en plus se clarifie.

Âme déjà fluide où cesse tout émoi ;
Mon âme est devenue aquatique et lunaire ;
Elle est toute fraîcheur, elle est toute clarté,
Et je vis comme si mon âme avait été
De la lune et de l'eau qu'on aurait mis sous verre[35].

Dans *Âme de nuit,* Maeterlinck développe la même opposition et procède à une inversion des valeurs. Les pauvres, les malades, la glace et la fraîcheur sont les apports dont l'âme attend l'intercession. Le soleil et le monde extérieur ne délivrent que mort tiède :

Mon âme en est triste à la fin
Elle est triste enfin d'être lasse,
Elle est lasse enfin d'être en vain,
Elle est triste et lasse, à la fin
Et j'attends vos mains sur ma face.

Jean Delville, illustration pour *Les Aveugles* de Maeterlinck, édité par l'Essor, 1891. Lithographie, 37 x 27 cm. Coll. part.

Fernand Khnopff, *Ygraine à la porte,* projet d'illustration pour Maurice Maeterlinck, *La Mort de Tintagiles,* 1898.
Pastel et rehauts blancs sur papier, 23 x 29 cm. Coll. part.

J'attends vos doigts purs sur ma face,
Pareils à des anges de glace,
J'attends qu'ils m'apportent l'anneau,
J'attends leur fraîcheur sur ma face,
Comme un trésor au fond de l'eau.
Et j'attends enfin leurs remèdes
Pour ne pas mourir au soleil,

Mourir sans espoir au soleil !
J'attends qu'ils lavent mes yeux tièdes
Où tant de pauvres ont sommeil !

Où tant de cygnes sur la mer,
De cygnes errants sur la mer,
Tendent en vain leur col morose,
Où, le long des jardins d'hiver,
Des malades cueillent des roses.

J'attends vos doigts purs sur ma face,
Pareils à des anges de glace,
J'attends qu'ils mouillent mes regards,
L'herbe morte de mes regards,
Où tant d'agneaux las sont épars[36] !

Chez Verhaeren enfin, le même aquarium sert encore d'abri, mais le monde extérieur est perçu dans son ridicule, sa bêtise bourgeoise, son conformisme en des termes qui évoquent la sensibilité d'Ensor :

Et toujours mes pensées, lentes en ce cristal de fluidités nageantes, songent, heureuses et belles : qu'elles n'importent, devant les carreaux de leur palais, ces faces rondes de la bêtise trouées d'interrogation niaise ! Seules ! en ce remous de visages gras et curieux, les nez aplatis contre les vitres ; seules ! en ce peuple d'yeux fixes qui regardent sans comprendre, et comme indignés, leurs écailles étrangement d'or, leurs nageoires frêles comme des ailes, leurs voyages monotones autour d'une toujours même émeraude d'eau, leurs siestes longtemps immobiles entre deux pierres moussues et toute leur vie passive et voluptueusement froide[37].

Ce modèle imaginaire guide aussi la conception que Maeterlinck se fait de la mort. La plupart des pièces de la première période de l'auteur d'*Intérieur* (1890) thématisent en effet la tension insoutenable que dégage un univers clos. Rongés par leurs infirmités (*Les Aveugles*), par leur faiblesse ou leur mélancolie, les personnages sont voués au flux fatal. La mort chaque fois les rejoint, non seulement au terme de leur destinée, mais, dès le début, comme la projection de leur difficulté d'être sur les murs blancs de la demeure. Elle n'est pas extérieure à eux, parce qu'elle participe directement de la fissure fondatrice. Celle-ci se matérialise quand surviennent des agents dont l'intervention paraît inséparable de celle de la mort. Il s'agit des servantes, des religieuses, des pauvres, des vieillards, bref de ces anonymes qui sont à la fois étrangers à la cellule familiale bourgeoise et qui la relient au monde extérieur. Grâce à eux, l'insupportable oppression prend fin.

Dans *Intérieur,* la mort saisit la famille frileusement blottie dans sa demeure. Un étranger en porte l'annonce, suivi par le cortège funèbre des gens du village conduisant la jeune morte. De la même manière, la mort de Tintagiles, dans la pièce homonyme, est annoncée par les servantes qui sortent de la tour, comme celle de Mélisande l'était au dernier acte par celles qui pénètrent en silence dans la pièce. Chaque fois, la clôture de la maison se voit ainsi violée, et la délivrance, crainte et espérée, dépend de cette intrusion brutale – ce que Debussy n'a pas compris puisqu'il omet dans son opéra la très significative scène inaugurale où les servantes lavent le seuil de la demeure d'Arkël.

Le propre des héros maeterlinckiens est qu'ils participent intimement au bris de la clôture. Soit qu'ils proviennent eux aussi d'un autre monde (Mélisande, Alladine), soit qu'ils ressemblent étrangement à ces pauvres attendus et refoulés comme Maleine : « Il s'agit d'une pauvre jeune fille qui a perdu tous les biens qu'elle avait » (La *Princesse Maleine*) ; Pelléas et Mélisande retrouvés étendus sur le seuil « comme des pauvres qui ont faim » (*Pelléas et Mélisande*) ; et Pallomides déclarant : « Nous sommes ici comme deux pauvres en haillons, quand j'y songe » (*Alladine et Pallomides*).

Dans une pièce tardive, construite sur le mode satirique, on les retrouve confondus avec les saltimbanques, et ils opèrent ainsi la liaison avec la figure de l'artiste : Pelléas et Mélisande sont « des danseurs de corde » que le bourgeois « a vus au cirque » quelques années avant le Jugement dernier. Dans leur fragilité, les personnages créés par Maeterlinck ressentent la fêlure du monde ; les plus sensibles d'entre eux éprouvent l'influence de « l'autre monde », l'angoisse de la délivrance, dont les pauvres et les servantes sont les médiateurs privilégiés.

Les XX et le symbolisme

Au sein des XX, le néo-impressionnisme s'était intégré au discours symboliste par la qualité de ses accords, par sa recherche de l'harmonie et sa perfection, par son irréalisme et sa musicalité, par son désir de vérité encore formulée en termes positivistes et son désir de subjectivité plus vécu que voulu. Expression privilégiée de la modernité, le néo-impressionnisme avait ouvert une voie que d'autres allaient emprunter à des fins sinon opposées, tout au moins différentes.

À nouveau, *L'Art moderne* suit pas à pas, voire anticipe l'attitude des vingtistes. Au début des années 1890, plusieurs articles réorientent la signification du néo-impressionnisme : japonisme, arts décoratifs et interprétations symbolistes voisines. Ce foisonnement cache en fait une même aspiration à fondre les arts en un langage commun qui consacrerait cette synthèse chère à l'Europe fin de siècle, enfiévrée par le wagnérisme. Avec le théâtre de la Monnaie pour point de ralliement, le rêve d'un art total s'imposera à Bruxelles dans le développement de l'architecture Art nouveau qui intègre et déborde le projet symboliste ainsi que le renouveau des arts décoratifs.

Dans le domaine belge, le symbolisme ne s'est pas limité à une réaction contre le réalisme. Il s'agirait plutôt d'un élargissement de la notion de réalité qui, tout en prenant le contre-pied du matérialisme positiviste, s'attache moins aux apparences de la nature qu'aux questions que ses limites mêmes imposent à la conscience. Avec le symbolisme, la peinture s'attache à ce moi que poètes, dramaturges et romanciers mettent en lumière dans la diversité de ses états. C'est donc en marge des grands débats qui, dès 1885, agitent la scène littéraire belge que le symbolisme pénètre le monde des peintres

Xavier Mellery, *Le Couloir vers l'atelier*, vers 1889. Craie noire et lavis d'encre sur papier, 54 x 75 cm. Coll. part.

et des sculpteurs : la figure de Mallarmé ouvre la voie à une recherche qui relève moins de la représentation que de la suggestion ; l'œuvre de Whistler affirme un besoin d'harmonie, offrant à la lumière sa valeur musicale.

Dans ce registre, les jeunes artistes ont trouvé dans le passé quelques figures tutélaires : Wiertz et sa démesure dramatique ou Rops et son satanisme sensuel annonçaient l'irruption d'une peinture de l'imaginaire qui, au-delà du siècle, réveillait les visions de Jérôme Bosch. L'élément littéraire, dominé par Baudelaire, Villiers de L'Isle-Adam, Barbey d'Aurevilly ou Péladan, y nourrit un érotisme vécu comme malédiction des cieux ou comme révolte sociale. La femme cristallise les doutes et les angoisses de cette modernité : « [...] fauve à face humaine, créature souple et puissante », elle semble née « pour toutes les lubricités mélancoliques et

tous les cynismes raffinés[38] ». L'ambiguïté domine. De *La Saltimbanque* (1879) aux *Sataniques* (1883) en passant par *La Tentation de saint Antoine* (1877) ou *Pornokratès* (1877), Rops offre la vision d'une féminité tantôt inspiratrice, tantôt victime du mal, tantôt promesse de luxure, tantôt brisée par la société.

Xavier Mellery esquisse une autre voie ancrée dans le désir de communion avec l'univers. Dans ses dessins, il offre du réel une image intériorisée où chaque objet est pénétré d'un esprit qui l'anime. Pour reprendre l'expression d'un critique, « la vie extérieure n'est que la surface sous laquelle germe et se développe la vie intérieure[39] ». Sans se revendiquer de l'impressionnisme, il présente une vision sensible du monde qui l'entoure, née du dialogue de l'ombre et de la lumière dans la concentration des noirs et des blancs. L'objet éclôt de

ce processus de dévoilement lumineux : les dessins de Mellery présentent des intérieurs mystérieux, dont la lumière ne révèle qu'une infime parcelle. L'artiste est attentif à la vie des choses, son crayon y traque l'âme plus que la forme. Le réel est prisonnier de l'ombre ; l'éclairage définit moins qu'il n'interroge l'inconnu. Un jeu de bougie dans l'obscurité, un rai de lumière dans l'embrasure d'une porte, une lampe abandonnée sur le coin d'une table éveillent au cœur même du quotidien un sentiment d'« inquiétante étrangeté » qui envahit la conscience. Prolongeant la tradition réaliste, le symbolisme s'impose comme un besoin d'interroger ce qui, au travers de la nature, laisse deviner une vérité essentielle. L'artiste, assimilé à un initié, se voit investi d'une mission didactique à l'égard de ses semblables : la vérité, dissimulée sous l'illusion, doit être offerte à la contemplation de chacun. Cet enseignement par l'image est étroitement lié aux métamorphoses urbanistiques de la cité. Comme la sculpture, la peinture, renouant avec la tradition de la fresque remise à l'honneur par Puvis de Chavannes et par les préraphaélites anglais, s'intègre à l'architecture pour affirmer les valeurs intemporelles en autant d'allégories qui attestent dans la ville les principes d'une morale sociale, que Mellery interprète en « synthèse moderne ». Sur les fonds d'or de l'idéal, des figures réalistes se déploient en un discours onirique. Symbolistes, ces œuvres de Mellery, qui ne dépasseront jamais l'état de projet, le sont intuitivement : elles mêlent idéal et réalité en un contraste étonnant d'icône et de saisie sur le vif. Dans cet espace rêvé, la réalité prend une autre dimension ; elle renvoie, silencieuse et transfigurée, à cette « âme des choses » perçue comme l'au-delà des objets et des lieux vécus.

Par son goût prononcé pour l'exploration du réel en marge de la frénésie et du bruit de la vie moderne, Mellery témoigne de ce lien étroit qui unit réalisme et symbolisme. Cet art de retrait aspire tant au silence qu'à l'absence de couleur. L'harmonie naît de la retenue des sens, de la recherche de l'indicible dans la palpitation de l'infime. Cette recherche va trouver en Khnopff, qui fut l'élève de Mellery, son expression privilégiée.

L'œuvre de Khnopff, au même titre que sa vie, paraît statique, sans heurts ni révolution. Stylistiquement, sa peinture s'inspire des primitifs flamands, de Gustave Moreau, des préraphaélites et d'artistes anglo-saxons comme Burne-Jones, Whistler ou Alma-Tadema. De Moreau il tire une conception visionnaire qui voit au-

Félicien Rops, *L'Enlèvement*, 1882. Vernis mou, 24,1 x 16,5 cm. Namur, musée provincial Félicien Rops.

delà de l'illusion une réalité mythique ; de Rossetti et de son ami Burne-Jones, un idéal féminin à la rousseur démoniaque et aux traits hermétiques ; de Whistler, un sens de l'harmonie que le modèle primitif de Memling enrichit. À la forme qui souligne sur le mode photographique l'ambiguïté d'une réalité mimétique devenue énigmatique, Khnopff adjoint une signification dont la teneur littéraire s'inspire de l'hermétisme mallarméen.

Avec Khnopff, rien n'est dit de façon explicite. Dans ses paysages, le réel apparaît énigmatique, à mi-chemin entre l'impression et le rêve. Chaque forme suggère un sens caché qui conduit le peintre vers le monde des primitifs alors engourdi dans le souvenir de cette *Bruges-la-Morte* qu'il illustre en 1892. Dans la précision du détail, l'artiste dissimule un sens à déchiffrer ;

HUTE DES DERNIERES FEUILLES D'AUTOMNE

Xavier Mellery, *Chute des dernières feuilles d'automne ou L'Automne*, s. d. Aquarelle, encre de Chine, fusain et craie noire sur papier collé sur carton au fond or, 92 x 59 cm. Bruxelles, musées royaux des Beaux-Arts de Belgique.

Fernand Khnopff, *Memories* ou *Lawn tennis* ou *Du lawn tennis*, 1889. Pastel sur papier marouflé sur toile, 127 x 200 cm.
Bruxelles, musées royaux des Beaux-Arts de Belgique.

À DROITE, EN HAUT : photographie de Khnopff dans son atelier.
À ses côtés, *Un masque* (1897), un buste de marbre non encore pourvu
de sa couronne de laurier et, sur le chevalet, *Une aile bleue* (1894).
Coll. part.

CI-CONTRE : photographie de Marguerite Khnopff, vers 1888–1889,
réalisée par Fernand Khnopff. Bruxelles, musées royaux des Beaux-Arts
de Belgique, archives de l'Art contemporain. Ces photographies ont
servi d'études pour les deux personnages centraux de *Memories*, 1889.

CI-DESSUS : Fernand Khnopff, *En écoutant du Schumann* ou *En écoutant Schumann*, 1883. Huile sur toile, 101,5 x 116,5 cm. Bruxelles, musées royaux des Beaux-Arts de Belgique.

CI-CONTRE : James Ensor, *La Musique russe,* 1881. Huile sur toile, 133 x 110 cm. Bruxelles, musées royaux des Beaux-Arts de Belgique.

PAGE DE DROITE : Fernand Khnopff, *Une ville abandonnée,* 1904. Pastel et crayon sur papier marouflé sur toile, 75 x 69 cm. Bruxelles, musées royaux des Beaux-Arts de Belgique.

Fernand Khnopff, *I lock my Door upon Myself*, 1891. Huile sur toile, 72 x 140 cm. Munich, Bayerische Staatsgemäldesammlungen. Œuvre inspirée du

poème *Who Shall Deliver me ?* de Christina Rossetti, la sœur du peintre préraphaélite

il ne renonce pas au voile de brume qui enveloppe les formes pour souligner que cet art de suggestion cher à Mallarmé a succédé à la représentation. Pour Khnopff, le réel est une énigme dont paysages et portraits témoignent avec autant de vigueur que les grandes compositions idéalistes. En tant qu'interrogation, l'image renvoie au doute : chaque toile, chaque dessin est une phrase chiffrée qui investit la réalité, la transforme et l'intériorise tel un souvenir énigmatique qui ne peut être confondu avec le spectacle éphémère du réel.

Dans les années 1880, Khnopff donne à ses visions réalistes une saveur de mystère et une qualité littéraire qui le rapprochent d'Ensor. La querelle qui éclate entre eux – Ensor reprochant à Khnopff d'avoir plagié sa *Musique russe* pour réaliser *En écoutant du Schumann* – n'est pas le fait du hasard. Elle témoigne d'une même quête : dépasser l'immanence du réel pour en extraire une signification plus profonde, idéale et personnelle. Toutefois les moyens diffèrent. Ensor dévoile la musique comme un objet de consommation dans le huis clos douillet de l'intérieur bourgeois. Domine ainsi la relation qui, au travers de la musique russe, unit les deux êtres – Anna Boch et Willy Finch – dans un même instant partagé. Khnopff, pour sa part, s'attache à saisir le principe d'audition comme moment privilégié d'un retour sur soi-même. L'instrument de musique a presque totalement glissé hors du cadre. Seule une main anonyme subsiste, qui rend explicite le titre sans en dévoiler le sens. Pour lui, la musique définit un nouveau mode de relation au monde : le principe de connaissance ne relève plus d'une relation visuelle aux choses mais d'une capacité de les pénétrer de l'intérieur, en s'identifiant à elles.

Le peintre exprime ce besoin de concentration aussi bien dans le portrait que dans le paysage. Le visage se veut icône, tandis que la nature se déleste de ses assurances illusoires. Toutefois, si l'artiste recherche dans une réalité que Verhaeren qualifie de « trop vivement perçue » les signes d'une connaissance suggestive, il ne rechigne pas aux machineries ésotériques. De 1892 à 1897, Khnopff participe à quatre des six Salons organisés à Paris par le Sâr Péladan. Celui-ci salue en Khnopff un modèle en même temps qu'un idéal. Les compositions ésotériques comme *Who Shall Deliver Me ?* (1891), *I Lock My Door Upon Myself* (1892), *L'Art ou les Caresses* (1896), *L'Encens* (1898) ou *D'autrefois* (1905) témoignent d'un hermétisme et d'un désir de dissimulation hautement réfléchis. Khnopff investit l'illusion mimétique d'une densité symbolique qui joue des fausses évidences pour brouiller le reflet des certitudes et ranimer le souvenir de mythes, d'archétypes, interprétés de façon personnelle en d'indéchiffrables énigmes. L'image est un jeu qui use de la photographie, du cadrage, du détail et de la couleur pour rendre une sonorité étrange. Il bâtit une œuvre faite de silence et de recueillement, de calcul et d'élégance, de mystère et d'idéal.

L'œuvre en « serre chaude » brille par son caractère littéraire. Khnopff, proche des écrivains, accompagne de ses dessins les œuvres de Van Lerberghe, Maeterlinck, Verhaeren ou Rodenbach. Sans réellement illustrer, il ranime une atmosphère, ravive les sensations vécues au travers des mots. Ainsi les œuvres dont le titre signale que le texte des poètes reste comme un souvenir chargeant l'image de signification tout en obscurcissant le sens : *Un ange ; Avec Verhaeren ; Avec Grégoire Le Roy. Mon cœur pleure d'autrefois.*

Hostile à la modernité tapageuse, replié dans un atelier-temple, Khnopff n'est pas resté insensible aux destinées du monde. Son action pour faire connaître les préraphaélites anglais en Belgique n'eut d'égal que son enthousiasme à révéler la peinture belge en Angleterre. À Bruxelles même, il participa à la création de la section d'Art de la Maison du peuple qui devait contribuer à l'élévation du peuple par l'art. Sa réputation déborda largement les frontières : en 1900, l'empereur François-Joseph d'Autriche lui commande le portrait de son épouse Élisabeth disparue deux ans auparavant. Invité au Glaspalast de Munich, à la Sécession de Vienne, à la Society of Portrait Painters de Londres, il s'impose à la fois comme un artiste de la bonne société et comme un des maîtres du symbolisme européen.

Exposant pour la première fois aux XX en 1890, George Minne s'inscrit dans la même voie en s'attachant de façon obsessionnelle à des sujets qu'il répète et module à l'infini. Dès 1886, il associait la maternité et la mort en une vision synthétique à laquelle il restera fidèle. La sensibilité de l'artiste trouve à s'exprimer dans un dépouillement qui cherche l'essentiel et concentre la charge émotionnelle. Chez Minne, le passé pèse telle une chape de plomb : l'homme est brisé

Fernand Khnopff, *Portrait de Marguerite Khnopff*, 1887.
Huile sur toile marouflée sur bois, 96 x 74,5 cm. Bruxelles, fondation roi Baudouin en dépôt aux musées royaux des Beaux-Arts de Belgique.

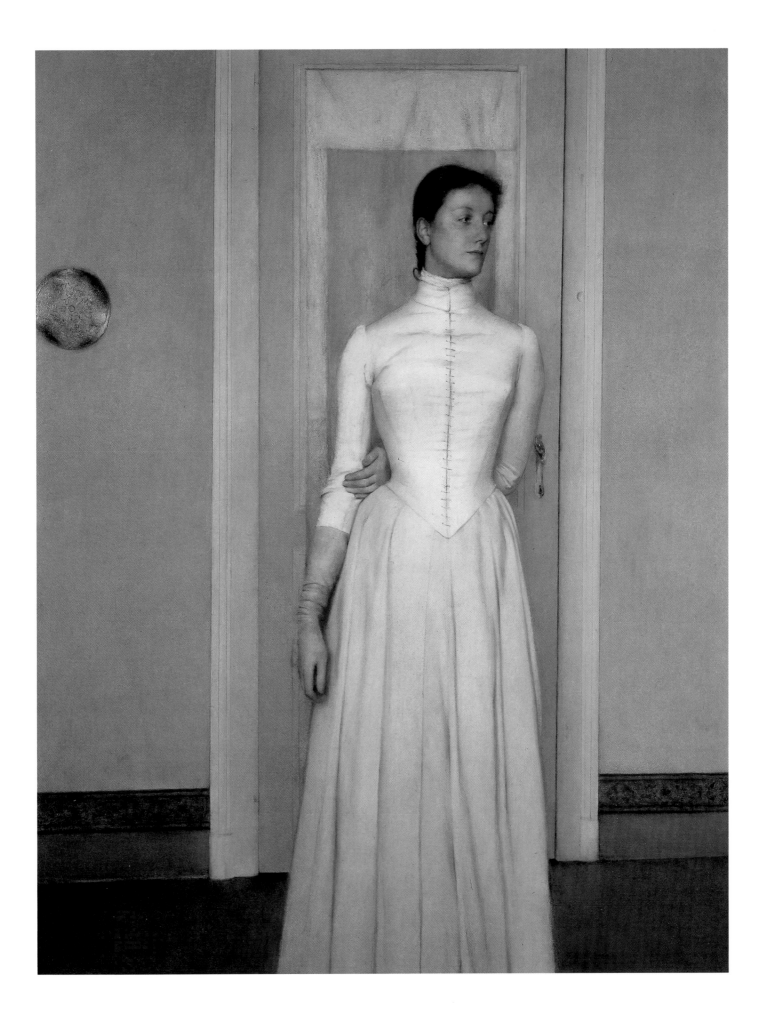

George Minne, *Mère pleurant son enfant mort,* 1886. Bronze, 45,5 x 16,5 x 27 cm. Bruxelles, musées royaux des Beaux-Arts de Belgique.

par une destinée sur laquelle il ne peut avoir prise. Minne reviendra sa vie durant sur des thèmes ainsi esquissés. Affirmée dès 1889, la figure de l'agenouillé apparaît comme le reflet de l'âme condamnée à la méditation par peur de la vie. Le motif du *Porteur de reliques* sera repris sans fin : monté en un ensemble monumental (*Adolescents à la fontaine,* 1898), ou tiré en série après avoir été réduit – on en retrouve un exemplaire, aux côtés du *Baiser* de Rodin, sur la cheminée de Verhaeren dans *La Lecture* que Van Rysselberghe peint en 1904 –, il s'affirme comme un symbole de l'esprit moderne, de ce « moi qui cessant de se percevoir, n'est plus que le lieu d'une présence[40] ». Idole vidée de sa certitude et icône d'une sensibilité nouvelle, l'agenouillé témoigne de la fragilité de l'individu face à lui-même et face au monde. Francine-Claire Legrand a montré que l'œuvre de Minne évoluait selon la double thématique de l'enveloppement de soi par soi ou par ce double de soi qu'est la mère. Le caractère asphyxiant d'une telle dialectique ne manque pas de s'exprimer dans les visions névrosées, le maniérisme maladif, la morbidité fiévreuse : chevelures, mains et corps se tordent, ravivant les sensations éprouvées par Huysmans face au retable d'Isenheim. Le même idéal primitif est en jeu. Minne est fasciné par le Moyen Âge. Il voit dans la sculpture gothique l'expression d'un corps animé par la foi. Les lieux communs du néo-platonisme, qui marquent en profondeur l'esprit fin de siècle dans l'Europe entière, sont transfigurés par cette ferveur mystique née au contact des primitifs.

Le dépouillement, la rigueur, la concentration mystique ne peuvent interdire aux formes de vivre pour elles-mêmes – la chevelure abandonne le corps pour devenir nuage, comme dans *Le Baptême du Christ,* gravé en 1899 – s'éployer dans l'espace et affirmer l'unité de l'univers. De cette harmonie, l'homme semble rejeté. Il apparaît douloureux, rongé par l'incertitude de sa destinée. Minne est proche des écrivains. Ses illustrations pour Maeterlinck (*Les Serres chaudes* en 1889 ; *Alladine et Palomides, Les Aveugles* et *La Mort de Tintagiles* en 1894) ou pour Verhaeren (*Les Villages illusoires* en 1895) participent du même climat spirituel de passivité à l'égard des forces de l'univers, d'humilité mélancolique face au destin. Avec Minne, le symbolisme ouvre sur cette angoisse dont Maeterlinck nourrit son théâtre. Cette conception inspirera l'œuvre du principal illustrateur symboliste belge : Charles Doudelet.

George Minne, *Fontaine aux agenouillés*, 1898. Bronze, H : 67 cm.
Photographie ancienne à Hagen, dans le hall de Henry Van de Velde.
Bruxelles, Bibliothèque royale Albert Ier, fonds Van de Velde.

George Minne, *Le Petit Porteur de reliques*, 1897. Bronze, H : 66 cm.
Rotterdam, Museum Boymans Van Beuningen.

George Minne, culs-de-lampe pour Maurice Maeterlinck,
Aladine et Palomides. Intérieur. La Mort de Tintagiles, trois petits
drames pour marionnettes, 1894. Bruxelles, musée de la Littérature,
Bibliothèque royale Albert Ier.

George Minne, illustrations pour Émile Verhaeren,
Les Villages illusoires, 1895. Bruxelles, musée de la Littérature,
Bibliothèque royale Albert Ier.

Charles Doudelet, illustration pour Maurice Maeterlinck,
Douze Chansons, 1896. Bruxelles, musée de la Littérature,
Bibliothèque royale Albert Ier.

Minne marque la culture symboliste et la pratique
sculpturale en Belgique. Il se détache des conventions
réalistes sans perdre contact avec une réalité, qu'il perçoit, à l'instar de Rodin, dans un jeu de forces qui
anime la surface, donne au bloc sa vie intérieure et
habite la figure d'un esprit. Il se défait des poncifs
romantiques sans pour autant renoncer aux leçons de
la tradition.

Aux alentours de 1890, Toorop, influencé par
l'œuvre de Minne, évolue vers le symbolisme sans
abandonner une facture encore marquée par le néo-
impressionnisme. Les couleurs perdent peu à peu leur
luminosité réaliste pour gagner en cérébralité.

L'harmonie à laquelle tend Toorop est alors proche
des paysages décoratifs de Van de Velde avec ses points
devenus lignes et ses aplats qui, progressivement, enva-
hissent la surface. Toorop, lui, opte pour l'idée plus
que pour la forme. L'iconographie idéaliste, avec ses
mythes, ses légendes et ses chevaliers, l'inspire. Il rend
l'atmosphère oppressante d'un univers cauchemar-
desque et macabre. L'environnement s'y développe
de façon organique, la végétation y grouille, telle une
menace risquant d'anéantir une humanité cadavé-
rique promise au chaos. Le monochrome s'impose, la

lumière se voile, la ligne, telle Narcisse, ne renvoie qu'à elle-même et aux mouvements maladifs de son âme en serre chaude. Dans des œuvres telles que *O Grave, Where is thy Victory?* Toorop annonce l'idéalisme des disciples de Delville en même temps que l'assimilation des principes ornementaux de l'Art nouveau.

En 1892, l'année même de la rétrospective Seurat, Verhaeren signalait le développement d'une « peinture littéraire » qui confirmait la résurgence d'un idéalisme « qui s'appelle symbolisme, intellectualisme ou ésotérisme[41] ». Parallèle au renouveau des arts décoratifs, le symbolisme gagne du terrain. Par ses invitations, le cercle des XX attirait à Bruxelles des représentants de tous les pays : Burne-Jones, Ford Madox Brown, Redon, Gauguin, Denis, Klinger, Thorn-Prikker. Quelques-uns comme Moreau ou Puvis de Chavannes refuseront le voyage. À travers le symbolisme, les XX découvraient cette unité de pensée que *L'Art moderne* avait recherchée dans le néo-impressionnisme. L'action portait sur les arts en général. Elle consacrait cet idéal de synthèse des arts vers lequel tendait toute une génération, ainsi que le besoin de voir reconnues les richesses de cet univers intérieur qu'à l'époque Freud baptisait inconscient. Ce désir ne masquait toutefois

pas une prise de conscience des problèmes propres à la réalité du temps.

Ainsi, la veine réaliste ne s'est pas tarie, tant s'en faut. Alors qu'un Meunier acquiert une réputation internationale, de jeunes artistes comme Léon Frédéric trouvent dans la réalité sociale la source d'une création originale. Marqué par la vie des humbles lors d'un séjour prolongé dans les Ardennes, il se tourne vers le naturalisme. Ses toiles, influencées par Charles De Groux et Bastien Lepage, traitent dans un vérisme puissant la vie des plus démunis : marchands de craies, ouvriers journaliers, paysans. Vagabonds et mendiants apparaissent comme la métaphore d'une liberté d'esprit qui s'est délivrée de tout bien matériel. Sous la critique sociale engagée pointe une fervente utopie qui peu à peu mêle idéal et réalité. S'esquisse ainsi un héroïsme du travail mêlant intentions abstraites et détails illusionnistes.

Frédéric se livre à une interprétation de la réalité où engagement politique et utopie sociale se fondent en une même image allégorique. Ainsi, les deux séries des *Âges de l'ouvrier* et des *Âges du paysan*, tout en témoignant d'un engagement social, manifestent un respect des traditions – vécues comme un âge d'or – et révè-

Jan Toorop, *O Grave, Where is thy Victory?*, 1892. Dessin, 62 x 76 cm. Amsterdam, Rijksmuseum, Rijksprentenkabinet.

lent une sensibilité au temps qui passe inexorablement. Chaque toile de la série, tout en traçant le portrait de groupe d'une classe sociale, apparaît comme un instant symbolique de la vie des hommes.

Métamorphoses de la sculpture

En ces années de crise économique, la sculpture vit des heures difficiles. L'incertitude des temps n'incite pas à l'acquisition d'œuvres, les commandes publiques restent l'affaire des tenants d'un académisme solidement ancré, l'effondrement des prix ne donne plus aucun

attrait au Salon, la politique de décoration des édifices construits ou restaurés inféode la sculpture à l'architecture en la banalisant. Cette situation conduit à la misère certains artistes : Guillaume Charlier, Julien Dillens, Jef Lambeaux, Victor Mignon vivent dans le plus total dénuement.

Les pratiques commerciales doivent évoluer. Les artistes réagissent en développant une production plus aisément vendable. Ils ont dès lors recours au travail de la terre cuite, moins onéreuse et multipliable.

Les tirages en série permettent d'établir une meilleure échelle de rapport. À Bruxelles, la Compagnie des bronzes procède à des tirages d'œuvres de petit format de Dillens et Rodin. La commercialisation de cette production en série permet aux artistes de s'émanciper, et on voit apparaitre des projets monumentaux – rarement réalisés – dans lesquels ils se lancent sans commande préalable. Pour échapper au système en place, les sculpteurs multiplient les expositions tant en Belgique qu'à l'étranger. Après la Chrysalide, l'Essor – cercle que préside Julien Dillens – contribue à l'émergence d'un nouveau courant sculptural : il va s'affirmer aux XX ainsi que dans les nombreuses expositions et loteries qui diffusent à travers le pays les œuvres des artistes locaux.

Enfin, pour rencontrer les attentes du public, les sculpteurs mettent leur savoir-faire au service d'une production décorative – et bientôt utilitaire – où entrent aussi bien la statuette d'agrément que le buste. Le petit format se multiplie et pénètre les intérieurs

bourgeois. Au tournant du siècle, il constituera l'un des débouchés essentiels du commerce de la sculpture. Le domaine des arts décoratifs occupe de plus en plus les artistes : à côté de l'embellissement de la cité – prôné par l'Art appliqué à la rue, association à laquelle participe Dillens –, l'intérieur privé prend de plus en plus d'importance. L'objet précieux dû au sculpteur rencontre un succès renforcé par l'actualité : lancés à la faveur de l'Exposition universelle de Paris en 1889, les arts décoratifs font l'objet d'une section particulière au Salon annuel du Champ-de-Mars. En 1892, les XX suivent l'exemple, annonçant ainsi la formation, un an plus tard, de la Libre Esthétique.

La multiplication des expositions, le grand nombre de sculpteurs, les mutations sociologiques qui ont marqué la « consommation » de l'œuvre sculptée sont favorables à une évolution du style. Celle-ci se présente avec

Jef Lambeaux, *Les Passions humaines*, 1899. Marbre, 610 x 1090 cm. Parc du Cinquantenaire.

Jef Lambeaux, *Le Baiser,* 1881. Bronze, 56,5 x 58 x 26,5 cm. Bruxelles, musées royaux des Beaux-Arts de Belgique.

PAGE DE DROITE : Isidore De Rudder, *La Princesse Maleine,* vers 1895. Grès émaillé, 29 x 20,5 cm, manufacture Vermeren-Coché. Bruxelles, galerie l'Écuyer.

Charles Van der Stappen, *Les Quatre Périodes du jour,* jardinière, 1898. Bronze et marbre. Piètement de Victor Horta, vers 1902. Acajou, 134,5 x 114 x 118 cm. Bruxelles, musées royaux d'Art et d'Histoire.

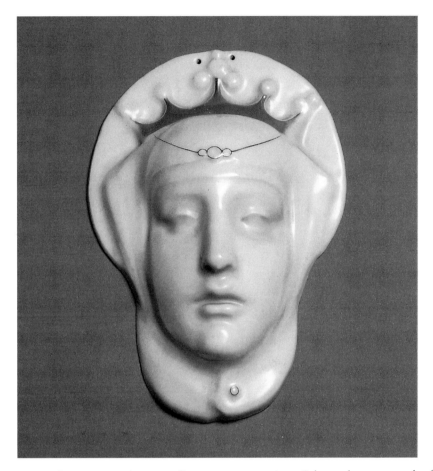

les années 1880 comme un dépassement du naturalisme et du réalisme jusque-là pratiqués. Meunier affirme un réalisme social nourri de la vision héroïque du travail industriel. La réalité devient un matériau que l'artiste interprète pour donner à son œuvre davantage d'expressivité. Celle-ci n'échappe pas à un maniérisme inhérent à l'idéalisme qui s'ébauche. Ainsi Lambeaux s'illustre par son lyrisme précieux, voire rocaille. Celui qui réalisera en 1883 *La Fontaine de Brabo,* symbole de la ville d'Anvers, choque par la sensualité de son *Baiser* (1881), qui n'a toutefois pas la force du bronze de Rodin. Lambeaux s'affirme par son sens du mouvement. Celui-ci donne aux chairs une grâce non dénuée de rubenisme : les corps échappent à la matière en une ligne qui évolue, gracile, pour le simple charme de ses circonvolutions. Annonçant une certaine forme d'idéalisme, il l'associe à l'expression de l'âme humaine qui cherche sa perfection dans le reflux des passions. L'immense bas-relief commencé en 1887 pour être achevé en 1899, et intitulé *Passions humaines,* témoigne de ce sentiment

marqué par Schopenhauer pour des formes amples entrainées par le flux des passions vouées au néant.

À travers les recherches de Lambeaux, comme celles de Dillens, Van der Stappen, De Vigne ou Du Bois, la réalité est investie d'une sensibilité de plus en plus marquée, voire exacerbée. Le symbolisme pénètre ces images du réel et y instille son sens du mystère. L'œuvre de Van der Stappen, malgré un éclectisme italianisant, atteste de ce passage dans le raffinement d'une technique éprouvée. Sa *Vague* en donne la pleine mesure. Le sentimentalisme s'accuse, la ligne est de plus en plus souvent traitée pour elle-même, les formes s'allongent, les poses perdent tout naturel, le mouvement se défait progressivement de son rapport au réel. Les figures renoncent à regarder la réalité pour plonger dans une introspection qui fait du corps le reflet de l'âme. Le mouvement apparaît comme un élément déterminant du style qui s'ébauche. Il sera tantôt conçu comme un principe de déploiement dans l'espace, tantôt perçu comme l'expression d'une intériorité contenue. Ce symbolisme a plus de cohérence avec la deuxième génération d'artistes qui, à la suite d'Isidore De Rudder, a trouvé dans l'idéal symboliste et dans l'expérience décorative l'expression d'une nouvelle conception de la matière et de la forme.

La sculpture polychrome est apparue en Belgique dans le sillage d'un académisme français – Clésinger, Gérôme, Cordier – qui allie l'exotisme des thèmes au luxe des matières. Les Belges, attirés par l'équivoque symbolique de la réalité, n'ont pas manqué d'user de la couleur pour renforcer la fascination de leurs figures de plâtre. Dès 1888, la polychromie a fait son apparition avec Hippolythe Leroy, Hélène Cornette, Arthur Craco. Ainsi, Khnopff semble trouver dans la couleur le moyen de ramener à la réalité ces figures énigmatiques que ses toiles maintiennent à distance de nos existences éphémères. En 1893, *L'Art moderne* commence à s'intéresser à la problématique qui, avec l'apparition des bois rares et de l'ivoire venus du Congo, connaîtra un essor considérable au tournant du siècle.

Les XX et la musique de chambre

Comme la scène artistique, la vie musicale des années 1880 est dominée par le cercle des XX. Pour Octave Maus, la nécessité de jeter des ponts entre la création artistique contemporaine et la musique n'a débouché, en 1884, 1886 et 1887, que sur des concerts assez timides. L'amitié de Vincent d'Indy remédie à cet état de choses. D'Indy, dégoûté de Paris[42], est heureux de trouver en 1888 un accueil enthousiaste à l'étranger pour ses amis et lui-même, d'autant plus que ce « lieu de repli » a des contours artistiques et avant-gardistes : d'Indy est un fin amateur d'art moderne. Il aime Redon, Gauguin, est séduit par de jeunes artistes belges – Lemmen, Van Rysselberghe – et idolâtre Fernand Khnopff.

Avec d'Indy, l'école franckiste investit la Belgique. Car Franck, en près de vingt ans d'enseignement au Conservatoire de Paris, a formé une école qui, sous des dehors variés, se reconnaît d'une même esthétique, à la fois imprégnée de Wagner et solidement fondée sur une connaissance approfondie des maîtres anciens. Chromatisme, modulations fréquentes et rapides, forme cyclique cherchant à atteindre la plénitude dans un mouvement que l'on voudrait intemporel ; tout cela se mêle savamment en un langage certes daté, mais qui,

Fernand Khnopff, *Vivien. Idylls of the King* ou *Vivien*, 1896. Plâtre polychromé, H : 98 cm. Vienne, Kunsthistorisches Museum.

PAGE DE DROITE : Charles Van der Stappen, *La Mer* ou *La Vague*, pour la cheminée de la salle de billard de l'hôtel Solvay par Victor Horta, avant 1902. Marbre, 40 x 73 x 31 cm. Hôtel Solvay, 224, av. Louise (voir pp. 176–178).

pendant quelques années, a représenté l'art musical le plus moderne. L'emprise du franckisme sur les compositeurs belges sera profonde.

L'installation aux XX de l'école franckiste – à laquelle il convient d'ajouter à titre de « membre associé » Gabriel Fauré – est facilitée par le dévouement d'Eugène Ysaÿe, dont la collaboration aux concerts s'établit dans le même temps que celle de d'Indy. Ysaÿe, dont la réputation en Belgique n'a pas encore atteint son apogée, voit dans le cercle de Maus un milieu favorable à la prolongation de son activité en faveur de la musique française moderne : installé à Paris de 1882 à 1886, il s'est étroitement lié à tous les franckistes, sans pour autant dédaigner ni Fauré ni Saint-Saëns.

Dès 1888, les concerts des XX vont compter parmi les plus remarquables d'Europe en matière de musique moderne. Fauré et Chabrier y côtoient Duparc, Castillon (prématurément disparu), Chausson, Bréville, Vidal, Bordes, plus tard Magnard et de Serres.

Les XX ne se limitent pas à la musique française, la musique belge avec Auguste Dupont, Paul Gilson, Franz Servais, Émile Mathieu, Guillaume Lekeu est représentée, ainsi que la musique russe : Tchaïkovski côtoie Borodine en 1891 et Glazounov Rimsky-Korsakov en 1892. La musique allemande, en revanche, est ignorée : Maus, d'Indy et Ysaÿe n'y trouvent pas, dans les registres de musique de chambre, piano ou lieder, de correspondances aux émotions produites par Wagner[43].

Entouré de son quatuor[44] et d'amis musiciens venus de l'orchestre de la Monnaie, du conservatoire et de divers horizons, Ysaÿe élabore les programmes avec d'Indy et réquisitionne comme instrumentistes les compositeurs eux-mêmes lorsqu'il ne s'agit d'Octave Maus[45].

Ce petit monde d'artistes, dont la chevelure avait généralement une longueur suffisante pour choquer le bourgeois, communiait dans une espèce qui rendait toute question d'argent inutile : la création musicale. En six ans, chaque concert des XX sera un jalon pour la découverte de la musique contemporaine à Bruxelles. En 1888, une séance consacrée à Fauré était extraordinairement téméraire, d'autant qu'à Paris, un an auparavant, une initiative similaire s'était soldée par un cuisant échec. Rares furent ceux qui perçurent, à travers un chef-d'œuvre comme le *Quatuor op. 15,* l'importance historique de Fauré. Les articles de *L'Art moderne* ou du *Guide musical* ont contribué à mieux comprendre

la modernité de cette musique et, lorsque Fauré revint à Bruxelles en 1889, l'atmosphère s'adoucit. On passa sans heurts d'une réduction pour deux pianos de la *Symphonie cévenole* de d'Indy à une mélodie de Fauré ou de Chausson ; mais c'est en 1891 qu'une impulsion décisive est donnée.

Cette année-là, le Salon des XX eut un caractère rétrospectif marqué. Si la peinture rendait hommage à Van Gogh, le cercle wagnérien et franckiste de Bruxelles pleurait César Franck. Pour souligner l'importance du maître, il fallait témoigner de son ascendant sur toute une génération de compositeurs : les deux premiers concerts, en 1891, prirent une intense coloration symbolique. Le premier fut consacré à la mémoire de César Franck, et le quatuor Ysaÿe y joua le *Quatuor,* encore inédit, et le *Quintette.* Le second devait montrer avec force ce dont les disciples et amis du maitre liégeois étaient capables. D'Indy confia à Ysaÿe la création de l'œuvre magistrale qui allait faire de lui le chef de file de sa génération : son premier quatuor à cordes, d'une forme cyclique puissamment expressive. Il interpréta avec Maus la transcription pour deux pianos due à Saint-Saëns, le *Lénore* de Duparc. Chausson révéla au public bruxellois le raffinement de sa musique de scène pour *La Tempête* de Shakespeare ; s'ajoutaient quelques mélodies dues à Benoit, Fauré, Bordes, Bréville, Tiersot, Vidal. D'Indy et Maus traçaient le point final avec les *Valses romantiques* pour deux pianos de Chabrier.

La création du *Quatuor* de d'Indy eut à Paris un énorme retentissement. Elle n'était que le prélude à d'autres premières auditions importantes : en 1892, alors qu'un tout jeune disciple de Franck et de d'Indy, le Verviétois Guillaume Lekeu, apparaissait aux XX avec sa cantate *Andromède* qui bouleversa Ysaÿe, ce fut au tour de Chausson et de Fauré de réserver une primeur importante au Salon bruxellois. Le célèbre *Concert* de Chausson fut créé le 4 mars par Ysaÿe et ses amis, le même jour que quatre des cinq *Mélodies vénitiennes* de Fauré d'après Verlaine. Le prestige de ces manifestations était parfois entaché d'insuffisances d'exécution – essentiellement vocales : les jeunes cantatrices inexpérimentées avaient fort à faire pour se mouvoir dans les méandres chromatiques de ces compositeurs ultramodernes.

En 1893, Chausson réserva aux XX la création de son *Poème de l'Amour et de la Mer.* Quelques jours plus

Arthur Levoz, Guillaume Lekeu, vers 1892. Photographie ancienne.
Liège, bibliothèque du Conservatoire royal de musique.

tard, Ysaÿe créa la *Sonate* pour piano et violon qu'il
avait commandée à son jeune protégé Guillaume
Lekeu. L'émotion fut vive, et sous cet essai pleinement
réussi malgré ses inégalités, s'annonçait un génie. Au
moment même de la création, Lekeu, encouragé par
ses amis – Ysaÿe, d'Indy, mais aussi Théodore de
Wyzewa, Maurice Pujo, Carlos Schwabe ou Gabriel
Séailles –, travaillait d'arrache-pied à une nouvelle
œuvre : un quatuor à clavier d'une ambition sur-
humaine. Dans une quête bien franckiste du
paroxysme musical, il y jette toutes ses forces :

> Le sujet de mon premier morceau est la douleur initiale-
> ment exaspérée, convulsive, s'adoucissant parfois et se
> transformant en mélancolie passionnée. Mais comme la

seconde partie indiquera l'amour comme source de cette
douleur, je suis obligé, en travaillant à la première, de son-
ger constamment à la seconde et de combiner tous mes
thèmes et dessins en sorte qu'ils puissent totalement s'unir
à ceux qui viendront plus tard[46].

Le dernier concert des XX aura été pour Lekeu un
tremplin vers le néant : la mort le surprend le 21 janvier
1894. La Libre Esthétique prend son envol, orpheline
de l'espoir le plus indiscutable de la musique belge.

La Monnaie, les concerts populaires et la musique wagnérienne

En 1886, un nouveau duo formé de Joseph Dupont et
du ténor Lapissida, depuis longtemps régisseur et met-
teur en scène de la maison, s'empare des commandes
de la Monnaie. Le wagnérisme revient en force, non
sans une hostilité certaine des autorités tutélaires
bruxelloises nostalgiques de l'ère Stoumon-Calabresi.
Le premier coup d'éclat de Dupont et de Lapissida
est, en mars 1887, la création en langue française de *La
Walkyrie* de Wagner. La distribution rutilante et la présence du Tout-Paris en font un événement. L'éclat de
la Monnaie s'affirme tant dans sa programmation que
dans la qualité des ensembles et des interprètes qui s'y
produisent : Nellie Melba, Rose Caron, Émile Engel,
Felia Litvinne ou Henri Seguin.

En 1888–1889, la Monnaie crée quelques œuvres
belges notables. Le ballet *Milenka* de Jan Blockx
connaît un vif succès, imposant définitivement son
auteur comme le successeur de Peter Benoit dans l'expression de la vitalité et de la truculence flamande.
Quant à la tragédie lyrique *Richilde* d'Émile Mathieu,
elle confirme le succès de son auteur, déjà apprécié du
public pour ses grandes fresques lyrico-symphoniques
Hoyoux et *Freyhir*. *Richilde* montre surtout qu'un compositeur belge est capable de grandeur – le livret est de
Mathieu lui-même –, sans tomber dans les pièges d'un
wagnérisme emphatique, voire creux, pratiqué par certains disciples de Benoit.

Toutefois, l'orientation prise par la direction de
l'Opéra déplaît au conseil communal de Bruxelles qui
resserre les cordons de la bourse. Malgré les pressions
et les campagnes acharnées de la presse progressiste,
Dupont et Lapissida présentent leur démission et font

Théo Van Rysselberghe, *Portrait de Vincent d'Indy*, 1908.
Huile sur toile, 60 x 90 cm. Coll. part.

PAGE DE DROITE : Fernand Khnopff, *Isolde,* 1905. Fusain sur papier,
49 x 34,5 cm. Coll. part.

un hommage à Wagner : Amalia Materna, la Brünn-
hilde de Bayreuth, vient chanter trois fois *La Walkyrie,*
et la saison se clôture symboliquement par *Lohengrin.*

Dix ans durant, le monde de l'opéra belge a été
divisé entre partisans de Dupont et admirateurs de
Stoumon et Calabresi. Si ces derniers régnaient sur
l'opéra, Dupont présidait aux destinées des Concerts
populaires qui, depuis leur fondation, jouissaient de
l'orchestre et de la salle de la Monnaie. Plusieurs tentatives de rupture de contrat de la part des autorités communales échouèrent grâce au support de la presse progressiste. Face au bastion wagnérien qu'étaient devenus
les Concerts populaires, Stoumon et Calabresi s'assurè-
rent la collaboration de deux nouveaux chefs d'orchestre : Franz Servais, personnage fantasque[47], fils du
grand violoncelliste, ami de Liszt et rival malheureux
de Joseph Dupont, et le médiocre Édouard Baerwolf.
Bien sûr, le fantôme de Wagner ne pouvait être totalement évacué : la demande du public était trop forte.
Pour séduire l'audience, Stoumon et Calabresi allaient
s'appuyer sur l'amitié de Reyer ou de Massenet. Ainsi,
ils créent à Bruxelles la dernière œuvre de Reyer,
Salammbô. Aussi attendue qu'avait pu l'être *Sigurd*
quelques années plus tôt, l'œuvre était une partition
enflée, alternant les moments d'une réelle grandeur et
des passages d'une vacuité absolue. Pour la première,
le 10 février 1890, qui se déroula devant un parterre
international exceptionnel, Reyer bénéficia d'une distribution prestigieuse avec Rose Caron dans le rôle
principal. Massenet, quant à lui, confia à Stoumon
et Calabresi sa byzantine et ultra-wagnérienne *Esclarmonde,* six mois après sa création parisienne[48]. À
nouveau, la distribution se signala par sa qualité et
confirma l'éclat de la troupe de la Monnaie.

Poussés par les événements, Stoumon et Calabresi
durent donner une nouvelle création wagnérienne :
Siegfried. La première, le 12 janvier 1891, révéla une
bonne distribution dans une mise en scène affligeante,
que les opposants à la direction eurent beau jeu
d'éreinter. Jules Destrée, future grande figure politique
et culturelle socialiste, indigné par les coupures infli-
gées à la partition, intenta un procès à Stoumon et
Calabresi et réclama le remboursement de sa place. Il
fut débouté.

À l'affût de nouveaux courants qui pourraient dis-
traire le public bruxellois du wagnérisme, la direction
de la Monnaie ouvre grand la porte au réalisme français

CI-CONTRE : Amédée Lynen et Devis, projet pour *Salammbô* d'Ernest Reyer, présenté au théâtre royal de la Monnaie en 1889–1890. Aquarelle. Bruxelles, archives du théâtre royal de la Monnaie.

PAGE DE DROITE : Jean Delville, *Tristan et Iseult*, 1887. Crayon, craie noire et fusain sur papier, 44,3 x 75,4 cm. Bruxelles, musées royaux des Beaux-Arts de Belgique.

CI-DESSOUS : Décors de *Siegfried* de Richard Wagner (acte I), présenté au théâtre royal de la Monnaie en 1890–1891. Photographie ancienne. Bruxelles, coll. Fievez.

et au vérisme italien. L'attrait du neuf ne dure point et seuls le *Rêve* de Bruneau et *Cavalleria Rusticana* de Mascagni s'imposent quelque peu. L'année où les XX se sabordent, la Monnaie ne donne qu'une grande création : *Werther* de Massenet, révélé à Vienne en langue allemande et donné en création française quasi simultanément à Paris et à Bruxelles. Les premiers pas des franckistes dans le domaine de l'opéra restaient à venir. Les débuts lyriques d'Albéric Magnard (*Yolande*) devaient se solder par un cuisant échec.

Face à l'Opéra, les Concerts populaires et Dupont tiennent le haut du pavé dans la vie culturelle. Invitant des chefs qui se relaient à la tête de l'orchestre, pratique très rare encore, Dupont présente au public bruxellois quelques grandes figures de la musique moderne : Edvard Grieg, Edgar Tinel, Rimski-Korsakov ou Hans Richter. Malgré la coalition de la Monnaie et de l'Hôtel de Ville, il s'impose finalement grâce au soutien de Gevaert, Maus, Kufferath, Ysaÿe, et grâce à un public fidèle. Les Concerts populaires se font aussi l'écho des

subtiles congrégations sonores qui animent le Salon des XX : un festival français réunit en 1891 les noms de d'Indy, Lalo, Chausson, Chabrier, Bourgault-Ducoudray et Berlioz. Pour le concert suivant, Dupont allie les noms de Brahms et de Wagner en une affiche étonnante.

Wagner restait le dieu des Concerts populaires, et les maîtres de Bayreuth – Mottl, Levy, Richter, Muck, Siegfried Wagner – devaient se succéder au pupitre de l'association. Le modèle wagnérien affirmait à Bruxelles une modernité dans laquelle une bourgeoisie progressiste se reconnaissait. Aspirant à une métamorphose de la société fondée sur la reconnaissance d'une subjectivité radicale, l'avant-garde bruxelloise trouva dans le modèle musical un modèle esthétique qui devait guider les arts dans leur marche en avant. Ensor, Khnopff, Verhaeren, Maeterlinck, Picard ou Maus s'attachèrent à la musique comme à un idéal. Le principe d'harmonie apparut comme l'expression d'une perfection passant par l'inconscient, par la reconnaissance d'une sensibilité qui libère l'homme du poids de la raison.

1893–1914
L'avant-garde :
modernité
et conformisme

La crise économique qui avait marqué la Belgique dans les années 1880 – avec pour point d'orgue les grèves sanglantes de 1886 – s'est résorbée à la fin du siècle. La croissance reprend et les deux décennies qui précèdent la Première Guerre mondiale sont marquées par un nouvel essor de l'industrie belge. Les salaires augmentent, le chômage diminue, mais c'est surtout la grande bourgeoisie qui profite de cette croissance. On assiste à une concentration de plus en plus forte des activités industrielles[1].

Sur le plan politique, 1893 a marqué un tournant dans l'histoire du pays : la révision de la Constitution a introduit le suffrage universel masculin, tempéré par le vote plural. Cette première victoire du parti ouvrier belge constitue un pas décisif vers l'obtention du suffrage universel pur et simple. Elle signifie que tous les hommes âgés de plus de vingt-cinq ans auront au moins une voix, mais, afin de donner plus de poids aux éléments conservateurs, certains électeurs reçoivent une ou plusieurs voix supplémentaires, selon des critères économiques ou familiaux, de cens ou de capacité. En outre, le vote devient obligatoire afin d'éviter que seuls les extrémistes se déplacent pour voter. Malgré ces précautions, la réforme électorale permet au parti ouvrier de remporter un incontestable succès : vingt-huit socialistes sont élus au parlement et viennent ainsi rompre la bipolarisation (catholique et libérale) de la vie politique. Cette percée électorale se réalise au détriment du parti libéral, tandis que les catholiques, profitant du poids des provinces flamandes où ils sont majoritaires, réussissent à se maintenir au pouvoir.

L'arrivée des socialistes au Parlement a facilité l'adoption de quelques mesures favorables au monde ouvrier, mais la législation sociale est toujours restée très en deçà des besoins réels. C'est un des éléments qui encouragea le parti à poursuivre son combat en faveur du suffrage universel pur et simple. En 1902, une grève générale émaillée de violents incidents ne réussit pas à fléchir le gouvernement. Une nouvelle grève, en 1913, longuement préparée celle-là, suscita en revanche un certain nombre de déclarations qui devaient être interprétées comme des préalables à cette révision constitutionnelle à laquelle la guerre coupera

court. La question du suffrage ne sera réglée qu'en 1919 pour les hommes et trente ans plus tard pour les femmes.

Le symbolisme en littérature

Nul ne conteste la part qu'ont prise les Belges dans le développement du mouvement symboliste. Seule l'interprétation de ce succès divise les commentateurs. Pourquoi seul le symbolisme, de tous les courants littéraires illustrés en Belgique, a-t-il bénéficié d'une audience européenne ? Certains ont attribué l'irruption massive des Belges dans les lettres françaises de la fin du siècle à l'influence germanique qui s'est développée avec le rayonnement du wagnérisme, et ce en particulier dans un milieu artistique en rupture avec une société restée marquée par le choc de la guerre de 1870. De fait, on a pu insister sur les racines étrangères à la tradition latine dont les symbolistes belges, souvent polyglottes, ont pu bénéficier. Ils se sont nourris des écrits de la mystique flamande, de la philosophie allemande et de la tradition ésotérique : Maeterlinck traduit Ruysbroeck l'Admirable, Novalis, John Ford et Shakespeare ; Georges Khnopff, Rossetti et Oscar Wilde, Olivier-Georges Destrée – le frère de l'homme politique socialiste – les préraphaélites, et André Fontainas, de Quincey. Cette ouverture à de nouveaux mondes culturels, dont ils furent souvent les médiateurs pour la France, n'est pas un élément à négliger. Brillant par la qualité de son langage, le symbolisme littéraire belge trouve aussi la source de sa fortune critique dans l'histoire de ses relations avec les écrivains français contemporains.

Rappelons ici deux faits majeurs qui distinguent l'« école » symboliste des autres mouvements littéraires du temps. Fondé autour de deux anciens du Parnasse, Mallarmé et Verlaine, le symbolisme réunit avant tout des auteurs soucieux de nier les genres littéraires en vogue. Dépourvus de doctrine précise – le *Manifeste du symbolisme*, publié en 1886 par Jean Moréas, est le fait d'un jeune auteur extérieur au « noyau central » du groupe –, les symbolistes français forment une « communauté émotionnelle » de vingt ans plus jeune environ que leurs maîtres. Ces derniers n'exercent pas sur leurs disciples une influence comparable à celle qu'un Zola ou un Leconte de Lisle ont pu détenir. Ils sont pauvres, ne possèdent ni revues ni maisons d'édition

pour répandre leurs thèses ; ils règnent, l'un par la
parole – les soirées de la rue de Rome –, l'autre par une
aura de bohème. Quelques petites revues, *La Vogue, Le
Symboliste, La Décadence,* sont fondées en 1886, mais
il faut attendre le tournant des années 1890 pour que
des organes plus importants (*La Plume, Les Entretiens
politiques et littéraires* et surtout *Le Mercure de France*)
relayent l'esthétique nouvelle. Cette situation contraste
avec l'ouverture précoce du monde littéraire belge.
Mallarmé, Verlaine, et à leur suite René Ghil, trouvent
en Belgique des tribunes, un public – peu nombreux
certes, mais fervent –, un accueil dans un milieu mondain et artistique dont ils sont privés en France. Leurs
conférences sont largement payées. L'admiration
des jeunes, tels Elskamp, Rodenbach, Van de Velde,
Verhaeren…, ne leur est pas ménagée, et les aînés
ne sont pas en reste de compliments. Un poème de
Verlaine dédié à Edmond Picard et la *Remémoration
d'amis belges* de Stéphane Mallarmé témoignent de la
chaleur de cette hospitalité.

De plus, les symbolistes français, Mallarmé en
particulier, obtiennent chez leurs amis belges d'exceptionnelles conditions de publication. Outre ses collaborations aux petites revues, l'auteur du *Coup de dés*
fait éditer à Bruxelles son *Album de vers et de prose*
(Librairie nouvelle, 1887 et 1888), *Les Poèmes d'Edgar
Poe* (Deman, 1888), *Pages* (Deman, 1891), *Les Miens*
(Lacomblez, 1892) ; sa réputation s'établit surtout grâce
au recueil posthume *Les Poésies de Stéphane Mallarmé*
(Deman, 1899), qui pendant quatorze ans sera la seule
édition des principaux textes du chef de file du symbolisme aisément disponible pour le public francophone.
Faut-il rappeler que ces éditeurs sont ceux qui publient
au même moment les textes de leurs clients et amis,
Van Lerberghe et Verhaeren ? Les nombreux contacts
établis en ces occasions, les textes élogieux qu'on peut
lire dans *La Wallonie,* la revue d'Albert Mockel fondée
en 1886 dans l'enthousiasme de la découverte du
Manifeste, les critiques favorables publiées dans *L'Art*

CI-DESSUS : Maurice Maeterlinck, *La Princesse Maleine,*
Gand, L. Van Melle, 1889. Couverture de l'édition originale,
dessin de George Minne. Bruxelles, musée de la Littérature,
Bibliothèque royale Albert Ier.

CI-CONTRE : Théo Van Rysselberghe, couverture
pour Émile Verhaeren, *Les Aubes,* 1898. Bruxelles,
musée de la Littérature, Bibliothèque royale Albert Ier.

Théo Van Rysselberghe,
La Lecture, 1903.
Huile sur toile, 181 x 241
cm. Gand, Museum voor
Schone Kunsten. De
gauche à droite, on
reconnaît Félix Le Dantec,
Émile Verhaeren, Francis
Viélé-Griffin ; debout au
fond, Félix Fénéon,
Henri-Edmond Cross
(de dos au premier plan),
André Gide avec,
derrière lui, Henri Géon
et à l'extrême droite
Maurice Maeterlinck.

moderne sous la plume d'Émile Verhaeren ou de Georges Khnopff transforment les conditions dans lesquelles les écrivains du groupe vont « monter » à Paris : ils seront accueillis comme des prophètes et non comme des disciples tardifs !

Par ailleurs, au lieu de concurrencer le symbolisme parisien sur son terrain, les Belges vont trouver un mode d'expression spécifique en s'attaquant de préférence à des genres encore peu pratiqués. Tandis que l'immense majorité des disciples français de Mallarmé sont poètes, et exclusivement poètes, les Belges s'intéressent d'abord au théâtre, au roman et à des formules poétiques encore inédites comme celles que Verhaeren forgera pour décrire *Les Villes tentaculaires.*

À Paris, en février 1893, Paul Fort présente au Théâtre d'art trois courtes scènes, qui sont autant de manifestes en faveur d'une dramaturgie moderne : un acte du *Faust* de Marlowe, *Les Flaireurs* de Van Lerberghe et une lecture du *Bateau ivre* de Rimbaud. La réunion de ces trois auteurs offre un raccourci saisissant de ce que signifie l'émergence parisienne du symbolisme belge.

Lorsque, dans un article célèbre du *Figaro,* Octave Mirbeau compare Maeterlinck à un « nouveau Shakespeare », il ne se borne pas à introniser un jeune écrivain prometteur. Il insiste sur la renaissance du genre théâtral autant que sur le mystère de l'origine géographique de l'auteur de *La Princesse Maleine :* celui-ci doit se trouver plus proche des brumes du Nord, des pays germaniques et des brouillards londoniens que ne peut l'être un auteur parisien. Surtout, il met l'accent sur une recherche constante pendant tout le XIXᵉ siècle français, recherche qui a accompagné toutes les innovations poétiques : celle d'un théâtre en langue française échappant aux normes établies par le classicisme. Victor Hugo avait longuement réfléchi à ce problème, et il avait écrit la *Préface de Cromwell* et *Ruy Blas ;* c'est évidemment à sa suite qu'il faudrait placer un « nouveau Shakespeare » ! De fait, les cinq actes de *La Princesse Maleine,* qui racontent les fiançailles puis la mort fatale de la jeune princesse, inaugurent de façon magistrale cette dramaturgie sans unité, fondée sur une atmosphère pesante et qui dénie à l'acteur le droit de s'isoler comme une vedette et insiste sur la responsabilité de la mise en scène aux dépens de la diction, réalisant précisément la formule recherchée dans un pays où la bourgeoisie fait triompher Alexandre Dumas fils et Victo-

rien Sardou. Bien entendu, à ce moment, Maeterlinck n'est plus un débutant. Comme d'autres jeunes auteurs, il a d'abord publié une « transposition d'art », puis s'est attelé aux vers admirables des *Serres chaudes*. Mais ces derniers ne sont guère connus en France. Le théâtre, la musique et plus tard les essais – autre genre peu pratiqué à cette époque outre Quiévrain – assoient la réputation de l'écrivain gantois.

À la suite de Maeterlinck, ou en même temps que lui, la plupart des Belges de la « grande génération » ont écrit des textes destinés à la scène. *Les Flaireurs* de Van Lerberghe lui ont disputé la paternité du genre. Mais Georges Rodenbach, jamais en reste d'une innovation, s'est empressé d'adapter le thème de *Bruges-la-Morte* pour la Comédie-Française (*Le Voile*, 1893). La pièce connaîtra un grand succès en raison de l'apport exotique des cornettes des béguines. Dans les mêmes années, Verhaeren entreprend son projet des *Aubes* (1898), dont les mouvements de groupes, l'alternance du dialogue et du récitatif poétique et la transposition des idées dans des personnages symboliques sont autant de gages donnés à l'esthétique nouvelle. Il écrira trois autres pièces, dont *Hélène de Sparte* (1912), qui lui ouvrira les portes de la prestigieuse *Nouvelle Revue française*. Avocat de formation, Ywan Gilkin est le membre de la direction de *La Jeune Belgique* le plus sensible aux propositions de Picard. Il abandonne tardivement les vers pour écrire *Étudiants russes* (1906) et *Le Sphinx* (1907).

On n'a pas assez souligné le rôle du directeur de *L'Art moderne* dans ce mouvement. Agitateur d'art et provocateur – sa devise était : « Je gêne » –, Picard est aussi grand amateur de théâtre. Il entre en contact avec Lugné-Poe, dont il souhaite la participation aux séances de sa Maison d'art. Il rédige une série d'articles théoriques sur le *Renouveau au théâtre* (1897), dans lesquels il définit son esthétique du théâtre transcendantal, hiératique et silencieux, et il propose par ailleurs une nouvelle manière de présenter les textes en faisant l'économie de la représentation : le monodrame, qui

CI-CONTRE : Jean Delville, *Portrait du Grand Maître de la Rose+Croix en habit de chœur*, 1894. Huile sur toile, 112 x 242 cm. Nîmes, musée des Beaux-Arts.

PAGE DE DROITE : Jean Delville, *Portrait de madame Stuart Merrill, Mysteriosa*, 1892. Craie sur papier, 35,5 x 28 cm. Coll. part.

Fernand Khnopff, *L'Art* ou *Les Caresses*, 1896. Huile sur toile, 50,5 x 150 cm. Bruxelles, musées royaux des Beaux-Arts de Belgique.

semble annoncer nos actuels « lectures-spectacles ». Dans *Jéricho* (1902), dans *Psyché* (1903) ou dans *La Joyeuse Entrée de Charles le Téméraire* (1905), Picard tente, mais avec moins de bonheur, de passer de la théorie à la pratique.

Allégorie et symbole

Parmi les autres formes littéraires qu'ont investies des auteurs soucieux de ne pas se fondre dans le vaste courant poétique symboliste, les vers irréguliers au souffle ample développés par Verhaeren ou Van Lerberghe témoignent de recherches que reprendront, à leur manière, Claudel ou Péguy. Mais il faut aussi souligner l'effort de théorisation qu'entreprend Albert Mockel à propos des œuvres de Mallarmé, de Régnier et de Viélé-Griffin. Dans ses *Propos de littérature* (1894), l'un des essais théoriques les plus profonds de l'époque, il expose une philosophie du symbole détachée de la notion d'allégorie.

Les thèses de Mockel, très avancé sur le terrain théorique, distinguent symbole et allégorie. Celle-ci s'affirme par sa valeur illustrative : elle *représente* de façon analytique une abstraction préconçue en l'incarnant dans la réalité qu'est l'image. Sa lisibilité relève d'une convention de représentation qui ne souffre nul écart à l'égard de l'illusion de la réalité. À l'inverse, le symbole part de la réalité pour s'en détacher au terme d'une recherche purement intuitive. Celle-ci extrait du

réel des fragments de significations épars qu'elle organisera de façon à guider le lecteur, par voie de suggestion au terme d'une série de déchiffrements, vers l'indicible. Dans l'imprécision voulue et travaillée par l'artiste, le symbole doit « chercher moins à conclure qu'à donner à penser, de telle sorte que le lecteur, collaborant par ce qu'il devine, achève en lui-même les paroles écrites[2] ». L'allégorie représente, le symbole évoque.

Pris sous cette acception, le symbolisme apparaît moins richement représenté que la peinture d'allégorie qui marque en profondeur la recherche monumentale des Mellery, Frédéric, Montald, Fabry et autres Ciamberlani. Parmi les symbolistes, Fernand Khnopff se détache par la richesse et la diversité de son œuvre.

L'idéalisme

La restauration, en 1888, de l'ordre de la Rose+Croix devait accompagner une recherche hermétique marquée par le spiritisme, l'alchimie, la franc-maçonnerie et la Kabbale. Péladan s'en séparera avec éclat pour affirmer un idéalisme chrétien qui trouvera en Belgique un écho favorable. La Rose+Croix catholique, fondée en 1890 et baptisée Rose+Croix du Temple et du Graal, sur laquelle règne le Sâr Péladan, voit dans l'artiste un initié qui aura à cœur d'illustrer le combat pour les valeurs chrétiennes engagé par le Mage. En 1893, la confrérie dirigée de façon autoritaire par le Sâr s'étoffe d'une « geste esthétique » qui, jusqu'en 1897, regroupera ces « êtres d'exception » voués au culte de la Beauté. Aux expositions s'ajoutent un théâtre « idéaliste avant de devenir hiératique », un programme de « musique sublime » et de conférences « propres à éveiller l'idéalité des mondains ». L'esthétique de Péladan, nourrie de wagnérisme, aspire à l'art total en affirmant l'unité de l'esprit comme puissance magique.

Selon Péladan, la magie transfigure l'homme et l'initie à la vérité essentielle sur laquelle repose l'harmonie de l'univers. L'art aura pour mission d'incarner cette Beauté idéale dans l'icône. Auréolé d'archaïsme, il s'impose « comme la part médiane de la religion, entre la physique et la métaphysique ». Hostile à toute manifestation de l'immanent, Péladan stigmatise le réalisme et l'impressionnisme et condamne la pratique du paysage, de la nature morte et du portrait. Dans le sillage de la Rose+Croix, les canons classiques sont revus à l'aune d'un primitivisme nazaréen qui, comme en littérature, témoigne d'une germanophilie vivace – l'harmonie des proportions reflète une perfection idéale à laquelle gestes et visages donnent une sensualité souvent morbide, rarement vécue, que renforcent une palette contrite et un goût prononcé pour le clair-obscur. L'idéalisation du réel interdit l'individualisation des traits. Les figures se figent en types et le mystère tant prisé par le Maître se réduit à un répertoire hermétique de convention.

Ce syncrétisme ésotérique laisse échapper une fascination pour la mort qui donne à l'idéalisme son ambiguïté. Celui-ci aspire à la victoire de l'esprit sur le corps, de l'idéal sur la chair, de l'intellect sur le sexe, sans qu'il soit possible de dire que ce triomphe est souhaité. La terreur du néant ne peut éteindre la volupté d'une mort perçue dans le sommeil absolu de corps enchevêtrés. L'âme vit sa propre sexualité retranchée dans l'inconscient : les chairs se dématérialisent pour flotter, incertaines, dans des espaces célestes aux couleurs adoucies, aux lumières apaisées, aux harmonies musicales. Aux mystères du réel répond désormais un réalisme de l'au-delà, véhiculant en son sillage un académisme qui pourra s'exprimer dans la monumentalité des édifices publics en de pesantes allégories démonstratives.

Fernand Khnopff, *Avec Joséphin Péladan. Istar.* Dessin préparatoire au frontispice (vernis mou) de J. Péladan, *Istar* (Paris, 1888), 1888. Sanguine sur papier, 16,5 x 7 cm. Coll. part.

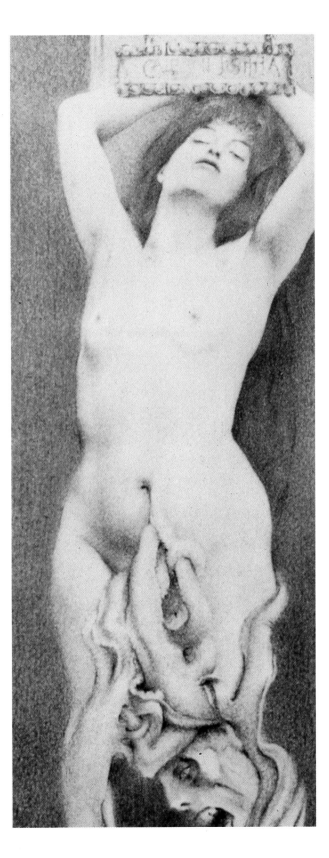

Hostiles au progrès assimilé à la barbarie et à la démocratie associée à la décadence, les disciples de Péladan affirment leur attachement à la tradition comme refus de l'avenir. L'idéalisme est teinté de pessimisme, et la lecture de Schopenhauer renforce le sentiment aristocratique de cette phalange qui ne peut accepter l'évolution du monde moderne. Par leur élitisme, les artistes idéalistes témoignent d'un sentiment négatif à l'endroit du réel. Leur vision de l'univers prend pour modèle les rêveries de Gustave Moreau. Au monde ils substituent un ailleurs chimérique où s'unissent les contraires et où leur subjectivité névrosée rencontre les mythes fondateurs de l'humanité. Leurs thèmes iconographiques sont autant des clés que des signes de reconnaissance : Prométhée, Ophélie, Orphée et Œdipe symbolisent l'artiste face à sa mission divinatoire ; la femme idéale ou fatale est tantôt source tantôt menace ; l'idéal prend les traits de cet androgyne venu d'Orient et auquel Wagner confère une puissance nouvelle. L'iconographie idéaliste mêle ainsi à l'infini les mythes et les doctrines ésotériques pour affirmer la résurgence d'un sentiment religieux aussi mystique qu'occulte.

Pour Péladan, qui honnit le paysage et le portrait lorsque ce dernier n'est pas héroïque, l'incarnation même de l'artiste idéaliste est, outre Moreau qui l'ignore, Fernand Khnopff. Les liens de ce dernier avec Péladan et la Rose+Croix sont étroits. Khnopff illustre plusieurs textes du Sâr : *Le Vice suprême* en 1885, suivi d'*Istar*, *Femmes honnêtes* et *Le Panthée*, et, de 1892 à 1897, participe à quatre des six « gestes esthétiques » idéalistes. Cette présence n'explique pourtant pas son enthousiasme réel pour les thèses de Péladan. En Belgique,

Ci-contre : Jean Delville,
L'Amour des âmes, 1900.
Détrempe sur toile,
238 x 150 cm. Bruxelles,
musée communal d'Ixelles.

Page de gauche :
Jean Delville, *Orphée mort,* 1893.
Huile sur toile, 82 x 103 cm.
Coll. part.

Constant Montald, *La Barque de l'Idéal*, 1907. Huile sur toile, état originel : 535 x 525 cm ; état actuel : 400 x 505 cm.
Coll. de la province de Hainaut, en dépôt aux musées royaux des Beaux-Arts de Belgique.

alors qu'un cercle de disciples s'organise autour de Jean Delville, la figure de Khnopff reste en retrait.

Delville et La Mission de l'art

Bruxelles s'affiche comme un des centres idéalistes les plus riches d'Europe. La vision de l'art de Péladan y exerce un ascendant déterminant : exprimer par l'allégorie une beauté où s'illustrent les valeurs morales d'une société vouée à l'ordre et à la vertu. Un noyau d'artistes se regroupe autour de Jean Delville. Peintre, poète, essayiste, ce dernier aspire à transformer la société en lui dévoilant une sagesse où se mêlent tradition ésotérique, néo-platonisme, utopie théosophique. Kabbale, magie et hermétisme fondent une mystique de l'âme guidée par la lumière astrale, « état second de la substance et grand réservoir magnétique de forces non définies[3] ». Dans cet univers fluide, chaque forme, chaque couleur est traversée par une force mystérieuse dont la source est Dieu et dont la contemplation promet l'extase aux âmes. Sous le vocabulaire ésotérique

apparaît une dimension mystique qui conduit l'artiste vers l'idéal dans le rejet de l'immanent.

Tendu vers l'absolu, Delville dépouille les figures de leur existence « accidentelle » pour privilégier la dématérialisation des corps, l'évanescence des couleurs, l'irradiation d'une lumière astrale. L'espace est entraîné dans cette ascèse : il se défait en spirales vaporeuses, en nimbes irisés. Cet univers mouvant, enrichi d'arabesques végétales qui attestent un perpétuel devenir inspiré des formes de l'Art nouveau et du traitement orfévré des arts décoratifs, aspire à la théâtralité wagnérienne sans résister à une certaine fascination pour le décadentisme. Les chairs enchevêtrées, les corps maniérés, les visages vidés de substance témoignent d'un même abandon morbide, que consacre *Orphée mort* peint en 1893. Perdue dans un espace indéfini, à la fois ciel et mer, la tête apparaît tel un astre d'où rayonne une lumière spirituelle.

Artiste initié, Delville est aussi un organisateur qui voit dans la politique de Maus le ferment d'une décadence entendue. Ami de Scriabine, de Villiers de L'Isle-Adam, et marqué par Péladan, il fonde en 1892 le

Salon Pour l'art. Éprouve-t-il le besoin de se dégager de l'autorité du Sâr pour asseoir une théorie qu'il formulera en 1895 dans ses *Dialogues entre nous,* suivis, en 1900, par *La Mission de l'art,* préfacée par Édouard Schuré[4] ? L'exposition réunit quelques disciples : Albert Ciamberlani, Émile Fabry, Charles Filiger, Victor Rousseau, Jan Verkade, sans oublier l'ancien, Félicien Rops. Celui-ci, bien qu'il ait illustré *Le Vice suprême* de Péladan, n'a que peu d'estime pour les outrances idéalistes.

En 1894, le cercle d'études ésotériques Kumris organise une grande exposition d'art idéaliste qui réunit, outre les membres de Pour l'art, William Degouve de Nuncques, Auguste Donnay, George Minne et l'illustrateur Charles Doudelet. Pour l'art s'éteint en 1895. Dès l'année suivante lui succède la première geste du Salon d'art idéaliste où figurent les Belges Albert Ciamberlani, Constant Montald, Émile Motte, Victor Rousseau, Isidore De Rudder, Gustave Max Stevens

Égide Rombaux, *Les Filles de Satan,* 1900–1903. Marbre, 205 x 151 x 108,5 cm. Bruxelles, musées royaux des Beaux-Arts de Belgique.

Ci-contre : Auguste Lévêque, *La Parque,* s. d. Huile sur toile, 295 x 204 cm. Tournai, musée des Beaux-Arts.

et Adolphe Wansart, et les Français Armand Point et Alexandre Séon. Auguste Levêque et Léon Frédéric se joindront bientôt au mouvement. Tous se reconnaissent de cette réalité sublimée qui, au-delà du vécu, ouvre les champs de l'art idéaliste. En 1897, celui-ci se verra doté d'un journal, *L'Art idéaliste,* animé par Delville. Au-delà des attaques portées contre les avant-gardes, Delville affirme la mission de l'art idéaliste dans la conjonction d'une herméneutique (l'œuvre est un signe représentatif d'une idée impérissable), d'une mystique (l'artiste cherche l'harmonie entre les trois grands Verbes de la vie : le Naturel, l'Humain, le Divin) et d'une esthétique fondée sur une lumière essentielle ;

elle génère idées et formes dans lesquelles l'artiste « déchiffrera les prismes vivants des beautés divines où se réfractent les splendeurs de l'Âme universelle[5] ». Pour donner à ces visions leur unité lumineuse et leur unité mystique, Delville renonce à la peinture à l'huile pour trouver dans la détrempe et la peinture à l'œuf ce frémissement monumental qui faisait le charme des anciens. De façon générale, le symbolisme belge rejettera l'huile au profit du crayon et du pastel, dont les effets de matières raniment le souvenir des fresques de la Renaissance et estompent les contours trop nets de l'objet désormais voilé en de brumeuses atmosphères.

Idéalisme et allégorie monumentale

Aux côtés de Delville, un mouvement prend forme. Traditionaliste, l'idéalisme s'épuise dans un élitisme contemplatif qui le tient en marge de l'évolution. Seul le passage à la peinture monumentale permettra d'as-seoir la mission de l'idéalisme dans l'allégorie. Celle-ci, par nature démonstrative, ne rompt pas l'unité de l'espace et respecte le mur en magnifiant l'abstraction. Montald, Ciamberlani, Levêque, Fabry s'affirment comme des peintres d'idée attachés à la représentation d'allégories imposantes qui viennent orner les murs des édifices publics. Le monde idéal auquel tend le symbolisme se mue en expression des valeurs sécurisantes d'une société conservatrice, qui voit dans les champs élyséens un monde pétrifié, délivré de l'évolution et du progrès. La multiplication des programmes iconographiques – dans les hôtels de ville de Laeken ou de Saint-Gilles, dans le complexe monumental du palais de justice ou du Cinquantenaire, à la Monnaie ou sur les murs du palais de Tervueren – livre au public des leçons d'éthique érigées en poncifs que certains répéteront tard dans le XXe siècle.

La beauté dont ces artistes se revendiquent relèvera peu à peu d'une ambition décorative qui paie sa dette au goût du temps. Dans ses compositions, Montald

William Degouve de Nuncques, *Les Paons*, 1896. Pastel sur papier collé sur toile, 59,5 x 99 cm.
Bruxelles, musées royaux des Beaux-Arts de Belgique.

William Degouve de Nuncques, *La Maison rose* ou *La Maison du mystère* ou *La Maison aveugle*, 1892. Huile sur toile, 63 x 42 cm. Otterlo, Rijksmuseum Kröller-Müller.

intègre les figures au paysage par le biais d'arabesques végétales, d'ornements irréalistes et d'effets de lumière précieux. Le rêve s'est mué en décoration. Cette peinture n'ouvre pas sur l'ailleurs mais affiche, péremptoire, un ordre moral hostile à toute idée d'évolution. Elle trouvera dans l'Art nouveau un vocabulaire maniériste, marquant ainsi son éloignement à l'égard du réel et son décalage envers la modernité. Fabry, dont les figures hiératiques expriment l'impossibilité de communiquer en des termes inspirés de Maeterlinck, collaborera avec Horta, Hankar et Sneyers. Au lendemain de la Première Guerre mondiale, alors que le mouvement appartient désormais au passé, les formules idéalistes se propageront à travers le pays sous couvert d'une sculpture patriotique vouée au culte des héros de la nation.

Idéalisme et réalité

Khnopff témoigne de ce que l'esthétisme n'interdit pas un engagement aux côtés des tenants de l'art social, Picard en tête. Parmi les peintres proches de Delville, deux personnalités conservent les deux visages du symbolisme éthéré et du naturalisme critique. Léon Frédéric et Auguste Levêque passent sans cesse de cette réalité sociale qui les bouleverse à un idéal intemporel ignorant l'injustice et l'oppression. *La Parque* de Levêque souligne cette tension en une fantasmagorie qui pèche par manque de cohérence. De l'ambition réaliste, il ne reste qu'une précision du détail quasi caricaturale. De l'idéalisme, une sarabande rubénienne de corps maniérés. Loin de suggérer, le tableau s'épuise à exprimer l'indicible en recourant à un discours stéréotypé et désincarné. La matière apparaît aux yeux des artistes idéalistes sous la lumière ambiguë d'un néo-platonisme moralisateur. Elle symbolise autant l'origine que la chute.

Dans les années 1882–1883, Léon Frédéric avait appartenu à l'aile naturaliste du réalisme belge. Il avait progressivement élargi le discours critique du naturalisme pour exprimer, sous forme allégorique, une dimension utopique. Ainsi, *Le Peuple verra un jour le soleil se lever,* exposé au Salon d'art idéaliste de 1896, mêle aux revendications progressistes le souvenir allégorique d'un âge d'or. La vie des paysans ou celle des ouvriers préoccupent l'homme qui voit dans l'avenir une dimension idéale allant bien au-delà d'un témoignage social. Rêve et réalité se fondent en un même désir de progrès à la fois matériel et spirituel.

Pour Frédéric la nature consacre cette alliance nouvelle. Sous le pinceau de l'artiste, elle devient d'une générosité indigeste : dans un paysage alpestre, sous une avalanche de fleurs, elle nourrit une montagne d'angelots ventrus. Le peintre renoue avec l'emphase de Wiertz lorsque, dans *Le Ruisseau,* la nature – en hommage à Beethoven – se mue en une symphonie de corps enchevêtrés avec gourmandise dans un espace pastoral. Fleurs et végétations se multiplient dans une horreur du vide qui trouve dans la peinture de Rubens son souffle lyrique. Frédéric orchestre cet amoncellement de chairs dans une surenchère d'ornements où les revendications sociales se fondent à la mystique chrétienne.

Dans ce contexte de peinture d'idée, la personnalité d'Henry De Groux s'exprime dans la solitude d'un tempérament excessif. Dès ses débuts, il se veut médium. En 1890, son *Christ aux outrages* fait sensation : sa construction en diagonales emporte les corps en un mouvement baroque que la verticale du Christ absorbe. Cette structure pyramidale concentre la tension dramatique et donne à l'action une puissance d'émotion qui marquera De Groux sa vie durant. La solitude du Christ évoque la situation même de l'artiste en marge d'un monde qu'il honnit et qu'il rejette. Un thème s'impose tout au long de son œuvre : le chambardement, la destruction, l'apocalypse et la guerre, qui réduisent la société à l'état de ruine avec ses amas de corps déchiquetés. À la différence de Delville, de Levêque ou de Frédéric, De Groux ne traite pas le corps dans le but de vénérer l'âme, mais pour évoquer en un mouvement général la destinée des hommes balayée par l'histoire. Le thème de la bataille conduit sa peinture au chaos : des corps foulés, brisés, aux couleurs sales et boueuses. De Groux aspire à la destruction dans un geste mégalomane et désespéré. Ses sympathies anarchistes s'expriment dans la démesure héroïque qui porte l'homme au-delà de ses limites. Son œuvre est hantée par les figures surnaturelles de héros imaginaires ou réels : Napoléon, Baudelaire, Wagner, Poe, Siegfried, Charles le Téméraire, Lohengrin, Dante.

Le caractère asocial de De Groux le placera rapidement en porte à faux à l'égard des XX dont il est membre depuis 1886. Quatre ans plus tard, il en sera exclu pour avoir injurié Van Gogh et provoqué Lautrec en duel. Seul, livré aux tumultes de son inconscient, De Groux recherche la démesure dans la peinture, la gravure, le dessin ou la sculpture.

Degouve de Nuncques est un contemplatif. Son mariage avec la belle-sœur de Verhaeren le place dans l'orbite symboliste. Sa sensibilité en fait un spectateur attentif à la vie de la nature. Lié à Toorop, Degouve découvre l'idéalisme symboliste ; ami de De Groux, il est pénétré de religiosité. Ces influences se doublent d'une sensibilité qui trouvera dans le pastel sa suavité brumeuse, son caractère introspectif. L'artiste s'attache à rendre les moindres nuances de l'atmosphère, à saisir les lumières les plus fines. Les effets de neige ou les tonalités nocturnes, par leur uniformité, rencontrent son désir d'harmonie. Les paysages semblent voilés d'une brume aussi légère que mélancolique. Le recueillement solitaire, l'irréalité d'une palette, la maladresse de la facture témoignent d'un désir d'expres-

Henry De Groux, *Le Christ aux outrages*, 1888–1889. Huile sur toile, 293 x 353 cm. Avignon, palais du Roure, fondation Flandreysy-Espérandieu.

sion qui fait de chaque œuvre une ode à la nature. Toutefois, le peintre ne se contente pas de saisir un coin de nature selon son inclination du moment : son travail tend à la synthèse, synthèse de la vision, de l'impression et de l'intention. L'harmonie naît à distance de la réalité comme si le spectacle de la nature devait infuser en un état d'âme avant de se trouver jeté sur le papier. De cet écart envers le réel, l'image tire sa rigueur ascétique en même temps qu'une surréalité qui naît des couleurs portant en elles la lumière. En effet, rien ne peut être extérieur au dessin, microcosme, qui résout en lui la diversité de l'univers, macrocosme. De 1892 à 1899, Degouve poursuit une recherche symboliste dont la

qualité poétique repose dans l'attention portée à l'« âme des choses », dans l'intériorité silencieuse qui pousse l'artiste à découvrir dans la nature ce que les autres ne peuvent y distinguer, à cultiver une spiritualité en serre chaude qui colore d'irréalisme les fards de l'illusion.

Synthétisme et symbolisme

Dans sa veine mystique, le symbolisme rejette la saisie sur le vif d'une réalité illusoire. L'élan panthéiste qui anime la plupart des maîtres idéalistes, de Delville à Montald, aspire à un art réfléchi, concentré, calculé,

Gustave Van de Woestijne, *Desk accroupi*, s. d. Huile sur toile, 120 x 107 cm. Coll. part.

où chaque émotion est intellectualisée pour guider l'homme vers cet ailleurs meilleur, hostile à l'idée même d'évolution qui guide la société. Le thème de l'âge d'or, cher à la peinture élyséenne des disciples de Péladan, au-delà de son archaïsme, affirme la supériorité de l'esprit sur la matière, du mythe sur l'histoire, du divin sur l'immanent. Si certains, comme Frédéric, trouvent dans l'Art nouveau l'expression plastique d'un foisonnement de fleurs et de corps entremêlés, d'autres vont considérer leur mission comme une recherche de pureté qui requiert dépouillement, rigueur, concentration. La forme quintessenciée d'un Minne, d'un Doudelet, d'un Van de Woestijne, d'un Degouve de Nuncques s'évade de l'illusionnisme et rejette les espaces perspectifs, les trompe-l'œil et les détails réalistes.

Ce symbolisme synthétique, tout en s'en inspirant, réagit au formalisme qui guette l'Art nouveau lorsque la ligne végétale, soumise au geste virtuose privé d'intention, tend à la mollesse et à la facilité. Il s'oppose aussi au sentiment aristocratique des idéalistes, nourri

d'un rejet de la modernité vécue comme décadence. Au contraire, ces artistes, marqués par une réflexion plastique inspirée de l'architecture, voient dans l'art un vecteur de progrès pour tous. Les thèses énoncées par Edmond Picard dans son combat contre « l'art pour l'art » trouvent un prolongement dans la lecture de William Morris, de John Ruskin, et dans l'action de la Section d'art. Ancré dans le présent, ce symbolisme se veut moins moral et plus humain. Si son engagement social le place dans le sillage de ce naturalisme qui, en Belgique, avait jeté les bases du mouvement moderniste, ses aspirations profondes le situent clairement dans un vaste courant d'idéal primitiviste.

En 1902, l'exposition des primitifs flamands organisée à Bruges permet une redécouverte de l'art ancien amorcée dès les années 1890[6]. Les enluminures, sculptures de pierre, gravures sur bois et surtout peintures du XVe siècle s'offrent en support à une réaction contre le maniérisme ampoulé du « style nouille », L'idéal primitif, par la densité de son recueillement, par l'intensité

Jakob Smits, *Le Symbole de la Campine*, 1901. Huile sur toile, 115 x 140 cm. Bruxelles, musées royaux des Beaux-Arts de Belgique.

mystique de son dépouillement, guide les artistes vers celui que Maeterlinck perçoit dans les textes flamboyants du mystique flamand Ruysbroek. Le sentiment national n'est pas absent de ce retour au primitif. Comme à l'époque du romantisme, mais encouragé cette fois par un mouvement flamand militant pour la reconnaissance de sa culture, les artistes découvrent dans un âge d'or de la tradition flamande les ferments d'une identité qui passe par le rejet de la langue française et de la culture latine ressenties comme symboles de l'oppression bourgeoise. Dans cette recherche primitiviste, l'archaïsme se dresse contre l'industrialisation : aux conflits de classes et aux mots d'ordre progressistes, les artistes nourris d'un idéal flamand opposent l'image d'un peuple bigarré, uni par la même foi catholique.

Le mouvement flamand, jusque-là axé sur la reconnaissance d'une identité culturelle flamande, avait acquis au cours des années 1870–1880 un poids politique qui devait conduire aux premières revendications linguistiques. L'Académie royale de langue et littérature flamande (Koninklijke Vlaamse Academie voor Taalen Letterkunde) est fondée en juillet 1886. Elle témoigne de l'affirmation d'une identité flamande qui, de la culture, s'étend peu à peu à tous les domaines de la société. Avec les années 1890, la Flandre connaît les signes d'une industrialisation confortée par l'agitation sociale qui grondait en Wallonie. Aux industries lourdes détenues par les francophones répond un nombre croissant de petites et moyennes entreprises flamandes organisées de façon autonome et mues par l'idéal catholique de réconciliation des classes[7]. À partir de 1895, le mouvement flamand réforme en profondeur ses thèses politiques et idéologiques : le niveau de vie de l'ouvrier ou du paysan étant lié à l'essor économique, et le retard économique de la Flandre ne pouvant s'expliquer que par la domination outrancière de la culture francophone, il s'agissait d'affirmer un projet culturel qui lui donnât cet épanouissement nécessaire à sa reconnaissance. Ainsi, le credo flamand, nationaliste et militant, fait de la culture un enjeu déterminant : en

Auguste Levêque, *Edmond Picard*, 1900. Huile sur toile, 111 x 61 cm.
Anvers, Koninklijk Museum voor Schone Kunsten.

PAGE DE DROITE : Eugène Laermans, *Un soir de grève/Le Drapeau
rouge*, 1893. Huile sur toile, 106 x 115 cm. Bruxelles, musées royaux des
Beaux-Arts de Belgique.

marge du combat général pour la néérlandisation de
l'enseignement moyen, technique et universitaire, l'action des revues s'avère déterminante. En 1892, August
Vermeylen, professeur d'université et tête pensante du
mouvement, crée la revue *Van Nu en Straks.* Van de
Velde, dont la vocation artistique s'était révélée au
contact du compositeur flamand Peter Benoit, celui-
là même que Liszt avait baptisé « le Rubens de la
musique », a souligné dans ses Mémoires l'objectif à
la fois social et nationaliste du projet qui devait voir le
jour en avril 1893 :

> Vermeylen ne dissimulait pas qu'il se sentait personnelle-
> ment convaincu qu'aucune littérature « de toute à l'heure »
> ne pourrait se cantonner dans le domaine de l'art pour l'art
> et ignorer plus longtemps l'éveil de la conscience sociale,
> l'idée de la solidarité internationale. « Pour nous, jeunes lit-
> térateurs flamands, remarquait-il, notre littérature est inti-
> mement liée au *Vlaamsche Beweging* et celui-ci l'est aussi
> intimement à l'émancipation politique et au réveil social
> des Flandres[8]. »

À ce flamingantisme culturel nourri d'aspirations
sociales et d'une volonté de progrès qui va jusqu'à
embrasser les thèses anarchistes[9], s'oppose un ancrage
catholique réactionnaire d'inspiration rurale allant
dans le sens d'un traditionalisme ulcéré qui considère
la ville moderne comme le lieu de perdition des valeurs
ancestrales. Faut-il voir là le moteur d'un mouvement
de retour aux campagnes qui allait marquer l'art flamand du symbolisme à l'expressionnisme ? Ainsi, au
tournant du siècle, George Minne ressent le besoin de
réagir à l'atmosphère délétère, assimilée à la ville, qui
annihile toute possibilité d'existence. Installé près de
Gand, dans le village de Laethem-Saint-Martin, il
reprend contact avec la réalité, avec l'énergie du travail
de la terre, avec la force de vivre. La sculpture devient
puissante : les corps vivent à l'unisson de leurs mouvements, l'univers ne comprime plus l'homme dans l'angoisse d'une destinée démesurée. Moins cérébrale,
l'œuvre gagne en synthèse. L'exposition de 1902 en est
le constat. Minne délaissera peu à peu le symbolisme
pour donner à son humanisme une puissance expressive ; il influencera fortement le courant flamand qui se
développe dans son sillage.
   À Laethem-Saint-Martin, ce mouvement de ressour-
cement passe par un réel rejet de la civilisation moderne

au profit d'une redécouverte des traditions populaires flamandes. Le village, investi par les peintres, s'affirme comme un centre artistique indépendant des métropoles anversoise et gantoise ainsi que de Bruxelles. Marqués par Minne et par l'intimisme allégorique de Jakob Smits, Karel Van de Woestijne, le poète, et son frère Gutave, Albert Servaes, Albijn Van den Abeele et Valerius de Saedeleer, formant la première école de Laethem-Saint-Martin, associent le message biblique à la réalité d'un monde rural en marge de la société moderne. L'anachronisme est aussi exotisme. Dans des

œuvres comme *Desk accroupi*, peint en 1908, Van de Woestijne assimile la vie des campagnes à l'expression du divin. La nature intemporelle révèle la présence de Dieu dans le moindre de ses détails ; peindre devient un élan panthéiste en même temps qu'un acte de foi.

Sous couvert du paysage, un même sentiment primitif s'exprime au sein du symbolisme. Parallèlement aux artistes flamands qui évoluent vers l'expressionnisme, de jeunes peintres wallons se rassemblent en marge du bassin mosan industriel pour saisir l'existence intemporelle des campagnes. Dans les fagnes pré-

servées, quelques artistes, dont Georges Le Brun, s'attachent à rendre l'intimisme d'une vie rythmée par la nature dans l'immobilité d'un temps suspendu. En Wallonie comme en Flandre, ce retour vers les campagnes témoigne du refus de l'industrialisation qui, au sud du pays, ravage le paysage et détruit l'ancien équilibre social. Les villes tentaculaires apparaissent comme un enfer pour une humanité vouée à un travail étranger à la nature. En même temps que cette vision « écologique », le mouvement de retour vers les campagnes témoigne d'une résurgence d'un catholicisme mystique qui, au tournant des années 1910, touchera la plupart des idéalistes, de Khnopff à Frédéric en passant par Delville ou Montald.

L'engagement social

Parmi les conflits d'idées qui ont divisé l'avant-garde durant les années 1880, l'opposition entre les partisans de l'art pour l'art et ceux de l'art social fut sans doute l'un des plus vigoureux, l'un des mieux étudiés, et l'un des moins bien compris. *La Jeune Belgique* défendait la théorie d'un art pur, préservé de toute préoccupation sociale. Son projet de fonder une activite littéraire en Belgique impliquait qu'elle fît sienne une option dégageant les artistes de toute contrainte autre qu'artistique. Pour elle, le monde de l'art devait être autonome, afin d'élaborer des lois et des modes de juger qui lui fussent propres. Face à la revue de Max Waller, *L'Art moderne* défendait une autre conception, plus en rapport avec les goûts et les intérêts de ses dirigeants. Avocats, impliqués dans la vie publique, Eugène Robert, Victor Arnould et surtout Edmond Picard se définissaient comme des esthètes, non comme des créateurs. Leur engagement politique – tous trois participaient à la réorganisation de l'aile la plus progressiste du libéralisme – les conduisait à rechercher dans le mouvement culturel des œuvres qui pouvaient à la fois satisfaire leurs goûts d'amateurs d'art et les convictions qu'ils affichaient sur un changement social inéluctable. Si Picard enregistre avec satisfaction l'émergence du « jeune mouvement littéraire », il s'oppose toutefois aux fondements de cette recherche tournée sur elle-même. L'art social qu'il défend n'est pas une inféodation à un parti ; il relève d'une définition beaucoup plus large, qu'un Lukàcs, par exemple, n'eût pas dédaignée :

Georges Lemmen, projet pour *L'Art Moderne*, Bruxelles, 1893. Encre, 26,5 x 22,6 cm. Bruxelles, musée communal d'Ixelles.

L'art [des grands artistes du passé] est social en ce sens, et c'est le vrai sens, qu'ils ont eu sur leur époque une influence prépondérante, s'emparant de toutes les idées dominantes de leur temps, les saisissant au vol, debout dans la société qui s'agitait autour d'eux, les dépouillant de toutes leurs contingences, les forgeant à nouveau, leur donnant une puissance et une sonorité inconnues, puis les rejetant dans cette masse remuante et tragique, pour imprimer à celle-ci, en vertu d'un magique alliage, des impressions nouvelles la lançant plus rapide dans le courant du progrès et de l'histoire[10].

Ces propos se révélaient trop dégagés, leur point de vue trop abstrait, pour des jeunes gens qui affrontaient concrètement l'indifférence générale. *La Jeune Belgique* polémiqua donc, avec talent et irrespect.

Toutefois, ces dissensions paraissent moins remarquables que leur issue paradoxale. À partir de 1890, les défenseurs de l'art pour l'art ne se recrutent plus que dans le camp de la tradition, et c'est parmi les symbolistes, partisans d'un art raffiné, que le rejet de cette

Henry Van de Velde, couverture pour Max Elskamp, *Salutations dont d'angéliques*, 1893. Bruxelles, Bibliothèque royale Albert Ier (réserve précieuse).

celui-là même qui redécouvrait les vertus du « simple » et du populaire :

> À voir certains écrivains, par exemple Eekhoud, certains peintres, par exemple De Groux, tels sculpteurs, par exemple Meunier, se rapprocher du peuple et y chercher l'émotion, on se demande si, de même que le peuple a besoin de l'art, l'artiste n'a pas besoin du peuple. Le rajeunissement, il est peut-être là. Lorsqu'on assiste aux querelles esthétiques modernes, à leur sophistique émiettement, à leurs disputes pour savoir s'il faut, d'après telles règles, couper une pomme en quatre ou en huit, on songe qu'il est grand temps de revenir aux sources du sentiment, aux fraîcheurs de sensations et d'instincts qui gisent toutes dans le peuple. Il n'y a plus aujourd'hui, en dehors des soldats, que deux sortes de héros : le poète qui rêve, et le révolutionnaire qui renverse. Il n'y a plus que deux sortes de naïfs et de simples de cœur : eux. Et seuls aussi ils ont encore l'enthousiasme, l'ardeur de la haine et de l'amour et, à côté de leurs colères, les bontés de l'enfant.
>
> Ayant en commun d'aussi vastes territoires d'âme, il ne se peut point qu'ils ne finissent vite par s'entendre et se comprendre. Il ne s'agit, certes, pour l'artiste, ni de faire de l'Art social, ni se battre les flancs pour produire des œuvres qui seraient autre chose que des œuvres nettes[11].

thèse se veut le plus violent. Mieux : les symbolistes rejoignent Picard et les écrivains naturalistes pour participer ensemble à l'expérience de la Section d'art de la Maison du Peuple de Bruxelles. De 1891 à 1914, celle-ci accueillit en effet des conférenciers venus « parler au peuple ». Elle organisa aussi des concerts et des visites guidées dans les principales expositions de peinture moderne – notamment aux XX et à la Libre Esthétique. La Section d'art fut d'abord dirigée par Lalla Vandervelde, la première épouse du dirigeant socialiste, puis par Paul Deutscher. Tout indique qu'Émile Vandervelde lui-même y était fermement attaché et qu'il conserva toujours un regard attentif sur ses activités. Octave Maus, le secrétaire des XX, s'occupa des animations musicales. Georges Eekhoud se chargea de demander à ses confrères des textes et des illustrations pour *l'Annuaire de la Section d'art et d'enseignement* de la Maison du Peuple qui parut en 1893. Dans l'esprit de ses fondateurs, la Section n'était pas destinée à propager de l'art social, mais à socialiser l'art d'avant-garde,

On peut illustrer les ambitions de cette « maison de la culture » avant la lettre par le programme de sa première saison d'activité : Maurice Kufferath y parle de Wagner, Picard de l'art et du mouvement social, et l'on visite une exposition des peintures de Constantin Meunier ; Georges Eekhoud, Jules Destrée, Edmond Picard, Émile Vandervelde et Émile Verhaeren décrivent le mouvement littéraire belge ; deux conférenciers parlent du Congo et amorcent un débat contradictoire sur l'application des lois belges dans la colonie privée de Léopold II ; Verhaeren, Picard, Eekhoud et Vandervelde rendent hommage à Victor Hugo, et la conférence se transforme en meeting improvisé en faveur du suffrage universel !

À côté de grandes figures du naturalisme comme Lemonnier, les principaux représentants du symbolisme prennent part au combat politique. Maeterlinck, membre du cercle des étudiants socialistes – et donc membre de fait du parti ouvrier –, soutiendra financièrement les grèves générales de 1902 et 1913 ; Van Ler-

Henry Van de Velde, *La Veillée d'anges*, 1893.
Tenture. Zurich, Museum Bellerive.

berghe animera seul, ou presque, le comité des écrivains belges favorables à Dreyfus ; Khnopff prononcera devant la Section d'art des conférences consacrées à l'art anglais (1892) ou aux primitifs flamands (1893) ; Van de Velde développera ses théories du « relèvement de l'art par l'activité, par l'industrie, et par le peuple » (1894) et parlera de William Morris (1897), et Maus des *Maîtres chanteurs* de Wagner (1898) ou des arts décoratifs (1901). Verhaeren, enfin, restera le plus fidèle soutien de la Section d'art dans le domaine littéraire. Il n'est pas jusqu'à Mockel lui-même qui n'ait regardé le socialisme avec quelque sympathie.

L'expérience concrète de la Section d'art procède du rapprochement exceptionnel entre le parti ouvrier belge, dirigé à ce moment par de jeunes bourgeois issus du libéralisme progressiste, et les principaux artisans de la nouveauté artistique. Elle se fonde sur les positions que les uns et les autres occupent dans leurs champs d'activité respectifs, mais aussi sur la conscience des limites du pari. Connaissant les enjeux spécifiques de l'art et de la politique et présente sur les deux fronts, la génération de ces jeunes bourgeois en révolte a su opérer une jonction sans équivalent en Europe. Que la Maison du Peuple bâtie par Victor Horta l'ait abritée est le symbole même de l'emprise profonde de l'Art nouveau dans la culture sociale de la Belgique fin de siècle.

L'idéal social cherche ses formes d'expression à la fois dans la modernité affirmée des symbolistes ou des

tenants de l'Art nouveau et dans l'illustration pathétique d'un réalisme social qui s'impose peu à peu
comme seule traduction dogmatique d'une esthétique
marxiste. La parution, en 1906, des *Essais socialistes*
d'Émile Vandervelde, chef de groupe socialiste au Parlement, offre la première formulation d'une stratégie
culturelle du parti ouvrier : revenant sur l'idée que l'art
reste une production sociale, il insiste sur la nécessité
de rompre avec « l'humanitarisme un peu vague d'intellectuels en révolte[12] » pour voir dans l'artiste l'agent
d'une éducation permanente des masses.

Si le réalisme social se mue en réalisme socialiste, il
n'en conserve pas moins sa vitalité artistique : Meunier
s'impose en figure tutélaire et Laermans en peintre
prophétique. Ce dernier, révélé au public au début des
années 1890, se défait des motifs héroïques qui jusque-

Gisbert Combaz, *La Libre Esthétique. Salon annuel*, 1897.
Lithographie en couleurs, 70 x 47 cm. Anvers, Museum Vleeshuis.

là marquaient la représentation du travail. Laermans
puise ses sujets dans les scènes de la vie quotidienne
qui fourmillent d'allusions à Bruegel. Les tensions
sociales qui marquent l'époque y sont bien présentes.
La vision tragique trouve une formulation puissante,
annonçant, par la monumentalité des figures et par
l'emploi irréaliste de la couleur, un expressionnisme
original qui, au-delà de l'anecdote, tend à l'essentiel.
Avec Laermans, le réalisme social s'étoffe d'une charge
de mystère jaillissant des analogies et des correspondances. Aux limites des mots d'ordre politiques, Laermans substitue la vérité des sentiments dans la dignité

de formes monumentales et déchirées. Ce sens de l'ir-réalisme ne révèle-t-il pas une dimension utopique qui rencontre les élans d'un idéalisme sensible à l'engage-ment social ?

Des XX à la Libre Esthétique

Le changement de mentalité est profond : il prolonge l'engagement pris par *L'Art moderne* dès son premier numéro en 1881[13]. Les recherches esthétiques s'orien-tent désormais vers cet art social qui transforme la conception même de la création moderne. Cette évo-lution s'inscrit à la fois dans le prolongement et en marge de l'aventure des XX. Dès 1890, les expositions annuelles du cercle ont été l'occasion de découvertes essentielles venues tant de l'étranger, notamment d'An-gleterre, que de certains vingtistes. L'influence de l'An-gleterre fut déterminante, mêlant symbolisme et préra-phaélisme. La présence d'articles signés Liberty – poteries, cretonnes et meubles laqués – dans les vitrines de la Compagnie japonaise, installée rue Royale à Bruxelles, devait marquer le coup d'envoi de la diffu-sion des produits anglais : luminaires et quincaillerie de la firme Benson ou papiers peints de la Jeffrey and C° allaient retenir l'attention des ténors de l'avant-garde bruxelloise. L'art anglais s'affirme ainsi à Bruxelles comme un modèle. Dans l'*Annuaire de la Section d'art* paru en 1893, Fernand Khnopff souligne ce qui, à ses yeux, fait la spécificité de l'art anglais face à l'étatisme de la vie culturelle française ou belge : « En Angleterre, au contraire, les œuvres d'art de tous genres ont leur destination immédiate. L'art anglais fait partie de la Vie anglaise et c'est là sa force[14]. »

Dans ses *Mémoires*, Henry Van de Velde créditera Gustave Serrurier-Bovy d'avoir été le premier « à recon-naître l'importance révolutionnaire des artistes, artisans et fabricants anglais et le premier à créer sur le continent des meubles selon une esthétique nouvelle[15] ».

Une conception morale de l'art s'élabore dans l'union rêvée de l'industrie avec l'artisanat : en affir-

Ci-dessus : Couverture du catalogue de la première exposition de la Libre Esthétique, 1894. Coll. part.

Ci-contre : Henry Van de Velde, papier peint Fleurs, s. d. Motif floral réalisé par la firme Schulfaud, Bruxelles. Coll. part.

mant l'importance du beau dans l'objet quotidien, l'artiste sauverait la production industrielle de la vulgarité à laquelle tend le pragmatisme économique ; dans le même temps, il élèverait le travail artisanal au niveau industriel en exploitant, au bénéfice de l'art, le potentiel technique et la possibilité de diffusion auprès du plus grand nombre. Influencés par les utopies socialistes de William Morris, certains vingtistes, comme les préraphaélites, vont allier leur amour de la nature à un besoin de subjectivité exacerbée, qui voit dans l'ornement un support abstrait de l'expression et un principe esthétique d'utilité collective. La vie sociale devient l'espace d'un travail de chaque instant où chaque objet participe d'un même élan spirituel tendu vers le progrès pour tous. L'individualisme prôné dans le passé se nuance d'un engagement volontariste au bénéfice de la collectivité. Finch, Lemmen, Van de Velde seront les artisans de cette transformation qui annonce l'avènement de la Libre Esthétique. Traversé d'ambitions personnelles, de conceptions esthétiques, de visions politiques souvent antagonistes, le « vingtisme » apparaît en marge d'un débat qui, entre 1891 et 1893, s'impose comme déterminant.

Dès 1891, les XX offrent une large place aux arts décoratifs. Lemmen, un des premiers à s'intéresser aux arts appliqués, propose comme couverture pour le catalogue une composition japonisante à la limite de l'abstraction – un soleil levant au-dessus d'une mer démontée. Le cercle accueille l'affichiste Chéret. Finch présente des panneaux décoratifs en céramique. L'inspiration vient d'Angleterre : Morris, Ruskin, Crane, les préraphaélites et les Arts and Crafts. Lemmen consacre dans *L'Art moderne* deux articles à Walter Crane, qu'il considère comme un « véritable ouvrier de l'Art », un « décorateur, un artiste préoccupé uniquement de formes, d'arabesques, de lignes, dont il étudie [...] la valeur expressive[16] ». Il y affirme que l'Angleterre est « actuellement le seul pays où l'on puisse trouver un objet moderne, possédant un cachet d'art ». À l'invitation conjointe de Lemmen et de Maus, Crane présente deux aquarelles qu'accompagnent les albums de Lemmen. L'année suivante, les XX envisagent de renforcer la section décorative parallèlement à l'hommage rendu à Seurat. Gallé déclinera l'invitation d'exposer aux côtés de Lautrec, Delaherche, Horne, Selwyn Image, Finch et Van de Velde. En 1893, deux salles sont réservées aux objets, de plus en plus nombreux.

Dans son article consacré à l'esthétique du papier peint, Van de Velde affirme la nécessité de fondre la création à la production industrielle, confirmant la thèse de « l'inutilité » de la peinture de chevalet qui deviendra un leitmotiv des avant-gardes constructivistes du XXᵉ siècle. Van de Velde avait vécu son évasion de la peinture comme une crise. La découverte de l'œuvre de Van Gogh aux XX, en 1890, avait été l'occasion de revenir à la ligne « pour échapper à la technique mécanique du point[17] ». À l'époque, Van de Velde traversait une forte dépression. Il étudiait l'estampe et l'écriture japonaise. La lecture l'absorbait : la Bible, Marx, Kropotkine, Nietzsche, Dostoïevski. En 1892, Finch lui fit découvrir la pensée de Morris et de Ruskin. Convaincu de la mission sociale de l'artiste, il lança en 1893 sa « Première prédication d'art », affirmant que « [...] l'évolution des idées et les conditions de la vie sociale ne s'accommodent plus uniquement du tableau et de la statue. Ce qui régit le monde, c'est la conquête du pain[18] ».

L'évolution des XX vers la Libre Esthétique s'esquisse dans les métamorphoses de *L'Art moderne*. En janvier 1891, la revue paraissait nantie d'une nouvelle vignette japonisante dessinée par Lemmen. Deux ans plus tard, celui-ci exposera aux XX un projet de couverture pour la revue, inspiré par des pochoirs japonais, semblable à celle des *Contes hétéroclites* de Carton de Wiart (1892). L'intégration des lettres à la composition, le type d'ornement tendant à l'abstraction ont influencé les premières créations de Van de Velde dans le domaine du livre – les couvertures de *Dominical* (1892) ou de *Salutations dont d'angéliques* (1893) de Max Elskamp. Lemmen transpose alors ses recherches dans le domaine des arts appliqués. Là encore, comme dans le développement d'un nouveau type d'ornement, il précède Van de Velde. Entre 1893 et 1894, les deux hommes collaborent à la revue *Van Nu en Straks,* dont la mise en page et la direction artistique sont assurées par Van de Velde[19]. Les réalisations de Lemmen témoignent de son intérêt pour la création textile, de l'ascendant des modèles anglais et d'un intérêt manifeste pour les bois de Gauguin, tels ses projets pour *Le Réveil*.

Au dernier salon des XX, Van de Velde présente *La Veillée d'anges,* une tapisserie voulue « somptueuse et riche comme un tapis d'Orient[20] », où il reste fidèle au jeu des couleurs complémentaires, désormais traitées en de larges aplats de soie soigneusement cernés.

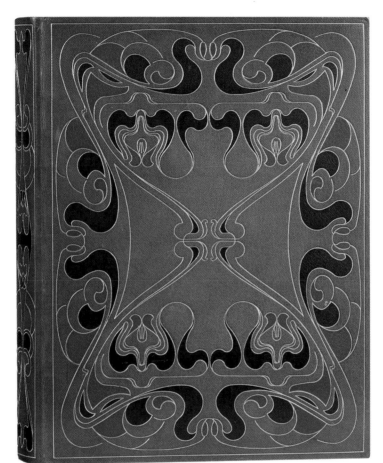

À GAUCHE : Henry Van de Velde, reliure exécutée sur W. Y. Fletcher, *English Bookbindings in the British Museum*, 1895. Cuir (ton vert) avec insertion d'aplats orange et bleu, filets dorés au petit fer, 30 x 31 cm. Hambourg, Museum für Kunst und Gewerbe.

À DROITE : Victor Horta, projet de tapis pour Anna Boch, vers 1897. Aquarelle. Coll. part.

PAGE DE DROITE : Gustave Serrurier-Bovy, tapis, vers 1905. Laine, houppé, 394 x 300 cm. Coll. part.

L'exemple des peintures décoratives de Maurice Denis, exposées aux XX en 1892, est associé à une recherche utilitaire. Ce besoin d'un art impliqué dans son temps apparaît encore comme un élargissement du registre pictural traditionnel : tapisserie, illustration, reliure maintiennent un rapport classique à l'image[21]. Peu à peu, Van de Velde exploite les acquis plastiques de son passé de peintre pour élaborer un nouveau vocabulaire esthétique qui marquera la conception de l'objet décoratif, puis de l'espace architectural dans un mouvement allant du plan aux trois dimensions de la vie quotidienne.

Les XX quittent la scène alors que les paravents d'Anna Boch et d'Émile Bernard, les cartons de vitraux d'Albert Besnard, les étains et les céramiques d'Alexandre Charpentier, les pâtes de verre d'Henri Cros, les émaux et céramiques de Finch, les illustrations de Lemmen ou les affiches de Lautrec disputent à la peinture son prestige traditionnel.

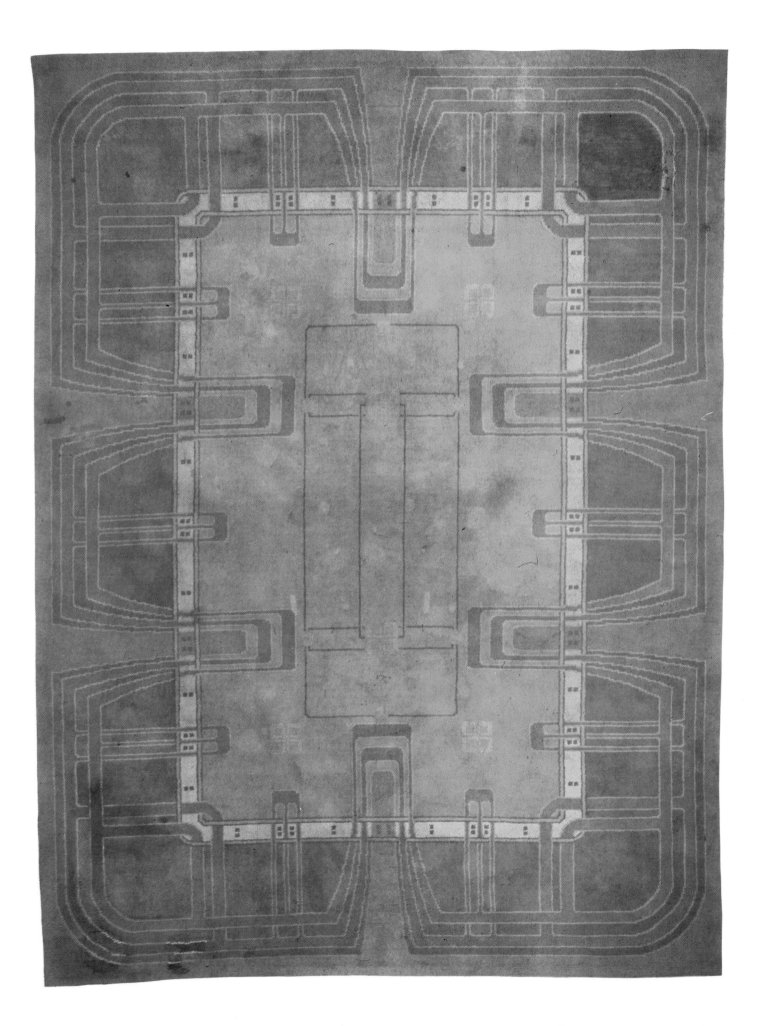

La référence au mouvement Arts and Crafts annonce un nouveau type d'artiste, dont un article de Picard, intitulé « Art et socialisme » et publié dans *L'Art moderne* en 1891, esquissait le portrait :

> On verra [l'artiste] redescendant comme autrefois, dans les détails de la vie, embellir l'outil du travailleur, le mobilier des demeures simples, les costumes nationaux. L'assiette, le pot, l'enseigne, la porte, la serrure redeviendront des objets que l'artiste croira dignes de l'occuper [...][22].

L'accent mis sur les arts décoratifs et l'ampleur des expositions présentées sous l'égide des XX alourdissent désormais la gestion d'un tel cercle. Une métamorphose s'impose, d'autant qu'en dix ans une large part des objectifs initiaux avait été atteinte. En avril 1893, un long article de *L'Art moderne* fait le bilan du chemin parcouru. Une page est en train d'être tournée.

Fatigué par les tensions internes qui déchirent le cercle, Octave Maus envisage désormais une structure plus légère et plus souple. Un comité composé d'industriels, de collectionneurs, de gens de lettres et de critiques aurait en charge la sélection et l'organisation. La Libre Esthétique est en gestation. Elle apparaît d'abord comme un élargissement des XX dans le respect de son désir d'indépendance et de soutien à un art « progressif et évolutif » dans la diversité de ses manifestations. Dans son numéro du 29 octobre 1893, *L'Art moderne* publie le programme de l'héritier des XX, dissous depuis juillet. Aspirant « à offrir aux artistes nationaux et étrangers qui pratiquent [un art indépendant] l'occasion de se manifester publiquement en Belgique dans les meilleures conditions[23] », la Libre Esthétique renonce à l'esprit d'aventure qui avait nourri les XX pour se muer en entreprise pluraliste. Désireux d'éviter les rivalités d'écoles et le dogmatisme de chapelle,

Ci-dessus : Gustave Serrurier-Bovy, chaise Artisan grand modèle, 1898. Chêne. Liège, musées d'Archéologie et d'Arts décoratifs.

Page de gauche : Victor Horta, salle à manger présentée au Salon de la Libre Esthétique en 1897. Les vitraux, le grand buffet, les portes et les tentures étaient destinés à l'hôtel Van Eetvelde ; la table de salle à manger et les chaises ont été créées pour l'hôtel Solvay. Photographie ancienne. Reproduit in *Art et Décoration*, 1897, p 47. Bruxelles, musée Horta.

Maus écarte les artistes de l'organisation au profit d'un patronage mondain auquel le catalogue de 1896 rendra hommage[24].

En 1894, la première présentation de la Libre Esthétique, accueillant quelque quatre-vingt-cinq artistes pour cinq cents numéros, détrône définitivement le Salon. Concentrée dans les mains du seul Maus, elle devient une institution que confortera le triomphe de la première exposition. L'esprit a changé : aux découvertes succèdent le besoin d'hommage aux personnalités établies et le désir de porter sur l'évolution de l'art moderne un premier regard rétrospectif.

La vitalité de la Libre Esthétique réside d'abord dans la promotion des arts décoratifs au point que la presse parisienne s'inquiète d'une « invasion belge » qui succéderait à l'invasion anglaise. Dès 1894, sous un entête de Georges Lemmen, la présence d'associations et de guildes, telles l'Estampe originale, la Fitzroy Society ou la Guild and School of Handicraft de Ashbee, consacre les nouvelles options esthétiques. Meubles, tapisseries, illustrations, reliures, orfèvreries, panneaux décoratifs, broderies, estampes, papiers muraux d'artistes belges, français et anglais dominent l'exposition où, comme le rappelle Madeleine-Octave Maus, le public « bibelote » et où musées, particuliers et maisons de commerce achètent à l'envi[25]. Lemmen expose son premier tapis *Les Poissons,* tissé par la Manufacture royale de Bruxelles. Serrurier-Bovy est présent avec un ensemble de mobilier auquel succédera, en 1895, son *Intérieur d'artisan.* Les frères Daum figurent avec une quinzaine de leurs plus belles pièces, tout comme Beardsley avec ses illustrations pour la *Salomé* de Wilde. En 1897, Horta fait son apparition avec la présentation d'une salle à manger intégralement réalisée par ses soins dans un bois rouge du Congo. Dans le sillage du renouveau des arts décoratifs, l'estampe et le livre font l'objet d'attentions. Les arts graphiques gagnent en importance. En témoignent les affiches réalisées pour la Libre Esthétique signées Lemmen, Van Rysselberghe ou Gisbert Combaz. Les innovations plastiques du japonisme sont teintées d'un esprit symboliste révélateur de la mode. L'Art nouveau qui naît avec les années 1890 diffusera largement ces nouvelles conceptions esthétiques marquant une transformation du statut d'artiste.

Ci-dessus : Philippe Wolfers, *Orchidées*, 1897. Cache-pot en grès Müller, émaillé, H : 62 cm. Gand, Museum voor Sierkunst.

Page suivante, à gauche : Jean Désiré et Eugène Müller, vase à une fleur *Lys*, vers 1907–1908. Réalisé par Val-Saint-Lambert. Verre clair, triplé, soufflé, gravé à l'acide et rehaussé d'émail, H : 29 cm. Bruxelles, galerie l'Écuyer.

Page suivante, à droite : Val-Saint-Lambert, vase aux muguets, s. d. Cristal à plusieurs couches, gravé et émaillé, attribué aux frères Müller, 14 x 7 cm. Charleroi, musée du Verre.

Les arts décoratifs et l'Art nouveau

Révolution architecturale, l'Art nouveau est aussi à la base d'une transformation de l'espace quotidien fondé sur une évolution en profondeur de la famille ainsi que de l'image qu'une bourgeoisie éclairée aspire à donner d'elle-même. Profitant de la dissociation des conventions ornementales et de la logique de construction, l'architecture moderne ouvre des voies multiples : recherche d'un espace expressif qui profite des techniques nouvelles pour gagner en respiration, en lumière, et élaboration d'un nouveau répertoire ornemental qui exploite les acquis de la modernité plastique en assimilant japonisme, synthétisme nabi, symbolisme et néo-impressionnisme. La conception de la maison comme environnement global, comme « œuvre d'art total », reste une caractéristique majeure de l'Art nouveau. L'ambition sociale qui la sous-tend conduit vers les arts décoratifs des peintres nourris de ce désir de dépasser la

peinture de chevalet, bientôt assimilée à un art d'élite. En contrepartie, les architectes puisent dans l'évolution récente des arts plastiques un vocabulaire formel qui renouvelle les pratiques artisanales. Ainsi, Horta adopte comme base de son système d'ornementation la courbe abstraite, pour exprimer la souplesse du métal, mais aussi afin de prolonger les formes modernes exposées aux XX et répondre à cette structuration perspective née dans le sillage du japonisme, où l'espace gagne sa profondeur dans le jeu d'une courbe gracile.

L'évolution de l'architecture s'inscrit désormais parallèlement à celle des arts décoratifs. Elle en constitue la finalité et place les révolutions picturales qui ont précédé dans une perspective plus large : l'organisation de la vie et de la ville. Un esprit nouveau se développe dans le sillage de l'art social. Une synthèse des styles s'esquisse, avec pour moteur et témoin la Libre Esthétique. Peintre et décorateur, Lemmen fondera vers 1895 sa propre entreprise des Arts d'industrie et d'ornemen-

tation, multipliant les réalisations : ex-libris, vignettes, en-têtes de papier à lettres, projets de serrure, alphabets. Son type d'ornement souple, fleuri, aux aimables rondeurs tracées à la pointe du pinceau, se distingue de la ligne de Van de Velde dont la tension dynamique vise à animer formes et matières. Dans *Les Limbes de lumière* de Gustave Kahn, édités chez Deman en 1897, l'animal et la plante, stylisés de façon parfois drolatique, voisinent avec des motifs purement abstraits.

Malgré le soutien de Meier-Graefe et les articles élogieux qui paraissent dans *Dekorative Kunst* (1897) et dans *L'Art décoratif* (1898), Lemmen ne parviendra pas à s'imposer dans le domaine des arts décoratifs : ses dessins de tissus proposés à Deneken en 1898 pour l'industrie de Krefeld seront même refusés. Au-delà de quelques projets laissés sans suite, Lemmen ne semble pas avoir réussi à inscrire dans la troisième dimension ses conceptions nouvelles. L'essentiel de son travail reste dans le traitement du plan, dans le jeu des aplats et dans

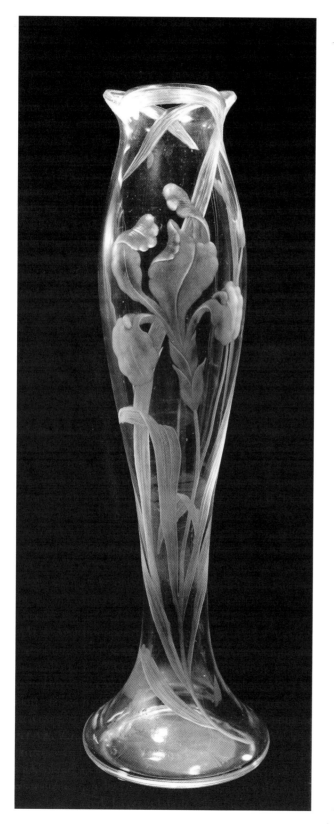

la stylisation des formes. Au contraire de Van de Velde, sa réflexion ne trouvera pas son couronnement dans une vision de l'architecture comme environnement global.

Dans ce domaine, l'œuvre de Gustave Serrurier-Bovy confirme la vitalité artistique de Liège dont Khnopff se fait le témoin dans *The Studio* en vantant sa « conception vraie et originale de l'art décoratif[26] ». Son influence dépassera la cité mosane pour briller ensuite à Bruxelles, puis à l'étranger.

En 1894, Serrurier-Bovy présentera à la Libre Esthétique un cabinet de travail, suivi l'année suivante d'une chambre d'artisan. Le cabinet de travail, qui semblait prêt à être habité, apparaît nettement « inspiré des intérieurs anglais sans en être la copie servile[27] ». Le bois nu, la franchise de l'exécution, une certaine rusticité, la fraîcheur de la grande frise de coquelicots évoquent en effet le mobilier anglais de tradition néo-gothique. Serrurier affirme cette influence en argument de vente dans le premier catalogue de sa firme de décoration, fondée en 1884, en proposant des intérieurs « dans les genres anglais et américains ». L'action de Serrurier-Bovy en faveur de l'art anglais sera déterminante : pour la première fois sur le continent, le Salon de l'Œuvre artistique donnera à voir un ensemble de travaux de la Glasgow School of Arts ; mais le plus fort de la vague anglaise était passé : le mouvement belge volait de ses propres ailes.

Très vite, le succès aidant, Serrurier décide de proposer à sa clientèle du mobilier issu de sa création personnelle. Sa réputation vaut à l'artiste d'être chargé de la décoration de l'hôtel Chatham à Paris[28]. L'austérité du mobilier en bois de padouk y est corrigée par l'exubérance des motifs ornementaux : les chaises ne sont plus paillées mais garnies d'un tissu décoré de souples volutes qui se déroulent également sur le tissu des fauteuils, des banquettes et des tentures. Cette souplesse de la ligne fait penser à Horta, qui n'avait été découvert comme « décorateur » qu'à l'occasion du Salon de la Libre Esthétique de 1897. Dans le salon de l'hôtel Chatham, une très large frise court sur la partie haute des murs ; des motifs d'orchidées de différents types ornent le plafond peint, les carreaux de céramique du manteau de la cheminée et un décor de croisée en vitrail. Une

Val-Saint-Lambert, vase Jonghen à motif d'iris, 1902. Cristal clair soufflé et gravé d'un décor floral, H : 30 cm. Liège, musées d'Archéologie et d'Arts décoratifs.

Val-Saint-Lambert, verres gravés au pantographe, s. d. Cristal. Liège, musées d'Archéologie et d'Arts décoratifs.

partie du salon est fermée par une grande verrière décorée d'arbres élancés, qui semblent avoir perdu une partie de leur feuillage venu joncher le tapis de laine.

Gustave Serrurier-Bovy s'associe avec l'architecte français René Dulong pour ouvrir, en 1899, un magasin à Paris à l'enseigne de « L'art dans l'habitation ». L'influence formelle du mobilier anglais tend alors à s'estomper. Tout en continuant à produire un mobilier simple et robuste, Serrurier pousse plus avant ses recherches sur la charpente du meuble qu'il affirme en un jeu raffiné d'arcs tendus, tantôt se détachant sur des panneaux pleins, tantôt inscrivant la forme dans l'espace. Il établit un dialogue fort entre pleins et vides et de francs accords entre les textures et les couleurs du bois.

Les ateliers de Serrurier, rue Hemricourt à Liège, se développent et, de 1899 à 1907, fournissent les différentes succursales de Bruxelles, Paris et Nice. Le Pavillon bleu, édifié en collaboration avec Dulong, est un rare exemple d'architecture Art nouveau au sein de l'Exposition universelle de Paris en 1900 : peut-être à cause de son associé, Serrurier adopte pour la décoration intérieure des lignes serpentines. Les commandes somptuaires se multiplient. Serrurier propose aussi à ses clients des formules moins coûteuses : papiers peints décorés au pochoir, à la main, sur fond uni.

Face aux nouvelles formes qui apparaissent à l'occasion de la Libre Esthétique ou au gré des importations, les industries – qu'il s'agisse du verre avec la manufacture du Val-Saint-Lambert ou de la céramique avec les faïenceries Boch – n'adoptent pas de réelle politique qui viserait à diffuser les nouveautés esthétiques. Seuls quelques artistes, appuyés par des artisans de qualité, portent les recherches artistiques au cœur des usines. La majeure partie des industries reste attachée aux répertoires des formes et motifs du passé.

Dans le domaine de la céramique, Finch, ayant abandonné la peinture pour les arts appliqués et profitant d'étroits contacts avec la famille Boch, travaille

pour les faïenceries Boch de La Louvière. L'artiste se heurte aux habitudes et traditions des artisans en place. Ne parvenant pas à imposer ses thèses sur la couleur et la forme dérivées de son expérience de peintre néo-impressionniste, il se tourne vers les ateliers de Forges-les-Chimay et de Virginal dans le Brabant pour réaliser des céramiques aux formes dépouillées et dont l'unique ornement tient dans la texture de l'émail flammé. La présence de lignes sinueuses rappelle le style Art nouveau, sans toutefois céder à un désir frénétique de remplir l'espace. Finch aspire au dépouillement avec une rigueur qui tend à l'Art déco.

En dehors de l'expérience particulière de Finch, les principales recherches dans le domaine de la céramique viennent de sculpteurs occasionnellement engagés par des firmes, tel Isidore De Rudder qui travaille un moment pour la firme bruxelloise Vermeiren-Coche pour le magasin de laquelle il réalise des panneaux décoratifs en céramique, ou tel Wolfers qui collabore pour quelques pièces avec les grès Müller.

La cristallerie du Val-Saint-Lambert, installée à Seraing près de Liège, domine en Belgique la production du verre. Elle est la seule à intégrer les formes nouvelles dans ses pratiques traditionnelles tout en explorant de nouveaux registres techniques, comme le verre bleu à décor de cuivre doré appliqué par le procédé de galvanoplastie. Dans le registre des formes, le verre offre un prolongement aux tendances maniéristes d'un néo-rococo qui joue de la sensualité des matières et des infinies modulations des lumières. Au Val, l'apparition des formes de l'Art nouveau est le fait de la volonté du Français Léon Ledru, directeur du service des créations. Son action, épaulée par le remarquable niveau technique des artisans du Val-Saint-Lambert, offre aux artistes, de Horta à Van de Velde en passant par Wolfers ou Serrurier-Bovy, les moyens de productions ori-

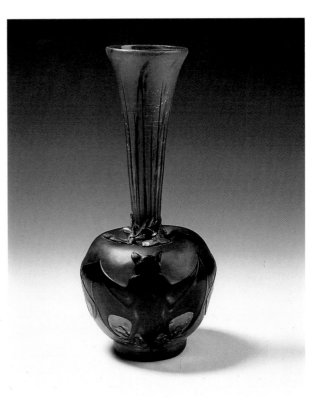

Page de gauche : Val-Saint-Lambert, hôtel Solvay : lustre de la salle à manger, d'après un dessin de Victor Horta, 1897–1900. Bronze et cristal. Hôtel Solvay, 1894–1898, 224, av. Louise.

En haut : Philippe Wolfers, vase *Crépuscule*, 1901. Cristal à couches multiples du Val-Saint-Lambert, H : 30,5 cm. Liège, musées d'Archéologie et d'Arts décoratifs.

Ci-contre : Philippe Wolfers, vase *Combattants*, 1899. Réalisé par Val-Saint-Lambert. Cristal multicouche doublé, décor en relief gravé à la roue et au touret, H : 25 cm, Ø : 12 cm. Bruxelles, coll. Argus.

ginales. En 1905, Ledru fait engager les frères Jean-Désiré et Eugène Müller. Ces anciens collaborateurs de Gallé, actifs au Val jusqu'en 1909, exploreront une veine stylistique proche de l'école de Nancy.

Du point de vue technique, le Val se signale avant 1900 par ses pièces en cristal clair ou doublé aux formes géométriques significatives et à la taille audacieuse. Avec les années 1900, les coloris se distinguent : associant le gris, l'orange, le vert pistache, le bleu prune ou le jaune paille, les artistes cherchent les contrastes forts.

L'activité du Val-Saint-Lambert dépasse la réalisation de vases qui conduira à une production en série fondée sur des stéréotypes esthétiques. Ainsi, l'usine collabore étroitement aux recherches d'un Horta, que ce soit pour les éléments en cristal de l'hôtel Solvay en 1894 ou pour des projets de services de table et de verres. En 1897, Horta dessine les plans du pavillon du Val-Saint-Lambert. Van de Velde, pour sa part, salue dans le Val l'inventeur d'une technique révolutionnaire : le verre triplé et gravé offrant de nouvelles possibilités esthétiques. La collaboration qui lie le Bruxellois Philippe Wolfers au Val-Saint-Lambert est plus importante encore. Elle connaît son premier succès à l'occasion de l'Exposition universelle de Bruxelles et se prolongera jusqu'en 1903 avec une vingtaine de projets.

Wolfers s'affirme comme une des figures les plus remarquables dans le domaine des arts décoratifs. Grand voyageur, il avait eu l'occasion, en 1883, de voir les quelque trois mille pièces d'art japonais réunies par Louis Gonse à la galerie Petit de Paris. Il s'en souvient l'année suivante lorsqu'il dessine un service à café japonisant Bambous. L'essentiel de la production de Wolfers reste encore dominée par la veine dite « Louis XV Wolfers », qui fait la réputation de la maison. À l'exposition d'Anvers de 1894, il présente pour la première fois des compositions personnelles : des vases et un coffret sculptés dans de l'ivoire qui lui avait été offert par Léopold II afin de mieux faire connaître les ressources de ses possessions congolaises. Wolfers, qui dessinera tout au long de sa carrière des centaines de planches documentaires, y affiche une prédilection pour l'orchidée ainsi que pour des motifs peu utilisés en décoration – iris et lézards. Il associe les formes de la nature aux matières précieuses pour faire de l'objet rare l'expression symbolique d'une réalité spirituelle. La préciosité des matières, née d'une recherche maniériste typique du néo-rococo, le conduit à s'intéresser au travail du verre.

Wolfers entame en 1896 une fructueuse collaboration avec les cristalleries du Val-Saint-Lambert. Il prépare des modèles en plâtre puis en bronze qui sont envoyés à Liège pour être réalisés en plusieurs exemplaires sous la conduite de Ledru. Les ébauches faites de couches de cristal de couleurs différentes superposées retournent ensuite aux ateliers Wolfers pour être taillées en camée grâce à un tour de dentiste. Les montures en métal sont délicatement ciselées et reprennent le thème décoratif du vase (*Le Feu, Crépuscule*). Dans ses œuvres, Wolfers joue d'un répertoire végétal strictement ornemental puis, dès 1898–1899, de motifs animaliers interprétés en termes symboliques. En 1897, il est également sollicité par la firme française des grès Müller : quelques cache-pots et vases aux motifs d'orchidées voient le jour. En 1903, après avoir présenté ses pièces à Saint-Pétersbourg (1899), à Bruxelles (1900) et à Turin (1902), Wolfers abandonnera le travail du verre.

En 1897, il prend part à titre personnel à la présentation de la Section de l'État indépendant du Congo lors de l'exposition coloniale organisée à Tervueren dans le cadre de l'Exposition universelle de Bruxelles, au sein de laquelle la firme familiale a son stand. Le Français René Lalique enverra un ensemble de pièces qui lui vaudront un grand prix. À partir de cette époque, la carrière de Wolfers s'infléchit : il est touché par les bijoux symboliques de Lalique, par les assemblages non conventionnels de matières – corne, émail et verre voisinent avec le diamant ou le saphir –, par l'usage de perles baroques ou de pierres comme l'opale, la tourmaline, la pierre de lune. L'orfèvre belge dessine alors des boucles de ceinture, des agrafes, des pendentifs où s'affirment son tempérament de sculpteur et son goût de l'étrange. Ainsi la boucle de ceinture *Flirt* illustre les amours d'une crevette et d'un crabe aux yeux de rubis et à la carapace incrustée d'une perle baroque. En 1898, Wolfers crée une série de grands peignes, un accessoire de toilette redevenu à la mode chez les artistes fascinés par les coiffures des courtisanes dans les estampes japonaises, et le terrifiant pendentif *Méduse,* masque féminin en ivoire aux yeux d'opale, à la tête couronnée de serpents. Ceux-ci apparaissent fréquemment tant dans

Philippe Wolfers, pendentif *Méduse*, 1898. Masque d'ivoire sculpté aux yeux d'opale, serpents en or ciselé, gaine latérale du masque : émail transparent dégradé sur or ciselé, opale en forme de poire en pendeloque, 10 x 5,2 cm. Coll. part.

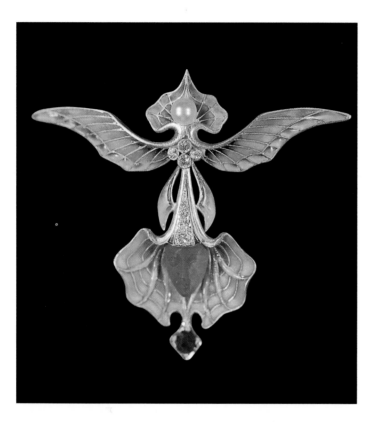

EN HAUT, À GAUCHE : Philippe Wolfers, broche-pendentif
L'Orchidée ailée, 1901–1902. Or, émail, diamant, rubis, cornaline,
perle, 6,7 x 5,7 cm. Bruxelles, coll. du Centre public d'aide sociale.

EN HAUT, À DROITE : Philippe Wolfers, *La Grande Libellule*,
1903–1904. Or, opale, émail, rubis, brillant, 11,5 x 13 cm. Exemplaire
unique n° 146. Coll. part.

EN BAS, À GAUCHE : Philippe Wolfers, broche-pendentif *Niké*,
1902. Or ciselé partiellement émaillé, plique-à-jour, rubis, émeraudes,
brillants, masque en tourmaline et perle baroque, 5 x 7 cm. Coll. part.

EN BAS, À DROITE : Philippe Wolfers, *Cygnes et deux serpents*,
pendentif, s. d. Or, émail, opale, brillant, rubis et perles, 5 x 5 cm,
chaine : 40 cm. Coll. part.

CI-DESSUS : Léopold Van Strydonck, *La Lutte du Bien et du Mal*,
1897. Ivoire et bronze, 76 x 70 x 35 cm. Paris, musée d'Orsay.

CI-CONTRE : Philippe Wolfers, *Fée au paon*, 1904. Marbre blanc,
bronze, pâte de verre, 170 x 110 x 101 cm. Socle en marbre vert,
101 x 45 x 45 cm. Coll. part.

Philippe Wolfers, *Maléficia*, 1905. Porphyre rouge, ivoire et améthyste,
H : 61,5 cm. Socle : marbre rouge, 122 x 40 x 36 cm. Collection a. s. b. l.
« Philippe et Marcel Wolfers ».

l'œuvre de Wolfers (*Deux Serpents, Nénuphar et serpent*
ou *Cygne et serpents*) que dans celle de Léopold Van
Strydonck ; leur ligne sinueuse répond à l'esthétique de
l'Art nouveau et à la fascination sourde pour les forces
obscures : pavots, hiboux et chauves-souris symboliquement assemblés côtoient la femme-vampire dans
l'imaginaire des créateurs. La critique de l'époque associera la splendeur précieuse des bijoux de Wolfers aux
images orfévrées de Gustave Moreau.

Wolfers se détourne ensuite de ces corps en minia-
ture pour sculpter dans l'ivoire sa plantureuse *Junon*,
accompagnée d'un paon, qui tient à la main une cloche
de bronze composée de plumes de paon dont les ocelles
d'émail luisent, éclairées de l'intérieur par une ampoule
électrique. L'objet d'un faste « byzantin » tend à la surenchère dont la *Fée au paon* ne fera pas l'économie. Le
paon et la plume de paon avaient été maintes fois décli-
nés depuis 1898, mais, visiblement, Wolfers aspire ici à
donner une autre dimension à son art. En 1903, un an
après son succès à l'exposition de Turin qui présentait
une rétrospective de son art, il crée sa première œuvre
sculpturale, *Fleur éclose.* Il dessinera bientôt ses derniers
bijoux, prenant comme thème de grands insectes
(*Lucane, Scarabée*). Désormais il se consacre à la sculpture et à la gestion de la firme familiale pour laquelle
Horta, en 1909, construit à Bruxelles de nouveaux
magasins installés rue d'Arenberg. La maison Wolfers
prospère : argenterie, bijoux, pièces d'orfèvrerie sont
prisés par la bonne société bruxelloise. Deux œuvres
importantes se rattachent encore à l'Art nouveau : la
cheminée monumentale *La Ronde des heures,* exposée
à Liège en 1905, et *Maléficia,* énigmatique torse de
femme en porphyre, la tête ceinte de serpents d'ivoires
enlaçant un masque de furie en améthyste. Wolfers se
détourne du principe de stylisation maniériste qui
dominait sa production. Ressentant le besoin d'affirmer
davantage de concentration dans les formes, il s'oriente
vers un style plus géométrique. En 1915, ses conceptions font l'objet d'une publication dont l'intitulé, *Nouvelle Méthode de composition ornementale. Appplication
au décor plat d'éléments abstraits empruntés à la géométrie,* témoigne d'une réforme interne de l'Art nouveau.
À l'instar de Lalique, la firme Wolfers connaîtra un
renouveau dans le sillage de l'Art déco qui, dans les
années 1920, prolonge l'idéal fin de siècle[29].

Que ce soit dans le domaine du verre ou celui de
la céramique, la collaboration effective des arts et de

l'industrie, chargée d'incompréhensions mutuelles, n'aboutira pas à des résultats satisfaisants. Les industriels ne s'impliqueront pas dans l'action engagée en faveur de l'art social, et le travail des artistes restera un métier d'art de prestige sourd aux impératifs de production de masse. Sans pouvoir affirmer ce productivisme qui ne s'imposera que vingt ans plus tard dans le contexte révolutionnaire russe puis dans le Bauhaus de Dessau, les artistes trouveront dans les arts décoratifs une nouvelle forme d'expression rencontrant les attentes d'une bourgeoisie éclairée attachée au culte du bel objet. Soulignons toutefois que les idées qui animeront les avant-gardes du XXe siècle sont en partie nées en Belgique sous la plume de Van de Velde qui, avec cohérence, prolonge les thèses des Arts and Crafts en un réel programme esthétique.

L'invention de l'Art nouveau

L'essor des arts décoratifs, nourri d'une ambition sociale associée à la modernité esthétique, trouve son aboutissement dans l'architecture qui opérait une transformation profonde, tant dans sa perception de l'espace traditionnel que dans sa vision de la décoration. L'Art nouveau est en gestation. Avec Horta, Hankar et Van de Velde, il trouve ses premiers maîtres en même temps que ses fondements théoriques.

Après un séjour à Paris, Victor Horta s'installe à Bruxelles en 1880 où il s'inscrit l'année suivante à l'académie des beaux-arts. Il y noue de solides amitiés avec Paul Hankar et avec des sculpteurs. La sculpture lui enseigne un sens du volume, une sensibilité à l'espace qui marquera son architecture et qui le conduira, sa vie durant, à réaliser nombre de socles de statues. La fréquentation de Balat lui a inculqué un sens du classicisme contre lequel il se dresse non sans en assimiler les principes essentiels. Horta n'obtient pas de commande déterminante avant 1889[30]. Cette année-là, l'État le charge de réaliser un édicule pour abriter les *Passions humaines* de Jef Lambeaux, qui feront scandale à l'Exposition universelle de 1897. Le « temple » ne sera achevé qu'en 1906, après maints avatars. Rétrospectivement, Horta y découvrira les prémisses de son évolution future : volonté de faire disparaître la ligne droite au profit de la courbe, recherche de profils qui ne soient pas empruntés au passé, mais inventés par l'ar-

Victor Horta, vers 1905, dans son bureau au premier étage de l'atelier de la rue Américaine. Derrière l'architecte est suspendue une grande photo de l'hôtel Max Hallet. Photographie ancienne. Bruxelles, archives du musée Horta.

tiste, comme c'est le cas du dessin du chapiteau et du fronton.

L'année 1893 marque une rupture. Horta trouve deux commanditaires, rencontrés à l'occasion de réunions maçonniques et disposés à lui laisser exprimet son talent, Émile Tassel, professeur de géométrie à l'université de Bruxelles, et Eugène Autrique, avocat renommé. Un an auparavant, ces deux amis l'avaient invité à présenter sa candidature à un poste d'assistant à la faculté polytechnique de l'université de Bruxelles. Horta y mettra à l'épreuve les enseignements de Viollet-le-Duc qui veulent que l'architecture doit être « vrai[e] selon le programme, vrai[e] selon le procédé de construction[31] ». Les deux commanditaires appartiennent à la bourgeoisie cultivée de Bruxelles, qui verra bientôt en Horta son architecte privilégié.

Si Horta tire de la maison Autrique le sentiment d'avoir réalisé une « œuvre honnête, n'ayant rien

emprunté à personne », il y fait surtout montre d'une faculté d'adaptation qui lui permet, notamment, de gagner un étage sur le plan classique en transformant la lucarne en fenêtre[32]. L'innovation est en marche. Elle s'affirmera, la même année, dans l'hôtel Tassel, sis au 6 de la rue Paul-Émile Janson. Cette réalisation marquera le véritable début de l'Art nouveau en architecture.

La façade offre une version très personnelle du bow-window : arrondi, celui-ci naît sans rupture du plan de la façade grâce à des pierres incurvées. La structure métallique est franchement affirmée. L'importance des fenêtres est proportionnée à la dimension des pièces éclairées. L'asymétrie s'impose, mais sans nuire à la sensation d'équilibre qu'offre la façade. La fenêtre centrale, la plus importante, éclaire le bureau d'Émile Tassel, surmonté au deuxième étage par une salle d'études. À l'entresol, les vitraux confèrent au fumoir un caractère feutré. Les fenêtres de la cuisine-cave ont disparu en façade : leur ouverture se fait à l'arrière, dégageant ainsi un espace de plain-pied pour les fonctions d'accueil – vestiaire avec toilettes et parloir. La salle à man-

ger côté jardin se trouve donc surélevée. À l'intérieur, l'intimité des maîtres de maison est préservée par un petit hall central fermé par une double porte ornée de vitraux qui ouvre sur un second hall octogonal. Quelques marches de marbre blanc conduisent le visiteur au grand palier, au niveau du salon et de la salle à manger. Pas de cloisons entre le palier et le salon, mais des portes entièrement vitrées laissant passer la lumière des fenêtres et des deux verrières qui coiffent le jardin d'hiver et la cage d'escalier, dont les peintures murales et les efflorescences de cornières métalliques se reflètent dans le grand miroir du jardin d'hiver. Grâce à l'abolition des murs de refend, l'air et la lumière circulent librement dans tout l'étage. Au-dessus du grand palier, le fumoir s'ouvre comme une loge de théâtre. Horta rompt de façon décisive avec le plan traditionnel de la maison bourgeoise « à bel étage », c'est-à-dire une maison où le rez-de-chaussée est surélevé à cause de la présence de la cuisine semi-enterrée et comporte trois pièces en enfilade, longées par un corridor latéral – le principal inconvénient était le manque de lumière dans la pièce centrale.

La décoration est totalement cohérente et inspirée par la nature. Le rapport au monde végétal, affirmé par Horta, s'exprime pleinement dans la ligne qui

concentre en ses circonvolutions une puissance, une « volonté » que d'aucuns associent à cette logique qui guide l'évolution des espèces. En adoptant la courbe abstraite comme leitmotiv, Horta fait écho aux recherches contemporaines de peintres qui, comme Toorop ou Lemmen, substituent à la représentation directe de la réalité son évocation lyrique en un répertoire stylisé qui renonce à toute articulation trop nette, trop rationnelle de l'espace. Ce désir de théâtralité cherchant à éveiller chez le spectateur l'enchaînement des états d'âme s'affirme dans l'architecture en un spectacle global. L'édifice n'est plus seulement une boîte, il devient un écrin : la scène d'un théâtre social où le décor joue autant que les acteurs. Dès 1894, avec les hôtels Frison et Winssinger, Horta, conscient de la mission sociale de son œuvre, de sa dimension moderne comme agent de progrès, s'intéressera à l'organisation des espaces qu'il bâtit. Marqué par la lecture de Viollet-le-Duc, il revendique une unité de conception pour le mobilier et l'architecture qui engendre de nouvelles pratiques industrielles : dans son atelier, des équipes de sculpteurs réalisent des maquettes en plâtre reproduisant parfaitement ses dessins. Trois ans plus tard, Horta présente à la Libre Esthétique un exemple brillant de son savoir-faire avec une salle à manger entièrement

conçue et réalisée par ses soins. L'attention de l'artiste se porte sur chaque élément de la demeure : le moindre objet donne lieu à une réflexion qui le lie au tout. Les éléments de quincaillerie reprennent, tels des leitmotive musicaux, des formes exploitées dans les boiseries ou dans les ferronneries ; les toiles marouflées sur les murs donnent sa tonalité à l'espace en des harmonies qui s'allègent au fur et à mesure que l'on gravit les niveaux ; les boiseries jouent de modulations infinies selon les essences et les lumières du jour ; les éléments de ferronnerie sont conçus pour être facilement articulés ; l'aération de l'ensemble est élaborée de sorte que l'air soit renouvelé ; les éléments de chauffage sont réfléchis pour obtenir un rendement maximal. Horta s'intéresse à tous les aspects. Sa capacité d'invention est servie par des artisans dont la parfaite maîtrise technique permet les innovations architecturales et les audaces formelles. Ainsi, dans le registre du vitrail, Horta tire parti des innovations techniques de Louis Confort Tiffany. Il adopte le verre « américain » – un verre coulé et coloré dans la masse dont la texture marbrée et opalescente interdit tout rehaut peint –, dont les couleurs varient selon l'intensité de la lumière et selon son orientation. Coloré par transparence, ce verre animé de sillons ondulants réagit aussi par réflexion. Horta en tirera

Ci-dessus : Victor Horta, maison et atelier personnels (aujourd'hui musée Horta), façade, 1898–1901. 23–25, rue Américaine.

À droite : Victor Horta, maison et atelier personnels, salle à manger, 1898–1901.

parti dans les verrières et les cloisons intérieures. Cette technique impose la participation d'ateliers spécialisés qui veillent au découpage du verre et à sa mise en image selon un réseau de plomb savant. Affirmant le trait, elle conduit également à une interprétation japonisante de l'art du vitrail : le plomb prend une signification calligraphique qui prolonge le mouvement de la ligne aérienne, affirmant dans l'image cette ligne qui

perturbe la lisibilité de l'espace classique en un rythme coloré de larges aplats chatoyants.

Cet art du vitrail va trouver en Raphaël Evaldre son principal représentant. Collaborant avec Horta pour l'hôtel Tassel, il offre à ce dernier la possibilité d'abandonner la pratique traditionnelle des ornements peints sur verre au profit du verre américain produit à Bruxelles par Overlopp & Cie, qu'Evaldre reprend en 1895. Son succès est manifeste. Tout en travaillant régulièrement avec Horta, il collabore avec Hankar, Saintenoy, Delune ou Brunfaut, et mène à bien ses propres projets. Comme beaucoup de maîtres verriers, Evaldre transpose en vitrail des projets dus au crayon de peintres ou de dessinateurs. Dans l'hôtel Van Eetvelde, les motifs des vitraux choisis par Horta font écho aux courbes des colonnettes. Le décor affirme et prolonge

la structure de l'édifice en multipliant les niveaux d'expansion de la ligne élastique qui anime l'espace avant de s'achever en un coup de fouet gracile. Le rôle du vitrail s'avère déterminant : il métamorphose la lumière réelle et l'idéalise. Par la couleur qu'il répand, le verre souligne l'harmonie à laquelle aspirent tous les éléments : le vitrail spiritualise la lumière et donne à l'espace sa suavité atmosphérique.

La collaboration d'artisans spécialisés offre aux maisons de Horta leur dimension spectaculaire. L'architecte s'impose en maître et les commandes prestigieuses se multiplient : l'hôtel Solvay, construit en 1895 sur la majestueuse avenue Louise, en même temps que l'hôtel Van Eetvelde édifié sur l'avenue Palmerston.

Grâce à l'action de Tassel, Armand Solvay, industriel à la tête d'un empire spécialisé dans la chimie, commande à Horta une vaste demeure. De sa façade, longue de quelque quinze mètres, se dégage une majesté sereine qui ne laisse pas soupçonner l'éblouissante virtuosité du traitement décoratif de l'intérieur, resté presque intact. Au premier étage, côté rue, toute la largeur est occupée par une enfilade de salons, dont un salon de musique et une salle de billard. Le balcon en façade permet d'admirer le retour du bois des équipages. Côté jardin, prennent place la salle à manger, un escalier de service et un office. L'escalier d'honneur se divise en deux à partir du grand palier pour desservir de part et d'autre salons et salle à manger, qu'il est possible d'ouvrir complètement pour mettre tout l'étage en communication. Ainsi, accoudés aux rampes d'escalier transformées en l'occurrence en balcons, les invités peuvent admirer sous la double verrière en éventail *La Lecture dans le parc*, composition néo-impressionniste peinte par Théo Van Rysselberghe en 1902. Par ses couleurs chaudes, en parfaite harmonie avec les peintures murales, les marbres et les boiseries, l'unité de ton de l'hôtel Solvay tranche avec la « bibeloterie cahotante[33] » à laquelle étaient attachés les contemporains. Le désir d'harmonie prend une dimension absolue : l'artiste

CI-DESSUS : Victor Horta, maison et atelier personnels,
départ de l'escalier avec la colonne-radiateur, 1898–1901.

CI-CONTRE : Victor Horta, maison et atelier personnels,
palier au premier étage, 1898–1901.

PAGE DE DROITE : Victor Horta, maison et atelier personnels,
lanterneau au sommet de la cage d'escalier, 1898–1901.

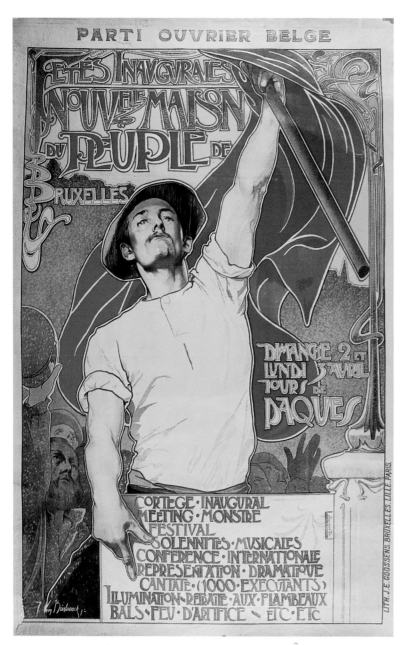

Jules Van Biesbroeck, affiche pour l'inauguration de la Maison du Peuple, 1899. Lithographie en couleur, 124,5 x 90 cm. Anvers, Museum Vleeshuis.

renouvellement constant de l'air à la récupération de la chaleur du radiateur de la salle de bains pour chauffer les serviettes. À l'architecture théâtrale répond la prise en compte du confort moderne.

Pour Edmond Van Eetvelde – administrateur général des Affaires étrangères de l'État indépendant du Congo, puis, dès 1891, secrétaire de l'État congolais –, Horta construit un hôtel particulier dont la sobriété impose une claire lisibilité. Le bel-étage s'articule autour d'une serre octogonale que l'on découvre après avoir emprunté un passage en biais qui évoque l'enroulement d'une coquille d'escargot. Le visiteur est ainsi convié à une « promenade architecturale » lui permettant de profiter des multiples points de vue ménagés par l'architecte. L'espace intérieur éclate véritablement.

Dans sa maison-atelier construite en 1898, rue Américaine, Horta conçoit un escalier qui occupe la moitié de la largeur de la maison et est indissociable de l'espace habité : les murs peints dans un dégradé d'ocre sur lequel se détachent les lignes dorées de grandes fleurs abstraites, la verrière aux vitraux couleur soleil, les miroirs renvoyant l'éclat des ampoules électriques offrent à l'occupant des lieux un paysage imaginaire fastueux. Dans la salle à manger, Horta oppose la froide brillance des briques émaillées blanches voulues pour piéger la lumière du jardin à la chaleur des boiseries en frêne d'Amérique. Dans le hall, le radiateur industriel à ailettes transformé en élégant pilier, tout en soutenant le premier palier de l'escalier, renvoie l'idéal d'art total à sa modernité industrielle.

Horta note avec amusement dans ses *Mémoires* que Mme Van Eetvelde trouvait que le modernisme faisait « peuple » : l'usage du fer apparent dans sa demeure lui rappelait sans cesse le chantier de la Maison du Peuple, alors contemporain. Sur un terrain difficile, en contrebas de la place du Grand Sablon, pour un peu plus d'un million de francs de l'époque, Horta remplit le programme d'édification d'une maison du peuple assigné par les dirigeants du parti ouvrier belge. Il imagina « un palais qui ne serait pas un palais, mais une ‹ maison › où l'air et la lumière seraient le luxe si longtemps exclu des taudis ouvriers[34] ». L'édifice, aujourd'hui démoli, abritait un vaste complexe : des magasins et un grand café au rez-de-chaussée, des bureaux, un dispensaire, une bibliothèque, des salles de réunions et une salle de spectacles pouvant accueillir environ mille cinq

organise tous les éléments en veillant à l'unité de lumière, de forme et de couleur qui doit assurer la stabilité tectonique de l'ensemble tout en privilégiant le mouvement du regard qui glisse le long des murs incurvés, se perd dans les ondulations des lampadaires, jouit des rehauts graphiques qui du plafond passent aux sols. Dans ce mouvement permanent, la lumière joue pleinement son rôle : elle colore l'espace et en renforce l'harmonie chromatique tout en soulignant la succession des niveaux en tendant peu à peu vers le blanc. À ces détails esthétiques s'ajoute un impératif de fonctionnalité qui va du système d'aération permettant le

cents personnes, dont il fallut poser la fine ossature métallique au sommet du bâtiment, là où Horta pouvait récupérer une surface suffisante d'un même niveau. La façade, presque entièrement vitrée, était composée de façon à ne pas dissimuler les différences de niveau mais à les intégrer au sein d'une composition subtilement équilibrée. Le bâtiment terminé apparut à Émile Vandervelde comme « un navire marchant à toute vapeur sur les rivages d'un Nouveau Monde[35] ».

Son succès valut à Horta des commandes émanant de propriétaires de grands magasins soucieux d'offrir à leur clientèle une image à la mode. Les premiers grands magasins bruxellois avaient vu le jour dans les années 1850 et leur développement avait surtout été le fait de Français et d'Allemands. Les frères Thiéry sont ainsi à l'origine de quelques-unes des plus prestigieuses enseignes bruxelloises : le Bon Marché, les Grands Magasins de la Bourse, la Vierge Noire, les magasins Wauquez. Au tournant des XIXe et XXe siècles, leur expansion est fulgurante. De nouveaux venus connaissent un succès considérable : l'Innovation ou le Grand Bazar du boulevard Anspach. Pendant ce temps, le Bon Marché grignote peu à peu les maisons qui l'entourent avant de jeter en travers de la rue une élégante passerelle qui deviendra l'une des curiosités bruxelloises.

Pour attirer la clientèle, les nouveaux établissements commerciaux misent sur une présentation extérieure très soignée qui doit constituer une réclame permanente. À la structure horizontale des magasins traditionnels, ils substituent une construction « verticalisante » qui permet d'augmenter considérablement la surface de vente, et cherchent à s'imposer au sein du paysage urbain comme de véritables monuments commerciaux. Dans cette optique, ils font appel aux plus célèbres architectes de l'époque. En 1902, la direction de l'Innovation demande à Victor Horta, qui vient d'achever la Maison du Peuple, de reconstruire le magasin et d'ériger une grande surface permettant

CI-DESSUS : Victor Horta, Maison du Peuple (détruite), façade, 1896–1899. Place Émile Vandervelde. Photographie ancienne. Bruxelles, musée Horta.

AU CENTRE : Victor Horta, Maison du Peuple, grande salle de spectacles.

CI-CONTRE : Victor Horta, Maison du Peuple, grande salle de café au rez-de-chaussée.

d'exposer à la vue du public un maximum d'articles. Horta imagine un établissement qui reprend la typologie des magasins parisiens en y déployant son vocabulaire Art nouveau. Les galeries s'ouvrent sur un espace central coiffé d'un lanterneau vitré. Le magasin s'impose vite comme un fleuron de l'architecture commerciale bruxelloise. Par la suite, l'architecte redessinera la façade du Grand Bazar du boulevard Anspach.

Sur l'avenue Louise, Horta a réalisé des ensembles majeurs comme l'hôtel Aubecq (1900), aujourd'hui détruit, ou l'hôtel Max Hallet (1902). Ces bâtisses majestueuses alternent avec des bâtiments plus modestes, conçus pour des amis : la maison du sculpteur Braecke (1901), rue de l'Abdication, ou celle du critique d'art Sander Pierron (1903), rue de l'Aqueduc. Avec les commandes publiques, la carrière de Horta amorce un tournant : la première sera celle du musée des Beaux-Arts de Tournai (1903, inauguré en 1928). Suivront à Bruxelles l'hôpital Brugmann (1906, inauguré en 1923), le palais des Beaux-Arts (1919, inauguré en 1928) et la Gare centrale (1912) laissée inachevée à sa mort en 1947. Désormais, les commandes privées cèdent le pas : l'Art nouveau, qui avait été un signe de modernité, s'est popularisé et les commanditaires de la première heure s'en détournent. Horta, quant à lui, consacrera une partie de son temps et de son énergie à la réforme de l'enseignement de l'architecture en Belgique.

L'année où Horta édifie l'hôtel particulier d'Émile Tassel, Paul Hankar construit sa maison personnelle, rue Defacqz. De prime abord, les deux bâtiments n'ont rien de commun. À la modernité classique qui joue avec délicatesse des ferrures chez Horta, répond chez Hankar l'asymétrie de la composition, le goût de la polychromie et le traitement varié des matériaux. Hankar révèle un réel sens de l'anecdote et s'affirme en virtuose du fer forgé. Si Horta s'inspire des travaux de Balat, Hankar témoigne de l'ascendant de Beyaert. Tous deux ont lu les écrits de Viollet-le-Duc. Au contraire de Horta, qui se laisse emporter jusqu'au vertige par sa passion de l'architecture et du dessin, Hankar joint à la pratique architecturale une réflexion théorique sur les arts et un engagement politique en faveur d'une architecture sociale[36].

À l'école de dessin et d'industrie de Schaerbeek où il enseigne l'architecture, Hankar a pour collègue Adolphe Crespin qui deviendra bientôt son collabora-

Victor Horta, magasin Innovation (détruit), 1900. Rue Neuve. Photographie ancienne. Bruxelles, musée Horta.

PAGE DE GAUCHE

EN HAUT : Victor Horta, magasins Waucquez (aujourd'hui Centre belge de la Bande Dessinée), grand hall d'accueil, 1903–1906. 20, rue des Sables.

EN BAS, À GAUCHE : Victor Horta, magasins Waucquez. Photographie ancienne. Bruxelles, musée Horta.

EN BAS, À DROITE : Victor Horta, magasins Waucquez, grand hall d'accueil. Photographie ancienne. Bruxelles, musée Horta.

L'atelier de Paul Hankar. Photographie ancienne. Bruxelles, coll. archives d'architecture moderne.

teur. Ce dernier s'attache à l'étude de la nature : les herbiers fournissent à l'ornement l'expansion de leurs ligne et la rutilance de leurs couleurs. Les compositions décoratives, élaborées à partir d'un modèle floral, joueront un rôle déterminant dans le processus de stylisation chez les architectes de l'Art nouveau. À cette source d'inspiration s'adjoint rapidement le modèle japonisant dont Crespin sera l'un des premiers adeptes en Belgique. Dans ses œuvres, Hankar témoigne d'une réelle fascination pour les décorations végétales. Ainsi, le dessin d'une grille pour l'hôtel Zegers-Regnard, chaussée de Charleroi (1888), se distingue dans un ensemble dont la facture est peu originale. Le japonisme de Crespin ne le laisse pas insensible. Dans la façade de sa maison, Hankar réserve des panneaux pour une décoration de sgraffites japonisants dus à Crespin. Il affectionne beaucoup cette technique du sgraffite qui rencontre un vif succès auprès de peintres comme Privat Livemont ou Ciamberlani. Crespin la définit comme une « gravure au trait d'un dessin dans

une couverture de stuc à base de chaux encore fraîche et appliquée en mince épaisseur sur un enduit de ciment noir. Cette couche de stuc […] est propre à recevoir, tant qu'elle est fraîche, des applications de couleurs diverses, suivant les procédés utilisés pour la fresque[37] ». La polychromie de la façade de la maison personnelle de Hankar n'est pas due aux seuls sgraffites, mais aux nombreux matériaux utilisés : poudingue rose, pierre bleue du Hainaut, pierre de Gobertange, briques. La diversité n'est pas sans lyrisme. L'architecte opte pour une composition asymétrique : espace de circulation à droite en une travée clairement marquée et pièces à vivre à gauche, éclairées par un bow-window de deux étages dont la délicate structure de fer est enserrée dans de massifs montants de pierre qui reposent sur de très hautes consoles encadrant la fenêtre du bel-étage. La corniche largement débordante protège efficacement la façade et, soutenue par deux colonnes élégantes en fer forgé, vient abriter le balcon. À l'intérieur, lambris et plafonds témoignent du goût de Hankar pour les compositions géométrisantes qui jouent de carrés et de rectangles. Le plan, moins novateur que celui de l'hôtel Tassel, poursuit la tradition des trois pièces en enfilade au bel-étage, la dernière étant dotée d'une véranda à lanterneau central. Les deux bureaux d'architecture, très étroits, sont placés dans l'axe de la porte d'entrée, derrière les deux cages d'escalier et l'office. Le jardin fait lui aussi l'objet de soins attentifs, avec ses arbres fruitiers taillés en espalier le long des murs, auxquels il faut ajouter des arbres de plein vent, des rosiers et des plantes grimpantes pour le parfum, bref un jardin qui allie l'utile à l'agréable.

Le duo s'illustre tant dans la recherche urbanistique que dans l'architecture ou dans la décoration. Épaulé par Édouard Duyck, Crespin introduit l'affiche artistique en Belgique[38]. Adaptant au registre utilitaire les acquis plastiques des nouvelles expressions artistiques, Crespin et Hankar allient conception architecturale et

PAGE DE DROITE

À GAUCHE : Paul Hankar, maison Zegers-Regnard (détruite), 1895. 365, av. Louise. Photographie ancienne. Bruxelles, coll. archives d'architecture moderne.

À DROITE : Paul Hankar, maison-atelier Bartholomé (détruite), 1898. Av. de Tervueren. Photographie ancienne. Bruxelles, coll. archives d'architecture moderne.

création décorative avec une virtuosité d'une apparente simplicité. Ainsi Hankar élabore une brillante typologie d'ouvertures dont témoigne l'engouement pour les fenêtres rondes qu'elle suscite. L'architecte reste artiste et joue avec brio des possibilités de ses formes : variant le tracé des balcons d'un étage à l'autre, il maintient l'harmonie dans la diversité. Cette capacité de renouvellement rencontre les attentes des propriétaires de magasins soucieux de leur image de marque. De ces devantures, dont les boiseries empruntaient leur délicatesse aux squelettes d'oiseaux, il ne reste que celle de l'ancienne chemiserie Niguet, sise rue Royale à Bruxelles (1896).

L'installation d'une pharmacie, d'une bijouterie ou d'une chocolaterie ne se limite pas à une devanture. Hankar et son équipe veillent à l'élaboration d'un environnement jusque dans les moindres détails du mobilier ou de la décoration : écran et caissette de meuble comptable, un porte-parapluies ou chariot pour une machine à écrire sont conçus en fonction d'une vision globale du lieu. Cette vision globale se retrouve dans les projets réalisés pour les artistes dont il se sent proche : maison-atelier, résidence de campagne, socle et vitrine[39] sont l'occasion d'un jeu permanent de couleur et de forme.

À la virtuosité de Hankar s'oppose le sens théorique de Van de Velde, qui avait déjà donné sa pleine mesure dans ses recherches de peintre et de décorateur. De ses recherches de peintre à ses premiers essais d'architecte, en passant par les nombreux projets ornementaux réalisés dès 1893, Van de Velde met en scène les mêmes principes plastiques : le dynamisme de la ligne transforme les aplats décoratifs en des objets qui animent l'espace en un mouvement lyrique, tel son chandelier à six branches qui, par rapport à la ligne d'un Fernand Dubois, témoigne d'une plus grande concentration, d'une affirmation qui s'interdit l'aléatoire et l'instabilité. Pour Van de Velde, la ligne est une force qui puise

CI-DESSUS : Paul Hankar, maison personnelle, détail de la façade, 1893–1894. 71, rue Defacqz.

CI-CONTRE : Paul Hankar, maison personnelle, détail de la grille du balcon, 1893–1894. Aquarelle. Bruxelles, coll. archives d'architecture moderne.

PAGE DE DROITE : Hector Guimard, dessin de la façade de la maison de Hankar, 1893. Paris, musée des Arts décoratifs.

sa vitalité dans la volonté de celui qui la trace. Elle incarne la vie. Cette thèse, que l'artiste reprendra en 1902 dans un article publié en Allemagne dans la revue *Zukunft,* affirme le principe de « ligne force[40] » dont Van de Velde avait pris conscience au contact de l'œuvre de Van Gogh. Conçue comme résultat et vecteur d'une émotion, la ligne force, par sa concentration et par les tensions sélectives qu'elle entretient avec son environnement, donne naissance à la forme et conditionne la valeur organique propre à l'ornement, complémentaire à la forme même.

> La ligne se charge d'évoquer ces compléments dont la forme est dépourvue encore mais que nous pressentons indispensables. Ces rapports sont des rapports de structure et l'office de la ligne, qui les établit, est de suggérer l'effort d'une énergie, là où la ligne de la forme manifeste une flexion dont la cause ne paraît pas évidente ; là où les effets de la tension sur l'élasticité de la ligne de la forme évoquent l'action d'une direction énergique, partie de l'intérieur de la forme. L'ornement ainsi conçu complète la forme ; il en est le prolongement et nous reconnaissons le sens et la justification de l'ornement dans sa fonction. Cette fonction consiste à « structurer » la forme et non à « orner », comme on est tenté de l'accepter communément. Sans l'appui de cette structure, sur laquelle s'adapte la forme comme l'enveloppe d'un tissu flexible sur le châssis ou comme la chair sur les os, la forme tendrait à changer d'aspect ou à s'effondrer tout à fait. Les rapports entre cet ornement « structural et dynamographique » et la forme ou les surfaces doivent apparaître si intimes que l'ornement semble avoir « déterminé » la forme[41] !

Cette conception de la ligne comme force intérieure visant à structurer l'objet et l'espace tend natuellement vers l'abstraction et l'architecture. Dans le premier registre, l'artiste vise à organiser les forces linéaires en action jusqu'à ce que le mouvement s'immobilise en un équilibre arrêté « dont la forme est la dernière conséquence ». Cet instant suspendu, ce moment d'éternité, touche à la perfection dans son dépouillement, dans sa simplicité vécue, dans sa concentration organique. Douée d'une force intérieure, la ligne donne vie à des formes qui lui offrent la perfection de leur équilibre, la densité de leur harmonie. Il en va ainsi du vitrail de l'hôtel Otlet imaginé par Van de Velde en 1889. Les éléments de la décoration intérieure restent prisonniers

du plan : le mobilier est fixé au mur et le vitrail se déploie en un mouvement linéaire qui rappelle les compositions graphiques – illustrations, reliures ou bijoux. Le dynamisme de l'ensemble trouve son équilibre dans la parfaite symétrie des compositions – que cette stabilité soit interne comme dans le vitrail central ou qu'elle relève de la structuration de l'ensemble comme pour les vitraux latéraux – et dans l'harmonie de la gamme.

En 1895, Van de Velde aborde l'architecture en autodidacte : il réalise à Uccle, banlieue verdoyante du sud-ouest de Bruxelles, sa propre maison, le Bloemenwerf, qu'il conçoit comme un manifeste non urbain, un lieu où un couple peut « se créer une vie libre, au-delà des vulgarités, de l'injustice sociale et à l'abri des offenses de la laideur[42] ». L'esprit est alors proche des thèses égalitaristes des ténors du mouvement anglais des Arts and Crafts. La maison, dépourvue d'ostentation, s'apparente aux cottages anglais reproduits dans la revue *The Studio*. La forme irrégulière du plan, les fenêtres à petits carreaux, les trois pignons recouverts de lattes de bois aux couleurs alternées, le porche protégeant une petite terrasse surélevée affichent un pittoresque sans afféterie. Un vaste jardin l'entoure, dessiné par Maria Sèthe, l'épouse de Van de Velde. L'emménagement aura lieu au printemps de 1896 alors que l'artiste expose pour la première fois à la Libre Esthétique un ensemble de mobilier baptisé « salle de five o'clock ». La disposition de l'intérieur est elle aussi influencée par l'architecture anglaise d'un Baillie Scott. Les pièces sont articulées autour d'un hall central ouvert sur toute la hauteur de la maison et coiffé d'un lanterneau : le piano de Maria Sèthe, devant lequel Van Rysselberghe l'avait peinte en 1891, y règne en maître. À l'étage, la galerie qui dessert les chambres s'élargit côté façade et devient un lieu de travail avec table, bibliothèque et presse à imprimer. Le garde-corps est

CI-DESSUS : Adolphe Crespin, affiche : Paul Hankar, architecte, 1894. Lithographie, 58 x 42,5 cm. Bruxelles, musée communal d'Ixelles (coll. J. Botte).

CI-CONTRE : Privat Livemont, sgraffites dans l'Athénée Émile André construit par Henri Jacobs, 1907–1910. 58, rue des Capucins.

PAGE DE DROITE : Paul Hankar, hôtel du peintre Ciamberlani, 1897–1898. 48, rue Defacqz. Photographie ancienne. Bruxelles, coll. archives d'architecture moderne.

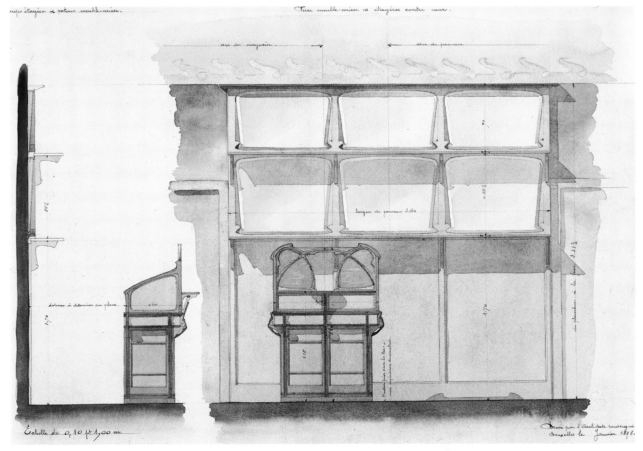

remplacé par des vitrines contenant des livres, des échantillons de métiers d'art, des poteries de Finch que Van de Velde diffusait à Bruxelles. Au rez-de-chaussée, un second et vaste atelier se déploie au-delà du hall dans l'axe de l'entrée. L'ensemble de la maison est orné d'estampes et pochoirs japonais, de tableaux et de dessins choisis : le *Portrait de Maria* par Théo Van Rysselberghe, *Dimanche à Port-en-Bessin* de Seurat, deux dessins de Van Gogh et de Thorn-Prikker témoignent des amours passées et récentes de l'artiste. Le mobilier est peu abondant, incorporé ou fixé aux murs. Pour sa salle à manger, Van de Velde met au point un dessin de chaise très personnel – d'une solidité toute paysanne, avec leurs pieds fermement campés sur le sol et leur siège paillé – inspiré de Serrurier-Bovy et des Arts and Crafts. Ses connaissances dans le domaine de l'ébénisterie sont encore toutes relatives et les fautes de métier abondent. Au début, il silhouette ses meubles plus qu'il ne les inscrit dans les trois dimensions de l'espace. Son expérience de peintre l'entrave encore. La sensualité de la matière sculptée compte moins que cette ligne héritée de la mise en mouvement du point, conjonction des leçons de Van Gogh assimilées à l'héritage de Seurat. Les meilleures créations conjugueront l'ambition architecturale à l'effet pictural, comme en témoigne le bureau enveloppant présenté à la Sécession de Munich en 1899.

La vie au Bloemenwerf, connue par une série de photographies, atteste d'un désir d'art total qui touche tous les registres du quotidien, créant ainsi un « environnement d'art » propice à l'épanouissement de chacun. Sur la plupart des clichés, on retrouve Maria Sèthe vêtue de robes dessinées par son mari : tantôt taillées dans des tissus anglais, tantôt rehaussées de

PAGE DE GAUCHE, EN HAUT : Paul Hankar, magasin Niguet, projet de devanture, 1896. 13, rue Royale. Aquarelle. Bruxelles, coll. archives d'architecture moderne.

PAGE DE GAUCHE, EN BAS : Paul Hankar, magasin Henrion à Namur (détruit) : coupe et élévation des étagères et du meuble caisse, 1897. Aquarelle. Bruxelles, coll. archives d'architecture moderne.

CI-DESSUS : Henry Van de Velde, chandelier à six branches, 1900. Bronze, H : 59 cm. Bruxelles, musées royaux d'Art et d'Histoire.

CI-CONTRE : Fernand Dubois, chandelier à cinq branches, vers 1899 (?). Bronze argenté, 52,5 x 45 x 45 cm. Bruxelles, musée Horta.

broderies que la jeune femme exécutait d'après les cartons de son époux. Cet intérêt pour le vêtement féminin vaudra à l'architecte autodidacte de donner sa première conférence en Allemagne, en avril 1900[43]. Ses réalisations, épaulées par des conceptions clairement énoncées, rangent Van de Velde parmi les pionniers de la réforme du vêtement féminin. En 1898, Friedrich Deneken, directeur du Kaiser Wilhelm Museum de Krefeld, l'invite à fournir des modèles de tissus pour les industries de la soie de sa ville.

Reprenant la tradition des Sèthe, ses beaux-parents, Van de Velde fera de sa maison le point de ralliement de l'avant-garde de passage à Bruxelles. Aux côtés des habitués – au nombre desquels George Minne ou Constantin Meunier – figurent les artistes de passage lors des Salons de la Libre Esthétique : Lautrec, Signac, Pissarro ou Luce, les collaborateurs de *Van Nu en Straks* ou le directeur de la revue *La Société nouvelle,* Fernand Brouez et sa compagne Neel Doff, le géographe anarchiste Élisée Reclus et tous ceux dont les *Récits de ma vie* conservent le souvenir vivace.

Sur le plan architectural, les réalisations seront peu nombreuses avant 1900 : deux collaborations avec Octave Van Rysselberghe, les hôtels Otlet et De Brouckère, pour lesquels le rôle de Van de Velde s'est borné à la décoration intérieure, et une maison pour le sculpteur Paul Du Bois devenu son beau-frère. En 1897, Van de Velde reçoit d'un commanditaire allemand, Eberhard von Bodenhausen, la mission de créer l'image publicitaire d'une boisson fortifiante : Tropon. L'année suivante, il dessine des affiches, des emballages, des

Ci-dessus : Henry Van de Velde et Octave Van Rysselberghe, maison Paul Otlet, détail du sol, 1894. 48, rue de Livourne et 13, rue de Florence.

Au centre : Henry Van de Velde, papiers peints, s. d. Coll. part.

Ci-contre : Henry Van de Velde, boucle de ceinture, 1898–1900. Argent et améthyste sertie au fermoir, 19,7 cm. Hagen, Henry van de Velde-Gesellschaft.

Page de droite

En haut : Henry Van de Velde et Octave Van Rysselberghe, maison Paul Otlet, vitrail, 1894.

En bas : Henry Van de Velde et Octave Van Rysselberghe, maison Paul Otlet, vitrail, 1894.

réclames pour les journaux qui contribuent à diffuser son type d'ornement en Allemagne. Tropon ne sera pas un succès commercial, même s'il inaugure une conception de marketing publicitaire moderne. Sensible à l'initiative, le commanditaire nourrit le projet d'investir dans l'exploitation commerciale des créations de Van de Velde. La société, domiciliée à Berlin, profitera de rares capitaux belges – ceux de Mme Louise Sèthe, la mère de Maria. À la fin de l'année 1898, Van de Velde se met en quête d'ateliers et, en 1899, il édite le premier catalogue de ses « industries d'art et d'ornementation ». Les commandes affluant presque exclusivement d'Allemagne, il est rapidement impératif d'y installer des ateliers. En outre, Van de Velde fait d'incessants voyages à Berlin pour contrôler les chantiers que sa réputation grandissante outre-Rhin lui apporte : l'aménagement de la galerie Keller und Reiner (1897), du salon d'art de Bruno et Paul Cassirer (1898), de nombreuses expositions internationales, de la résidence du comte Harry Kessler (1898), du magasin de cigares Havana Compagnie (1899) et du salon de coiffure Haby (1901) lui valent un succès tel qu'il est chargé de l'aménagement intérieur du musée que veut fonder un industriel de Hagen, Karl Ernst Osthaus. Ce travail excède les capacités des seuls ateliers bruxellois ; ceux-ci déménagent bientôt pour Berlin dans la Hohenzollernkunstgewerbehaus qui en diffusera les produits. En octobre 1900, la famille quitte le Bloemenwerf pour s'installer à Berlin. À Paris, qui attire Théo et Octave Van Rysselberghe, Verhaeren ou Maeterlinck, Van de Velde préfère l'ambiance berlinoise, bien différente de l'accueil glacé qui avait été réservé en 1895 à ses aménagements pour la galerie de l'Art nouveau ouverte par Bing[44].

Une autre commande parisienne – sans grande suite pour sa carrière en France – est l'aménagement du bureau parisien du critique d'art Julius Meier-Graefe, directeur de la revue *Dekorative Kunst* (1897). Dès octobre 1898, la revue a son pendant en langue française, *L'Art décoratif,* dont le premier numéro est entièrement consacré à Van de Velde. Meier-Graefe fonde à Paris, rue des Petits-Champs, une maison d'art, concurrente de celle de Bing, la Maison moderne pour laquelle il fait appel à Van de Velde et à Lemmen au moment même où Bing, déçu du peu de succès rencontré par l'Art nouveau belge, se tourne vers de Feure, Gaillard ou Colonna, dont les créations se révèlent plus

Maria Van de Velde portant la robe *Tea gown* devant son piano Blüthner, 1900. Photographie ancienne. Coll. part.

PAGE DE GAUCHE

EN HAUT : Maria et Henry Van de Velde au Bloemenwerf dans la pièce de travail du premier étage. À l'arrière-plan, un *Agenouillé* de George Minne. Photographie ancienne. Bruxelles, Bibliothèque royale Albert Ier, fonds Van de Velde.

EN BAS : Henry Van de Velde, villa Bloemenwerf : salle à manger, 1894–1895. Photographie ancienne. Bruxelles, Bibliothèque royale Albert Ier, fonds Van de Velde.

Henry Van de Velde, villa Bloemenwerf, 1894–1895. 102, av. Vanderaey.

conformes au goût francais. Les deux maisons ne parviendront toutefois pas à s'imposer sur le marché parisien, et leur fermeture mettra un terme à la « pénétration » de l'Art nouveau belge à Paris. Van de Velde, pour sa part, apparaît bien loin de Bruxelles. Si sa carrière se joue en Allemagne où sa vision de la création moderne trouve d'importants disciples, il faut du moins signaler l'activité pédagogique du maître qui aboutit, à Bruxelles, à la création de l'école de La Cambre, expression belge du célèbre Bauhaus.

La Libre Esthétique et la peinture

À côté des arts décoratifs, les vingtistes restent présents au sein de la Libre Esthétique : Ensor y dévoile ses visions hallucinées, obsédées par la figure emblématique du masque et par des fantaisies grotesques hantées de diables et de supplices ; Khnopff et Van Rysselberghe leurs portraits et paysages ; Vogels, qui mourra en 1896, ses vues de la banlieue bruxelloise et ses marines travaillées en hautes pâtes ; Toorop ses compositions idéalistes. Sculpture et peinture sont solidement implantées. Le public découvre à l'occasion l'intérêt nouveau de Mellery pour l'allégorie en dix-huit projets rehaussés d'or, le réalisme social de Laermans ou les paysages flamands d'Émile Claus, qui deviendra bientôt une des coqueluches de la Libre Esthétique.

Au deuxième Salon de la Libre Esthétique, le symbolisme, qui s'était affirmé avec force en marge des réalisations de Maus, est bien représenté : Degouve de Nuncques expose des pastels parmi lesquels *Anges dans la nuit* et *La Maison au hibou* ; Henry De Groux des toiles et des lithographies de la série des vendanges dont *Le Chambardement*. Il faudra toutefois attendre 1900 pour voir Delville présenter son *Amour des âmes*. L'idéalisme se manifeste parallèlement à ce réalisme énigmatique qui, à l'instar des paysages de Khnopff ou des dessins de la série *L'Âme des choses* de Mellery, transforme l'apparence en suggestion de l'absolu. Au même Salon, le jeune sculpteur Victor Rousseau fait son apparition avec des pièces décoratives et des projets d'inspiration idéaliste, et l'œuvre de Meunier ressort de façon singulière. Aux côtés de ses pastels et dessins, une vingtaine de plâtres et de bronzes témoignent du travail du sculpteur. Sa présentation, saluée à Paris par Octave Mirbeau, lui vaudra un réel triomphe.

En 1896, Maus se laisse aller au désir de revivre sa jeunesse. L'année même où un hommage est rendu à Carrière et où Signac présente son projet de décoration pour une Maison du Peuple – *Au temps d'harmonie,* aujourd'hui à la mairie de Montreuil –, un besoin de confronter le présent aux valeurs affirmées par le passé semble s'imposer. Cette nécessité de retour à la stabilité d'un goût bourgeois, éclairé mais établi, ne va-t-il pas de pair avec l'éloignement voulu par Maus des peintres qui, auparavant, avaient eu leur mot à dire au sein des XX ? La nouveauté allait s'émousser, cédant la place à un passéisme de plus en plus prononcé tandis que les partis pris esthétiques relevant désormais du seul goût de Maus allaient tendre vers plus de conformisme pour se confiner dans le registre d'un impressionnisme de convention.

Les rétrospectives se multiplient : en 1898, la Libre Esthétique rend hommage à Rops, disparu depuis peu. L'accent est mis à la fois sur les paysages réalistes, les dessins corrosifs, les frontispices, les lithographies et les eaux-fortes, révélant ainsi le talent multiple de l'artiste. À côté de quelques aquarelles tirées des *Cent Légers cro-*

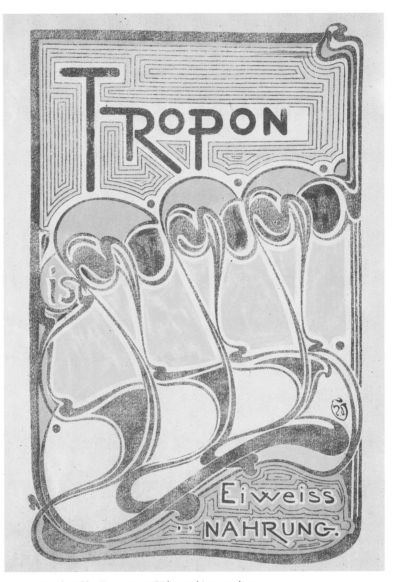

Henry Van de Velde, *Tropon*, 1897. Lithographie en couleur, 111,5 x 76 cm. Krefeld, Kaiser Wilhelm Museum.

quis pour réjouir les honnêtes gens, de *L'Enterrement en pays wallon* – hommage rendu à Courbet au début de la longue carrière de Rops – et de *La Grande Lyre,* illustration pour Mallarmé, Maus expose *L'Attrapade* et *Pornokratès* qui, quelques années auparavant, avaient fait scandale aux XX. Deux ans plus tard, Maus rend hommage à Evenepoel en présentant quelques-unes de ses plus belles toiles : *L'Espagnol à Paris, La Fête aux Invalides, Dimanche au bois de Boulogne.* En 1902, ce sera au tour de Lautrec. Maus semble attaché à faire un

En haut : Henry Van de Velde, aménagements présentés à l'exposition de la Sécession de Munich, 1899. Photographie ancienne. Bruxelles, Bibliothèque royale Albert Ier, fonds Van de Velde.

En bas : Henry Van de Velde, salle à manger à *L'Art nouveau*, 1895. Peintures murales de P. Ranson. Photographie ancienne. Bruxelles, coll. archives d'architecture moderne.

bilan de ses enthousiasmes passés. Parallèlement aux rétrospectives, la Libre Esthétique s'ouvre aux cercles artistiques du pays dans la diversité de leurs styles et de leur qualité. En 1899, les Liégeois Berchmans, Donnay et Rassenfosse témoignent, après Serrurier-Bovy, de la vitalité de la métropole mosane. En 1900, Maurice Pirenne et Georges Le Brun attestent de l'existence d'un intimisme wallon détaché de tout progrès industriel.

Installée, consacrée, la Libre Esthétique a perdu l'étincelle qui fit des XX une aventure. Entreprise prospère, entièrement fondée sur le travail incessant de Maus, elle consacre l'importance culturelle de Bruxelles comme carrefour de la création européenne. Elle illustre une culture fin de siècle où se côtoient Cézanne, Monet, Puvis de Chavannes, Redon, Denis, Rodin, Gauguin, Vuillard, Bonnard, Khnopff, Ensor, Minne, Meunier, Horta, Beardsley, Liebermann ou Klinger, sans oublier leurs épigones. Aux peintres et sculpteurs s'ajoutent les écrivains, les musiciens, les compositeurs qui sont nombreux à faire le voyage de Bruxelles. La Libre Esthétique est devenue une institution.

La Libre Esthétique et la musique

Lorsque les XX se sabordent, les échos de la sonate de Lekeu sont à peine atténués et la gloire d'Ysaÿe ne cesse d'augmenter. Ce dernier offre à la Libre Esthétique, pour son premier Salon, quatre concerts de son quatuor. En accord avec les nouvelles orientations du cercle, les œuvres anciennes sont désormais acceptées à petites doses pour faciliter les comparaisons de langage. Ainsi, l'*opus 131* de Beethoven jouxte le *Quatuor* de Franck, et le *Quintette posthume* de Schubert le *Ier Quatuor* de d'Indy.

Dans ce contexte un événement extraordinaire se produit le 1er mars 1894 : un concert de Debussy est donné. Ysaÿe, une des dernières attaches de Debussy avec le franckisme, avait créé son *Quatuor* quelques semaines plus tôt, à Paris. Le virtuose le présentera à Bruxelles avant que Debussy accompagne sa jeune fiancée du moment – Thérèse Roger – dans deux des *Proses lyriques*. Enfin, c'est au tour de *La Damoiselle élue* de déconcerter le public qui avoue sa perplexité. Ravi de ces exécutions, Debussy promet à Ysaÿe de penser à *Trois Nocturnes* pour violon principal et orchestre. Les

Henry Van de Velde, salle à manger du comte H. Kessler, Berlin, 1898. Sur le mur, étude pour *Les Poseuses* : *Poseuse assise* de Georges Seurat, 1887–1888. Photographie ancienne. Bruxelles, Bibliothèque royale Albert Ier, fonds Van de Velde.

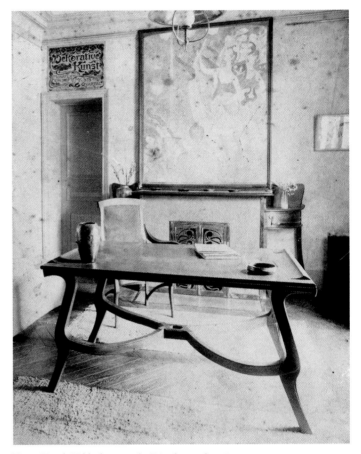

Henry Van de Velde, bureaux de *L'Art décoratif*, rue Pergolèse à Paris, 1898. À l'arrière-plan, *Chahut* de Georges Seurat, 1889–1890. Photographie ancienne. Bruxelles, Bibliothèque royale Albert Ier, fonds Van de Velde.

deux amis brouillés, le violon principal sera remisé et les *Nocturnes* naîtront en 1899 sous une autre forme.

Malgré l'absence d'Eugène Ysaÿe, en tournée aux États-Unis en 1895, la deuxième série de concerts de la nouvelle association parvient à garder son prestige. Georgette Leblanc, l'égérie de Maeterlinck, vient chanter *La Légende de Sainte-Cécile* de Chausson. Théophile Ysaÿe donne la première bruxelloise des *Variations symphoniques* de Franck et préside à la création du *Quintette pour vents et piano* qu'Albéric Magnard a dédié à Octave Maus. En 1896, les nouveautés se feront plus rares, et lorsque Ysaÿe enverra l'accord final de la *Sonate* de son disciple Crickboom, le 15 avril 1896, une page sera tournée. Il abandonne la Libre Esthétique à son sort. Un peu décontenancés, d'Indy et Maus réagissent immédiatement : d'Indy, nommé en 1897

directeur de la Schola Cantorum, inaugurée depuis peu et ouvertement opposée au Conservatoire de Paris, le « Servatoire », comme il l'écrit à Maus, organise des concerts de musique ancienne. Ainsi, sans avoir peur de surprendre, la Libre Esthétique peut se mettre à l'heure des XVIIe et XVIIIe siècles. Le désir d'un regard rétrospectif, bien ancré dans les expositions de l'association, s'exprimait maintenant dans la musique en un éclectisme de bon ton.

La Libre Esthétique ne pouvait cependant continuer dans une telle voie. Après deux années de silence, la musique revient timidement en 1900 par le biais d'une conférence de Tristan Klingsor sur *Les Poètes mis en musique*. La collaboration d'Indy-Maus reprend de plus belle. Mais un élan s'était brisé : l'école franckiste s'embourgeoisait, se codifiait au sein de la Schola Can-

Henri Evenepoel, *L'Espagnol à Paris*, 1899. Huile sur toile,
215 x 150 cm. Gand, Museum voor Schone Kunsten.

PAGE DE DROITE : Henri Evenepoel, projet d'affiche pour un journal
imaginaire *La Dépêche*, vers 1895. Crayon, fusain et aquarelle,
88,5 x 70 cm. Bruxelles, coll. Wittamer-De Camps.

torum, la subtile et mélancolique tendresse de Chausson, mort en 1899, s'était éteinte avec lui. Autant les XX avaient su filtrer le flux de la Société nationale, autant la Libre Esthétique aura de difficultés à se détacher de l'étiquette « Schola Cantorum à Bruxelles ». Cela n'aura pas que des aspects négatifs. Aux côtés des excellents interprètes qui viennent de Paris, les disciples belges de la Schola – Victor Vreuls, Albert Dupuis, Joseph Jongen ou Léon Delcroix – se frotteront à la vieille garde française – Fauré, d'Indy, Bréville, Ropartz, Bordes, Magnard – et aux jeunes compositeurs présentés à Bruxelles – Déodat de Séverac, Paul Dukas, Gustave Samazeuilh, Georges Witkowski ou encore Albert Roussel, dont le *1er Trio* est joué en 1905.

Le flair de Maus était-il intact, après « trente années de lutte pour l'art » ? Toujours est-il que Darius Milhaud, tout jeune encore, viendra jouer au troisième concert de 1914 sa *1re Sonate pour violon et piano* … La guerre approchant, ce qui s'esquissait alors ne devait rester qu'une promesse sans lendemain.

Affiche et photographie : de nouveaux supports et leurs moyens d'expression

Avec le début des années 1890, la réflexion des artistes est marquée par le renouveau des arts décoratifs dans le sillage d'un désir d'affirmer la dimension sociale de la création moderne. La recherche plastique passe désormais par l'affirmation harmonieuse de la structure de l'objet : l'ornement se fond avec la forme en un ensemble organique et synthétique. La forme doit révéler la vie de l'objet. Si ce principe trouve chez Van de Velde une formulation synthétique annonçant une conception abstraite de l'ornement, elle se réduit, dans la majeure partie de la production Art nouveau, à un poncif qui véhicule à l'infini les mêmes clichés iconographiques incarnés dans les mêmes formes stéréotypées. Formaliste, l'Art nouveau se nourrit de l'idéal symboliste : harmonie musicale, dépouillement mystique, stylisation rigoureuse, idéalisation de la palette donnent un sens au lyrisme des formes. Vers 1900, l'irréalisme symboliste semble destiné à revivre, sous une forme décorative qui perd peu à peu sa vocation métaphysique pour imposer sa mode à tous les domaines de la vie sociale. Ainsi, l'art de l'affiche connaît un impressionnant développement marqué par les modèles de

Chéret, Lautrec et Mucha. Vouée à épauler la société industrielle, l'affiche annonce l'ère de la consommation. Son épanouissement passe par les progrès techniques qui permettent à la lithographie un usage industriel.

L'affiche s'était d'abord contentée d'être une image quelconque transposée sur un plan commercial – dans ce cas, seul le texte identifiait la fonction. Elle trouve très vite son expression spécifique, et son usage se répand à partir de 1894. Aux travaux d'artistes succèdent les recherches d'ateliers spécialisés qui pensent l'affiche en tant que telle. Gisbert Combaz, Henri Evenepoel, Henri Cassiers, Duyck et Crespin, Victor Mignot et surtout Privat Livemont, le « Mucha belge », s'imposent aux côtés d'une école liégeoise – Rassenfosse, Donnay, Berchmans – réunie autour de l'imprimeur Bernard. L'affiche comme support d'une communication lisible et explicite dicte ses exigences, souvent opposées aux thèses symbolistes. Sa fonction même interdit tout hermétisme, toute recherche de suggestion, tout décor d'imprécision : l'affiche, image et texte, doit tendre à une parfaite lisibilité. Ainsi, l'inspiration japoniste conduit à davantage de concentration. Les silhouettes dépouillées, la concision du trait soulignent un message promotionnel que renforce le jeu des couleurs. Ce principe de communication par l'image trouve en Henry Meunier son plus parfait représentant. Pour Dietrich, l'affiche se fait synthétique, concise, puissante.

Fondement de la société de consommation qui s'esquisse, l'affiche doit être accrocheuse pour répondre à sa fonction commerciale. À la qualité plastique répond une iconographie de convention offrant au client ce qu'il en attend. La femme apparaît omniprésente. Fatale, elle n'entraîne plus l'homme vers la tentation, mais invite le quidam à goûter ici aux délices de l'absinthe Robette, là aux promesses du Bec Auer. La rousseur démoniaque se fait attrape-l'œil ; la chevelure délaisse les alcôves baudelairiennes pour accompagner un nom, une adresse, pour attirer le regard ou indiquer la qualité d'un article au goût du jour ; la figure emblématique du héros fait désormais la réclame pour tel rôle de Sarah Bernhardt ou tel roman-feuilleton de *La Réforme*. La mode seule dicte le succès de rue d'un idéalisme revu à la lumière du japonisme et qui jouit de son prestige didactique et moral pour vendre des emprunts, des actions ou des brevets. L'affiche, l'emballage, le papier comme l'objet quotidien ou la robe appartiennent à ce mouvement qui, au-delà de l'archi-

PAGE DE GAUCHE

PAGE DE GAUCHE

EN HAUT : Privat Livemont, *Absinthe Robette*, 1896. Lithographie en couleur, 110 x 82,4 cm. Bruxelles, coll. Wittamer-De Camps.

EN BAS : Privat Livemont, *Bec Auer*, 1896. Lithographie en couleur, 111,5 x 80 cm. Bruxelles, coll. Wittamer-De Camps.

CI-CONTRE : Gisbert Combaz, *Maison d'Art à la Toison d'Or*, vers 1895. Lithographie de A. Bénard (Liège), 198 x 104 cm. Bruxelles, coll. Wittamer-De Camps.

CI-DESSOUS : Henry Meunier, projet de cartes postales artistiques Dietrich, 1898. Huile sur toile, 60,5 x 90 cm. Bruxelles, coll. Wittamer-De Camps.

tecture, s'empare de la cité pour se mettre au service de l'industrialisation et, bientôt, de la société de consommation triomphante. Dans l'imaginaire quotidien, le Bon Marché ou l'Innovation – ces grands magasins foisonnants où l'art renvoie l'image éphémère d'une bourgeoisie comblée, unie autour des mêmes rêves de prospérité – détrônent Bayreuth.

L'évolution technique influence aussi les développements d'une nouvelle forme d'art encore tâtonnante : la photographie. En cette fin de siècle, celle-ci souffre d'un complexe à l'égard de la peinture et des arts graphiques : le prestige dû à l'image créée est tel que l'artiste dissimule le caractère mécanique des modes de production de l'image photographique pour jouer d'un picturalisme que nombre de peintres, à l'instar de Khnopff, stigmatisent. Il s'agit moins d'un rejet de la photographie que d'un mépris de son inféodation aux canons de la peinture. Cette situation, marquée par la pensée de théoriciens anglais alors en vogue – Alfred Maskell, Henry Peach Robinson ou Horsley Hinton –, fait de Bruxelles un des principaux foyers du picturalisme. À la fin du siècle, la photographie se répand. Un marché se met en place au gré des expositions qu'organisent des cercles professionnels ou amateurs de plus en plus nombreux. De la distraction à la création d'art en passant par le cliché documentaire, la photographie se diversifie. Elle trouvera aussi ses premiers maîtres qui parviendront à lui donner une forme moderne fondée sur l'exploitation d'importants acquis techniques – fixatifs, supports, papiers, objectifs… Léonard Misonne développe un picturalisme sensible, jouant d'effets techniques pour donner à l'image cette atmosphère qui oscille entre impressionnisme et symbolisme. Édouard Hannon, qui travaillait pour la famille Solvay, grand promoteur de la création Art nouveau à Bruxelles, donne à l'image photographique sa vision propre, détachée des formules picturales. La mise en page, le rendu du détail, la saisie instantanée donnent à ses œuvres une puissance qui, dans leur sensibilité à la lumière, n'est pas sans évoquer les dessins intimistes de Mellery. Si la photographie d'art s'émancipe, la production photographique au sens large s'intensifie : la photographie documentaire se répand, banalisant l'image d'une

Édouard Hannon, *Coppélia*, 1895. Photographie. Anvers, Provinciaal Museum voor Fotografie.

réalité instantanée dont le surréalisme aura bientôt à cœur de perturber l'illusoire stabilité.

L'Art nouveau et l'expansion coloniale

Sous couvert d'organisations humanitaires comme le Comité d'étude du Haut-Congo puis l'Association internationale du Congo, Léopold II cherchait depuis de nombreuses années à réaliser une implantation belge au centre du continent africain. Dans cette optique, il avait lui-même financé l'exploration du fleuve Congo. En 1885, un premier grand succès diplomatique avait couronné cette politique : les puissances européennes réunies à la conférence de Berlin reconnaissaient sa sphère d'influence, permettant ainsi la naissance de l'État indépendant du Congo, propriété personnelle du souverain. Guidé par Edmond Van Eetvelde, secrétaire de l'État congolais, Léopold II multiplie les initiatives visant à

promouvoir une gestion coloniale mal accueillie par certains milieux belges. En 1894, à l'occasion du Salon d'Anvers, le souverain offre à quelques sculpteurs de renom des défenses d'éléphant importées du Congo afin qu'ils y taillent des objets décoratifs ou des statuettes. S'inspirant du renouveau de la sculpture éburnéenne amorcé en France, il espère remettre au goût du jour cet art fort prisé dans les Pays-Bas des XVIIe et XVIIIe siècles. La sculpture chryséléphantine reste marquée par sa qualité de bibelot de luxe. La préciosité de la matière l'emporte souvent sur l'expression. À l'exposition d'Anvers, l'ivoire se prête au maniérisme dans les réalisations de Philippe Wolfers, d'Isidore De Rudder ou de Fernand Dubois, et au formalisme dans la plupart des sculptures qui s'inscrivent dans un mouvement de torsion, permettant d'exploiter au mieux la défense d'ivoire.

Matière précieuse, l'ivoire relève d'un commerce que le sculpteur-décorateur Fernand Dubois est chargé d'étudier, tandis que se constitue la société anonyme

Gustave Marissiaux, Coup de vent, 1901. Héliogravure extraite du portfolio *Visions d'artiste*, 1908. Charleroi, musée de la Photographie.

En haut : exposition du Congo à Tervueren, 1897. Salle d'ethnographie conçue par Paul Hankar. Photographie ancienne. Bruxelles, coll. archives d'architecture moderne.

En bas : exposition du Congo à Tervueren, 1897. Salle des Importations conçue par Gustave Serrurier-Bovy. Photographie ancienne. Tervueren, musée royal de l'Afrique centrale.

l'Art qui, par contrat avec l'État indépendant du Congo, se chargera de promouvoir une industrie d'art fondée sur l'ivoire. Au départ, l'initiative ne rencontre qu'un maigre succès. il faudra attendre l'Exposition universelle de 1897 pour assister à un réel engouement du public.

Parallèlement à l'exposition qui se déroule dans les jardins du Cinquantenaire, Léopold II impose à Tervueren, en lisière de la ville, une exposition (il envisagera ensuite de la transformer en musée colonial) qui démontre les débouchés que le Congo pouvait alors offrir à la Belgique. Le 23 avril 1897 fut la date de l'inauguration de l'exposition congolaise. Elle était divisée en quatre sections principales dont la présentation fut confiée chacune à un artiste : la salle d'ethnographie à Paul Hankar, la salle des importations à Gustave Serrurier-Bovy, la salle des exportations à Henry Van de Velde et le salon des grandes cultures à Georges Hobé. La coordination de l'ensemble ainsi que la conception du salon d'honneur consacré à la mise en valeur de la sculpture chryséléphantine revinrent à Paul Hankar. Les choix esthétiques étaient laissés à l'appréciation de chacun pour autant qu'il fût fait usage des bois du Congo dont l'exposition devait démontrer la qualité. Grâce à Van Eetvelde, l'Art nouveau allait être à l'honneur[45].

Les frises peintes de la salle d'ethnographie de Paul Hankar furent confiées à ses amis Duyck et Crespin. Huit groupes de surprenantes sculptures « ethnologiques », dues à Isidore De Rudder, Julien Dillens et Charles Samuel, témoignent de la vie des peuplades d'Afrique en un réalisme didactique qui ne fait l'économie d'aucun détail.

Dans le salon d'honneur, on découvre un exceptionnel ensemble de quelque quatre-vingts sculptures éburnéennes réalisées par une trentaine de sculpteurs, parmi lesquels Khnopff, Van der Stappen, Rombaux, Samuel, Dillens ou De Vigne. Tous les styles sont représentés dans la diversité des inspirations. La vocation symbolique de l'ivoire semble toutefois s'y imposer. Aux côtés des traditionnelles pièces sulpiciennes qui associent au précieux matériau la virginité de la révélation, figurent quelques pièces qui témoignent d'un usage « moderne » inspiré du modèle français. Le travail de l'ivoire avait connu un regain d'intérêt en France à la fin des années 1880 dans le contexte d'un académisme sensible à l'érotisme singulier de l'ivoire. En effet, avec les Gérôme, les Clésinger ou les Cordier, l'ivoire s'identifie à la blancheur laiteuse et mystérieuse de la peau, sans dévoiler l'incarnat. Khnopff y trouve un prolongement à ses portraits de femmes énigmatiques. Le masque présenté à Tervueren se veut autant Méduse que Sphinx. Sous la peau ne palpite que l'inconnu : l'ivoire dissimule plus qu'il ne révèle. Charles Van der Stappen joue de cette densité symbolique dans son *Mystère* ou *Le Secret*. Son visage reste énigmatique. Un geste de retenue impose le silence, et le matériau donne son mystère à cette présence accrue.

L'usage de l'ivoire reste toutefois limité au petit format – pour des questions d'agencement des pièces rapportées qui entrave tant la réalisation de grandes pièces que l'évocation du mouvement –, à certains styles et à certains sujets : le rendu des drapés ou les thèmes réalistes échouent souvent dans la mièvrerie. Quoique difficile à maitriser, l'ivoire connaît après 1897 un succès public dont témoigne la production de l'époque. Cette sculpture, avant d'être reconnue comme telle, est un luxueux objet offert à la contemplation : ainsi le soin mis à la réalisation de socles qui affirment la beauté précieuse de la matière. Celle-ci reste avant tout le complément raffiné de l'objet de décoration recherché. Avec les années 1900, la sculpture chryséléphantine se diluera dans la production ornementale. Égide Rombeaux dessinera un chandelier où des chardons emprisonnent une femme nue dont le corps d'ivoire se marie avec l'argent.

Ce goût des matières s'inscrit dans le développement de la sculpture polychrome qui joue des couleurs, alliant les matériaux précieux en des associations teintées de décadentisme ou recourant, plus simplement, à la peinture. Dans ce dernier registre, Khnopff joue des plâtres polychromes ou des cires teintées pour offrir à ses icônes inaccessibles l'illusion idolâtre d'une vie de chair. Dans le domaine des correspondances précieuses, le joaillier Philippe Wolfers s'impose comme un des maîtres de cet art cher à M. de Phocas.

En ce qui concerne les arts appliqués, l'exposition de Tervueren offre quelques pièces de qualité. Les contributions de Fernand Dubois et de Philippe Wolfers sont parmi les plus marquantes : le premier présente un coffret, *Les Âges de la vie,* dont l'armature en bronze argenté est enveloppée de lignes fluides enchevêtrées, ainsi que de petits objets – éventails, cachets, broches… Quant à Wolfers, il expose des tronçons de défenses délicatement sculptés de motifs floraux pris dans des bases en bronze : *Pavots* ou *Iris et lézards.* À ces vases de petite taille, il joint un monumental porte-bouquet, *La Caresse du cygne* : une défense entière prise

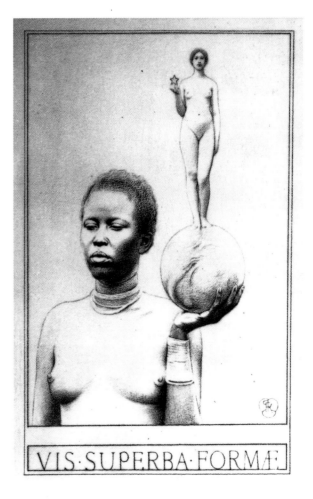

Ci-dessus : La production du travail libre, in *La Trique,* 25 février 1906. Coll. part.

Ci-contre : Fernand Khnopff, Vis. *Superba. Formae.* Dessin pour le frontispice du catalogue d'exposition *L'État indépendant du Congo. La sculpture chryséléphantine,* Bruxelles-Tervueren, 1897. Dessin sur fond photographique rehaussé de couleur sur papier, 20,2 x 13,5 cm. Bruxelles, Bibliothèque royale Albert Ier cabinet des Estampes.

Exposition du Congo à Tervueren, 1897. Salon d'honneur conçu par Paul Hankar. Photographie ancienne. Tervueren, musée royal de l'Afrique centrale.

Exposition du Congo à Tervueren, 1897. Salon d'honneur conçu par Paul Hankar. Photographie ancienne. Bruxelles, coll. archives d'architecture moderne.

sous l'aile d'un cygne de bronze puissamment modelé. Le succès sera immense et les commandes suivront[46]. Aux murs du salon d'honneur étaient accrochées huit tentures exécutées par Hélène De Rudder d'après des cartons de son mari, selon une technique combinant applications de tissus et broderie et dont les thèmes choisis opposaient « civilisation » et « barbarie ».

La diffusion d'un style

L'exposition de Tervueren, fort courue, permet à l'Art nouveau de se répandre sous l'une de ses nombreuses

dénominations : le « style Congo ». Celui-ci s'impose comme un effet de mode : ses formes, empruntées sans que l'esprit soit toujours respecté, s'aiment d'une emphase rocaille. Ainsi, Gustave Strauven, ancien dessinateur de Horta, donne au graphisme de ses ferronneries une légèreté empreinte de fantaisie. Les menuiseries et les grilles de la maison du peintre Saint-Cyr, construite en 1900 au square Ambiorix, affirment une exubérance sans égale. Le lyrisme de la ligne s'exprime en un bel canto qui aime recouvrir la façade d'une délicate dentelle de fer s'effilochant dans le ciel. Strauven use également d'arcs décollés de la façade pour créer des jeux d'ombre et de lumière. Dans les

Philippe Wolfers, *La Caresse du cygne*, 1897. Bronze et ivoire, H : 173 cm. Bruxelles, musées royaux d'Art et d'Histoire.

Pierre Braecke, *Vers l'infini*, 1897. Ivoire, bronze doré, 40,8 x 12 x 7 cm. Socle en bois dessiné par Victor Horta, 14 x 28 x 28 cm. Bruxelles, musées royaux d'Art et d'Histoire.

immeubles commerciaux à l'angle de l'avenue Louis Bertrand et de la rue Josaphat, il tire des effets très décoratifs de l'emploi de briques de couleurs différentes et de la multiplication des formes des baies.

Cet Art nouveau, acquis à son maniérisme rocaille, trouve chez Strauven une formulation personnelle, qui tranche nettement avec une nombreuse production de faible qualité et contribue ainsi au triomphe de l'Art nouveau à Bruxelles. Si Paul Vizzavona fait de ses hôtels particuliers, rue Franz Merjay et avenue Molière, des copies du style de Horta, il ne parvient pas à arracher les ornements d'un lyrisme purement anecdotique et sans réelle liaison avec les structures architecturales. L'éclectisme s'empare lui aussi d'un vocabulaire « à la mode » teinté d'Art nouveau. En 1902, à la demande de l'ingénieur Édouard Hannon, l'architecte Jules Brunfaut s'inspirera de l'œuvre de Horta tout en restant fidèle au style de la Renaissance italienne qu'il avait pratiqué[47].

La moyenne bourgeoisie participe à la fête de l'Art nouveau grâce à des architectes-promoteurs qui, comme Blérot, donnent au style en vogue sa diffusion industrielle. Ernest Blérot construit des rues entières à Ixelles – quartier Saint-Boniface – ou à Saint-Gilles – rue Vanderschrick. Les façades, toutes différentes,

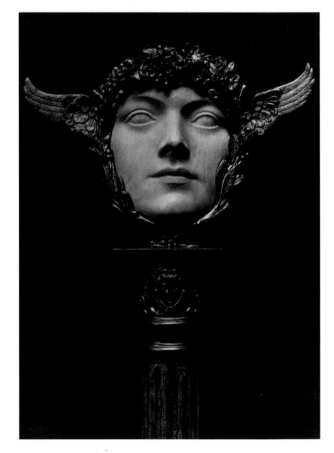

Ci-dessus : Jules Brunfaut, hôtel Hannon, 1903. 1, av. de la Jonction, à l'angle de l'av.
Brugmann. Photographie ancienne. Bruxelles, 1905.

Page de droite : Gustave Strauven, maison du peintre Saint-Cyr, façade, 1898.
11, square Ambiorix.

« mentent » dans la mesure où elles correspondent à une disposition intérieure toujours semblable. Ces maisons composent un décor urbain de qualité qui, de surcroît, permet au propriétaire de manifester son individualité : les découpes des fenêtres, le dessin de la menuiserie des portes d'entrée, les sgraffites, la silhouette des pignons, les ferronneries, les formes des bow-windows varient d'une maison à l'autre, tout en procurant une indéniable impression d'unité.

Parmi les émules de Horta, on peut aussi compter Paul Saintenoy. Architecte éclectique, il est l'auteur de l'incroyable patchwork architectural que fut le palais de la Ville de Bruxelles à l'Exposition internationale de Bruxelles en 1897. Rue Montagne de la Cour, il construit à quelques mètres de distance une pharmacie néo-gothique (1895) et un grand magasin, Old England (1899), réduit à une cage de verre et de fer. Le modèle parisien du magasin est ici poussé à sa transparence maximale. Le jeu des ferronneries, seul, court dans l'espace. Inspiré de Horta, il en est cependant d'un graphisme moins assuré.

Cette diffusion de l'Art nouveau déborde le strict registre architectural. Elle se fonde aussi sur une demande croissante qui conduit des industries comme les cristalleries du Val-Saint-Lambert, les faïenceries Boch ou les verreries bruxelloises à produire vases, céramiques ou vitraux dans le style désormais à la mode qu'un public de plus en plus large réclame. Loin des exigences esthétiques des pionniers et des moyens mis en œuvre par leurs commanditaires, une production de masse se développe, multipliant les clichés en des réalisations moins virtuoses mais plus abordables. Dans le domaine du vitrail, aux motifs abstraits prisés par Horta et, surtout, Van de Velde, s'opposent les

motifs végétaux, floraux et animaliers dont les significations symboliques empruntent à l'imaginaire de l'époque. Pour la céramique, Boch lance en série des gammes d'articles qui reprennent en les affadissant les principes de l'Art nouveau : vaisselle, pièces décoratives, carreaux de faïence. La production est importante, elle touche tant les intérieurs que les façades, les habitations privées que les lieux publics. Au-delà des frontières de la Belgique, elle rayonne jusqu'à Buenos Aires.

À la fin du siècle, les différentes communes bruxelloises investissent énormément dans l'enseignement. À Bruxelles, à Saint-Gilles, à Schaerbeek ou à Ixelles, les modèles se multiplient selon des principes différents. Dans la rhétorique des styles, le modèle néo-Renaissance, expression du savoir moderne, est adopté pour les écoles communales, alors que le néo-gothique, incarnation de la foi dans toute sa ferveur, reste l'apanage des écoles catholiques. La commune de Schaerbeek se distingue en choisissant pour architecte Henri Jacobs, qui applique l'Art nouveau aux constructions scolaires. La grande qualité architecturale de ces écoles se veut didactique en elle-même : elle doit insuffler au peuple le goût du Bien et du Beau. Aucun détail n'est épargné : fresques, mosaïques, luminaires, mobilier scolaire, sgraffites contribuent à faire de l'ensemble une œuvre d'art total acquise à sa mission pédagogique. Henri Jacobs s'appuie sur de nombreux collaborateurs : peintres, décorateurs – au nombre desquels Privat Livemont –, artisans unis par la même ambition morale qui conduit l'architecte à élaborer pour la société Le Foyer Schaerbeekois des plans de cités ouvrières – cités de l'Olivier en 1903–1905 et Helmet en 1908–1910 –, financées principalement par les pouvoirs publics qui reconnaissaient ainsi le droit des populations ouvrières à un logement décent. Cette architecture sociale, outre Jacobs, compte en ses rangs Émile Hellemans, auteur des cités de la rue Blaes et de la rue Haute dans le centre même de Bruxelles. Elle s'inspire du type traditionnel de la maison de rapport et s'affirme, tant en

CI-DESSUS : Henry Vandevelde, bibliothèque Solvay, 1903–1904. Parc Léopold.

CI-CONTRE : Paul Saintenoy, anciens magasins et entrepôt Old England, détail des ferronneries, 1899. 2, rue Montagne de la Cour et 10, rue Villa-Hermosa.

CI-CONTRE : Gustave Strauven, immeuble à appartements et commerces, détail de l'auvent, 1906. 65, av. Bertrand.

CI-DESSUS : Paul Saintenoy, pharmacie Delacre, 1895. 64–66 Coudenberg.

ses volumes qu'en ses ornements, comme le fruit d'un rationalisme et d'un pragmatisme qui tend à l'économie des moyens pour exprimer son intégrité morale. Dans ces édifices où le confort, l'hygiène et l'intimité de chacun sont garantis, toute possibilité d'expression individuelle est niée par la distribution des appartements en blocs semblables, derrrière des façades aux formes standardisées et répétées. Le projet collectiviste est en marche. Sans affirmer ce besoin d'uniformité sociale sous le sceau du dogme marxiste qui agite les avant-gardes des années 1920, les architectes entendent éduquer de façon dirigiste une classe ouvrière qui doit être organisée, menée, guidée afin d'éviter tout débordement et toute agitation. L'architecture sociale reste marquée par le modèle militaire. Associant le bloc à la caserne, l'édifice enrégimente des individus qui ne sont pris en compte que sur un plan collectif. Si la construction organise la vie de l'ouvrier, elle en conditionne aussi l'esprit en martelant des mots d'ordre. Ainsi, les façades de la cité de l'Olivier portent pour maxime : « Sois actif, sois propre, sois économe. »

Sous couvert d'édification morale, l'architecture sociale interdit toute possibilité d'individualisation. Rationalisme et rigorisme s'épousent en un même désir d'ordre et de stabilité qui, progressivement, prend pour cible la notion même d'ornement. L'arabesque qui avait envahi le décor quotidien suscite la lassitude, et les architectes, à la recherche d'un nouvel ordre spatial, tournent leurs regards vers Vienne[48].

En fait, Belges et Autrichiens avaient puisé leur inspiration dans la source commune des productions Arts and Crafts. Dans le programme-manifeste des Wiener Werkstätte, publié en 1905, Hoffmann avoue sa dette à l'égard de Ruskin et de Morris. Si la ligne belge a exercé une certaine influence à Vienne – sensible, par exemple, dans la Majolikahaus de Wagner ou dans les salles de la section autrichienne à l'Exposition universelle de Paris dues à Olbrich et Hoffmann –, elle sera très vite détrônée par la contribution de Mackintosh à la huitième exposition de la Sécession viennoise en 1900.

Ernest Blérot, habitations, vers 1900. 42–44, rue de Belle-Vue.
Photographie ancienne. Bruxelles, coll. Bastin & Evrard.

PAGE DE DROITE : Ernest Blérot, habitation, détail de loggia, 1904.
38 av. du général de Gaulle.

Fernand Khnopff, qui tenait une rubrique régulière sur la vie artistique bruxelloise dans *The Studio,* est invité en 1898 aux premières expositions de la Sécession et un article lui rend hommage dans le douzième numéro de *Ver sacrum,* dont il assure la mise en page. Au-delà de la fascination que son œuvre exerce, comme celle de Minne, sur toute une génération d'artistes viennois, son influence sur l'art de Klimt s'avère déterminante. Inversement, le modernisme autrichien semble l'avoir attiré par son sens de la mesure et sa rigueur. Aussi, la maison-atelier que le peintre commande en 1900 à l'architecte Edmond Pelseneer, rue des Courses, à deux pas de l'université, rompt-elle avec l'éclectisme mais aussi avec le graphisme aérien de l'Art nouveau. Elle annonce une nouvelle sensibilité plus classique et dépouillée. La statue d'Aphrodite posée sur le pignon indique que le maître des lieux voue un culte à la Beauté. Comme les artistes de la Sécession, Khnopff a le goût de l'Antiquité grecque, des surfaces nues et blanches, des formes géométriques pures, de l'art japonais. À l'exubérance colorée et formelle de l'Art nouveau belge, il oppose silence et retenue.

L'année suivante, l'exposition de la Colonie des artistes de Darmstadt, intitulée « Ein Dokument deutscher Kunst », confirme le sentiment d'une évolution dans laquelle les Belges n'auront plus qu'un rôle secondaire. Deux articles de *L'Art moderne*[49] témoignent des impressions de Serrurier-Bovy face à l'abandon du fer comme élément constructif et au rejet de l'ornement comme entrave à la claire lisibilité de l'espace. La proclamation de Peter Behrens, qui « érige en principe que rien dans l'architecture, ni dans la décoration ne doit rappeler ni de près, ni de loin, même conventionnellement, quoi que ce soit de vivant, ni figure humaine, ni plante[50] », résonne comme une condamnation d'un Art nouveau de plus en plus ampoulé. L'exposition de Darmstadt va exercer une réelle fascination sur Serrurier-Bovy qui s'en souviendra lorsqu'il réalisera sa propre maison à Cointe, près de Liège.

En cette période d'essoufflement de l'Art nouveau, Serrurier modifie son style : la simplification des formes, dictée par des raisons économiques – l'artiste aspire à créer un mobilier de large diffusion –, va ouvrir de nouvelles voies. Influencé par l'esthétique des Wiener Werkstätte, Serrurier abandonne les courbes puissantes qui charpentaient ses meubles au profit

d'agencements géométrisants. Les formes sont plus grêles, élégantes, ponctuées avec raffinement de feuilles de laiton trouées de carrés laissant apparaître le bois ou enchâssant des émaux de couleur. Il use également de frises en marqueteries de bois précieux aux motifs quasiment abstraits. Au modernisme des formes qui aspirent à l'ordre de la raison s'oppose encore la préciosité des matériaux rares qui fait de l'objet, universel dans ses intentions, l'apanage de privilégiés.

En 1905, Liège organise une Exposition universelle. Serrurier s'y offre un pavillon personnel et participe au concours ouvert pour la « décoration et le mobilier des habitations à bon marché » érigées à Cointe. Avec le mobilier dit Silex, les principes productivistes qui ani-

Ci-contre : Henri Jacobs, Athénée Émile André, 1907–1910. 58, rue des Capucins.

Ci-dessous : Henri Jacobs, école communale, grand hall, 1907. 229 et 243, rue Josaphat.

meront l'avant-garde du XXᵉ siècle se mettent en place : Serrurier propose un mobilier exécuté dans différents bois peu coûteux – en orme, en peuplier ou en sapin –, dont la décoration est fournie par la ponctuation des têtes de vis d'assemblage et des charnières. Serrurier se distingue de l'utilitarisme qui, dans les années 1920, animera les architectes en récusant l'uniformité du rationalisme. Il reste un décorateur avec ces rideaux en toile de lin ornés d'applications de pièces de coton de couleur et ces pochoirs permettant de personnaliser meubles et murs. Serrurier réalise ici cet « art pour tous » dont nous avons esquissé les enjeux politiques et esthétiques. Cet art convenait-il aux ouvriers à qui il était destiné ? Dans un article contemporain, Jules Destrée s'exprime en ces termes : « Le goût de la classe ouvrière a été si étrangement faussé par le clinquant et l'artificiel, par l'imitation du luxe bourgeois, que je crains bien qu'on ne mette quelque temps à saisir tout ce que M. Serrurier apporte de sain et de neuf [51]. » À travers ces propos s'esquisse la conscience d'une distance détachant inéluctablement les rêves des intellectuels progressistes de la réalité sociale : un dilemme dramatique qui se prolongera au long de l'histoire des avant-gardes du XXᵉ siècle.

La firme de Serrurier, employant une centaine d'ouvriers, connaît bientôt un passage difficile : les ateliers de Liège sont expropriés et un des principaux commanditaires se retire. La situation se rétablit pour l'Exposition universelle de Bruxelles en 1910. Mais le répit est de courte durée : Serrurier meurt le 19 novembre. Sa firme survivra jusqu'en 1918.

Une tendance à la géométrisation des formes s'installe chez les architectes d'une nouvelle génération. Paul Hamesse et Léon Sneyers, anciens collaborateurs de Paul Hankar, empruntent à l'ornementation viennoise : couronnes simples ou traversées par trois rubans, emploi de traits horizontaux répétés, souvent par groupes de trois, pour rendre plus sensible encore l'effilement des arêtes, goût des formes tronquées, décors en damier, ponctuations de cabochons sphériques.

CI-DESSUS : Émile Hellemans, habitations sociales, 1906–1915. 146–174, rue Blaes, rue Haute, rue de la Rasière, rue Pieremans.

CI-CONTRE : Théo Serrure, école : verrière au dernier étage, 1903–1908. 21, rue Véronèse.

PAGE DE DROITE, EN HAUT : Gustave Serrurier-Bovy, lampadaire, vers 1905. Cuivre, H : 174,5 cm. Coll. part.

EN BAS : Gustave Serrurier-Bovy, vases, vers 1902–1904. Laiton et cristal, H : 25 et 40 cm. Liège, musées d'Archéologie et d'Arts décoratifs.

CI-CONTRE : Edmond Pelseneer, villa de Fernand Khnopff (détruite), 1900. Rue des Courses. Photographie ancienne.

CI-DESSOUS : Gustave Serrurier-Bovy, salon de musique de la villa L'Aube à Cointe, 1902–1904.

De Turin à Vienne :
les prémices d'une évolution

L'Exposition internationale des Arts décoratifs modernes de Turin en 1902 rend visibles les deux voies qu'empruntent les créateurs belges. Dans le cadre de cette présentation rétrospective[52] des arts décoratifs en Belgique dans la dernière décennie du XIXᵉ siècle, Horta se voit consacré alors que de nouvelles tendances s'amorcent avec Léon Sneyers et Adolphe Crespin d'une part, Georges Hobé et Antoine Pompe d'autre part.

La section belge s'ouvre par le Salon du livre, dont la présentation est confiée à Léon Govaerts. Celui-ci opte pour une ligne très fleurie, synthèse des styles anciens et de celui de Horta. Les éditeurs belges Deman, Lamertin ou la Veuve Monnom exposent à cette occasion des productions s'étalant sur plus de quinze ans. À côté de Wolfers qui fera l'objet de louanges unanimes, Horta se voit attribuer l'espace le plus important : il envoie un ensemble de bureau en sycomore et une salle à manger en frêne d'Amérique finement sculptés. L'aspect architectural prédominant dans les meubles antérieurs – animés de puissants mouvements plastiques, aux formes complexes engendrant des contrastes d'ombre et de lumière – s'efface au profit de formes enveloppantes. La délicatesse des pièces est renforcée par le décor dans lequel elles prennent place : grandes tapisseries peintes sur reps d'Émile Fabry, à qui Horta venait de confier la décoration de la salle à manger de l'hôtel Aubecq. Horta est unanimement reconnu par la presse et couronné par le jury. À ses côtés, plusieurs artistes s'illustrent : Hélène De Rudder et ses tapisseries *Le Printemps* et *L'Été*, Fernand Dubois et ses chandeliers en bronze argenté, parfaite représentation de la ligne belge abstraite, souple, dansante et équilibrée.

Hobé et Pompe, associés de 1899 à 1903, opposent à la « somptuosité tapageuse » de Horta un désir de simplicité et de délicatesse qui adoucit la rigueur et l'aspect constructif du mobilier des Arts and Crafts. Sneyers et Crespin, quant à eux, s'illustrent par la stylisation des ornements sans aucun lien avec les structures constructives.

Dans les années qui suivent l'exposition de Turin, la tendance géométrisante l'emportera : les bâtiments de Paul Hamesse, comme l'intérieur Cohn-Donnay (1904), la transformation du bâtiment du 6, rue des

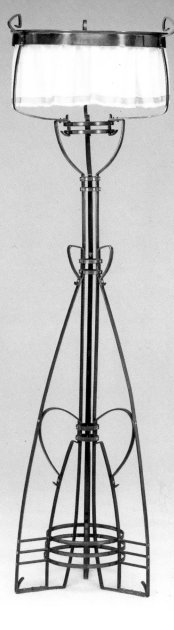

Gustave Serrurier-Bovy, projet de salle à manger. Aquarelle. Planche en couleur parue en supplément à *L'Art décoratif*, novembre 1904.

CI-CONTRE : Gustave Serrurier-Bovy, porte-joumaux, s. d. Chêne et laiton. Coll. part.

PAGE DE DROITE

À GAUCHE, EN HAUT : Gustave Serrurier-Bovy, chaise Silex, 1905. Peuplier vernis, 90 x 40 x 44 cm. Coll. part.

EN BAS : Serrurier-Bovy, fauteuil Silex, château de la Cheyrelle, 1903–1905. Bois de bouleau. Coll. part.

À DROITE : Gustave Serrurier-Bovy, grande armoire, vers 1905. Bois à motifs peints au pochoir, charnières et montants en métal peint vert, 225 x 94,5 x 47 cm. Bruxelles, coll. Denys-Eischen.

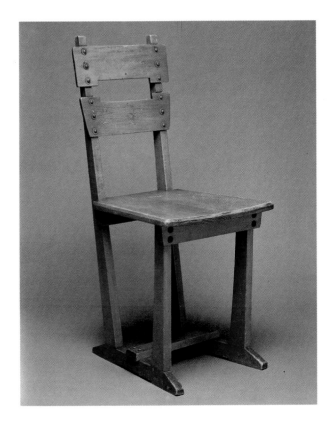

CI-CONTRE : Léon Sneyers et Adolphe Crespin, studio d'artisan présenté à l'Exposition internationale des Arts décoratifs de Turin en 1902. Aquarelle. Bruxelles, coll. archives d'architecture moderne.

PAGE DE DROITE : Léon Delune, habitation, 1904. 6, rue du Lac.

CI-DESSOUS : Georges Hobé, projet de salon-bibliothèque réalisé pour l'Exposition internationale des Arts décoratifs de Turin en 1902, dessin d'Antoine Pompe. Bruxelles, coll. archives d'architecture moderne.

Champs-Élysées ou la maison du 120, avenue de Tervueren montrent qu'avant même la construction du palais Stoclet, la ligne en coup de fouet apparaît démodée. Les projets de Léon Sneyers pour l'exposition de Liège (1905) ou celle de Milan (1906) mêlent des traits spécifiquement viennois à des motifs de Mackintosh. Vers 1910, Sneyers ouvre un magasin d'art, L'Intérieur. Les projets envoyés en 1913 à l'Ideal Home Exhibition de Londres illustrent la transition de l'Art nouveau à l'Art déco, sous l'influence du goût viennois : meubles aux formes pures et simples, opposition de rayures et de motifs floraux dont l'exubérance est strictement encadrée, présence répétée de corbeilles de fleurs.

Les jours de l'Art nouveau à Bruxelles sont comptés au moment où s'édifie, avenue de Tervueren, un « rêve de nabab, un temple mystérieux[53] », l'hôtel d'Adolphe Stoclet, directeur de la Société Générale. Grâce à ce mécène éclairé, le chef-d'œuvre des Wiener Werkstätte est érigé entre 1905 et 1911, dans une synthèse parfaite de styles, d'influences et de registres, allant du modèle anglais germanisé à l'arabe modernisé en passant par du byzantin fin de siècle. Les frises de la salle à manger conçues par Klimt, L'Attente et L'Accomplissement, rappellent les splendeurs de la mosaïque byzantine quoiqu'elles ne soient pas composées de tessères réguliers. Les effets de textures naissent de la cohabitation des techniques et matériaux : peinture, émaux, marbre, incrustations de pierres semi-précieuses. La richesse procède de la diversité : Hoffmann emprunte librement à l'Orient et à Mackintosh, sans jamais risquer l'équilibre et la cohérence de ses propres partis pris stylistiques. Le palais rêvé n'en est pas moins une maison conçue en fonction des exigences quotidiennes : les services occu-

CI-DESSUS : Paul Hamesse, maison Cohn-Donnay, 1904.
316, rue Royale.

CI-CONTRE : Paul Hamesse, maison Cohn-Donnay.

PAGE DE DROITE

EN HAUT : Josef Hoffmann, palais Stoclet, façade côté rue, 1905–1909.
275, av. de Tervueren.

EN BAS, À GAUCHE : Josef Hoffmann, palais Stoclet, façade côté rue
détail.

EN BAS, À DROITE : Josef Hoffmann, palais Stoclet, façade côté rue,
détail.

pent l'aile la plus basse à droite de la tour, celle-ci abrite l'escalier, couronné par quatre figures masculines porteuses de cornes d'abondance, œuvres du sculpteur Frantz Metzner à qui l'on doit également les porteuses d'offrandes enfermées dans un carré strict sous la haute verrière de l'escalier. Toute la structure constructive dont la mise en valeur avait constitué l'axe majeur de l'architecture Art nouveau disparaît ici sous le recouvrement de plaques de marbre blanc ; la façade miroite et n'est plus captée par la lumière accrochée par les moulures, les creux et les saillies. Les fenêtres, par exemple, sont dans le plan de la façade. L'impression de dissolution des volumes que pourraient suggérer les façades de marbre blanc est contrecarrée par les épaisses baguettes de bronze qui recouvrent les arêtes. Toute la sensibilité viennoise peut être résumée dans le contraste entre les rinceaux des grilles de clôture – rinceaux que l'on retrouve dans l'arbre de vie des frises de Klimt – appuyés sur une forme ovale centrale et les divisions géométriques des fenêtres. Dans l'axe de l'abside, le hall central, haut de deux étages, est flanqué de la salle à manger et d'un bureau dont les fenêtres s'ouvrent sur le jardin. L'extrémité de l'aile gauche est occupée par une salle de musique, décorée d'une toile de Khnopff, avec une scène semi-circulaire dont la saillie sur la façade latérale a permis la création, au premier étage, d'une vaste terrasse devant la chambre à coucher des maîtres de maison. Outre la chambre à coucher principale en communication avec un boudoir et une salle de bains, l'étage comprenait trois chambres pour enfants et une chambre pour leur gouvernante ainsi qu'une salle de jeux et une petite salle de bains. L'étage sous le toit était réservé aux chambres d'invités et aux domestiques. Le palais Stoclet constitue le sommet de l'« artistic house » telle que l'avaient rêvée les créateurs anglais qui estimaient que le rôle de l'artiste ne pouvait se limiter à la pratique des beaux-arts[54] : la beauté de la maison, due à l'intervention d'un artiste dans sa conception, reflète le raffinement artistique du propriétaire.

Cette conception donne son intérêt majeur à la maison du peintre-décorateur Paul Cauchie, conçue la même année que le palais Stoclet en bordure du parc du Cinquantenaire. La façade est occupée par un grand panneau en sgraffite – spécialité de l'artiste –, où les figures féminines symbolisent les arts en un style dont les harmonies sourdes et les traits allongés rappellent l'idéalisme. La stylisation des motifs, la rose notamment,

Josef Hoffmann, palais Stoclet, salle à manger.

Page de gauche : Josef Hoffmann, palais Stoclet, façade côté jardin, détail.

Josef Hoffmann, palais Stoclet, salon de réception.

Page de gauche, en haut : Josef Hoffmann, palais Stoclet, petite salle à manger.

En bas : Josef Hoffmann, palais Stoclet, petit hall.

Ci-dessus : Josef Hoffmann, palais Stoclet, salle de musique.

Page de droite : Paul Cauchie, maison personnelle, façade, 1905. 5, rue des Francs.

est influencée par l'école de Glasgow. Des moyens très simples sont utilisés avec le plus grand raffinement : contraste des textures – bossage des pierres de soubassement, crépis, sgraffites, bandeaux de ciment –, coloris délicats, finesse des profils des fenêtres, écran de piliers en bois d'allure japonisante … À l'intérieur, les boiseries et le mobilier s'inspirent des créations de Mackintosh. Dans ses travaux publicitaires exécutés vers 1900, par exemple ceux réalisés pour la firme Engros-Lager d'Hambourg, Cauchie avait subi l'ascendant de Mucha. Dès 1902, peut-être à cause de la diffusion d'images de la section écossaise de Turin, il parvient à un équilibre très personnel dans des compositions mêlant figures humaines aux nobles attitudes et motifs décoratifs abstraits ou géométrisants.

L'influence de Mackintosh est également marquante dans l'œuvre que l'on considère en général comme le début du modernisme à Bruxelles : la clinique du docteur Van Neck qu'Antoine Pompe réalisa à Saint-Gilles, rue Wafelaerts, en 1910. Certains détails y rappellent l'école des arts de Glasgow (1897–1899 et 1907–1909) : répétition des loggias à trois pans dont l'élan est coupé par la corniche horizontale, jeu des briques, délicatesse des fers forgés qui, de façon rationnelle, assurent le passage nécessaire pour le nettoyage des briques de verre au premier étage, balcon aux tôles découpées, asymétrie franche de l'entrée. Cette œuvre marque le début de la carrière d'architecte de Pompe ; il s'était auparavant illustré comme dessinateur de tapis, ferronnier d'art, créateur de bijoux et d'orfèvrerie. Elle annonce une évolution qui, au-delà de la Grande Guerre, confirmera en Belgique l'affirmation de ce courant moderne s'étant inscrit en faux dès les années 1900 contre l'usage maniéré d'un lyrisme Art nouveau solidement implanté à Bruxelles.

En marge de l'Art nouveau triomphant, l'éclectisme poursuit son chemin et trouve dans l'architecture de verre un de ses lieux d'intense réussite. En 1868, le roi avait pris la décision de faire construire à Laeken un jardin d'hiver dont Balat avait soumis les premiers plans en 1874. L'inauguration n'eut lieu qu'en mai 1880. Confronté à un type de bâtiment propre au XIXe siècle, l'architecte utilise toutes les ressources de sa formation classique tout en s'appuyant sur les conceptions rationnelles prévalant dans l'architecture métallique ; il fait

Paul Cauchie, maison personnelle, 1905.

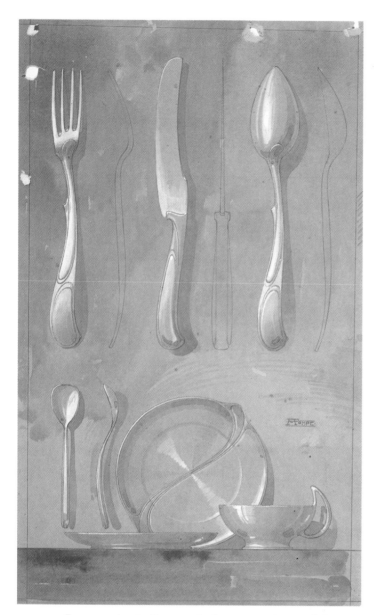

reposer la corolle de fer et de verre, surmontée d'un lanterneau coiffé de la couronne royale, sur une colonnade dorique. Comme Viollet-le-Duc le recommandait, il emprunte l'ornementation des parties métalliques au style gothique, tout comme la structure d'arcs-boutants qui jaillissent de la coupole et prolongent à l'air libre l'arrondi des trente-six arcs la soutenant. Au cours des ans, l'ensemble se développe pour faire des serres de Laeken un des édifices de verre les plus célèbres d'Europe : en 1886, Balat y construit la serre du Congo. Rappelant la silhouette d'une église byzantine, celle-ci est destinée à conserver des spécimens de ce territoire dont Léopold II était devenu le souverain l'année précédente. En 1902, Maquet, jouissant de l'appui du roi pour son projet du Mont des Arts, ajoute une serre au complexe : le parc est ainsi une véritable cité de verre que Giraud embellira encore avec sa nouvelle serre de palmiers.

EN HAUT : Antoine Pompe, projet de couverts, assiette et gobelet, vers 1900. Aquarelle. Bruxelles, coll. archives d'architecture moderne.

Antoine Pompe, clinique du docteur Van Neck, 1910. 53, rue Henri Wafelaerts. Photographie ancienne. Bruxelles, coll. archives d'architecture moderne.

PAGE DE DROITE : Alphonse Balat, serres du Palais royal de Laeken, 1874–1895.

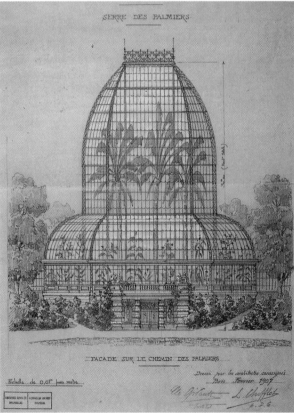

SERRE DES PALMIERS

FACADE SUR LE CHEMIN DES PALMIERS

Echelle de 0,01m pour metre

Dressé par les architectes soussignés
Paris Février 1904

La vie musicale 1900

Bruxelles, dans le confort de sa vie bourgeoise, devait s'étendre au-delà de ses frontières aux hasards des pérégrinations estivales. Aux portes des Fagnes, Spa, ville d'eau mondialement appréciée, devait attirer la bonne société européenne tout comme Ostende, plage des rois, pour laquelle Léopold II rêva de grandioses projets urbanistiques. Blankenberghe, autre plage prestigieuse, attirait la bourgeoisie venue sur la côte prendre l'air du large et y tranposer ses habitudes.

Dans ce contexte, la musique symphonique fin de siècle allait connaître un tournant ; il nous amène à revenir non seulement sur la figure d'Eugène Ysaÿe, mais aussi sur les concerts d'été, une pratique qui avait dans la vie musicale belge une importance considérable. En effet, dès la fin de la saison d'opéras et de concerts, les instrumentistes belges reprenaient leur tâche en d'autres lieux, là où la bonne société aimait se retrouver pendant l'été. D'une part, le parc de Bruxelles, lieu mythique depuis la révolution de 1830, qui abritait un pavillon, le Waux-Hall, où une partie de l'orchestre de la Monnaie donnait une aubade quotidienne. D'autre part, les stations balnéaires les plus

PAGE DE GAUCHE :
Alphonse Balat, serres du Palais
royal de Laeken, 1874–1895.

Charles Girault et L. Schiffot,
projet pour une nouvelle serre
des palmiers, 1907. Aquarelle.
Bruxelles, archives du Palais royal.

CI-DESSUS : Alexandre Marcel,
projet pour un palais de style Art
nouveau, 1902. Aquarelle.
Bruxelles, archives du Palais royal.

CI-CONTRE : vue du chalet royal
à Ostende, côté digue, avec à
l'arrière-plan le casino.
Photographie Neurdain,
vers 1895. Bruxelles, archives
du Palais royal.

Henry Meunier, affiche : *Quatuor Ysaÿe*, 1895. Lithographie en couleurs, 122,2 x 87,2 cm.

PAGE DE DROITE, EN HAUT : Georgette Leblanc dans le rôle de Léonore dans *Fidélio*, s. d. Photographie ancienne. Bruxelles, archives du théâtre royal de la Monnaie.

EN BAS : Carlos Schwabe, illustration pour Vincent d'Indy, partition chant et piano de Fervaal (Paris, Durand 1895), 1895. Eau-forte, in-4°. Bruxelles, coll. part.

huppées : Ostende, dont le Casino proposait de grands noms de passage – Caruso était un habitué – et des programmes classiques, et Blankenberghe, où le chef d'orchestre Jules Goetinck distillait rien moins que des festivals Grieg, Beethoven, Berlioz, d'Indy, Gilson, avec une qualité d'exécution remarquable. Enfin, Spa, où se retrouvait souvent la famille régnante, avec des programmations assez traditionnelles.

Eugène Ysaÿe, atteint du virus de la baguette, obtint de diriger quatre festivals franco-belges au Waux-Hall de Bruxelles en mai-juin 1893. Il eut l'audace d'y présenter un concert de musique belge réunissant Tinel, Gilson, Blockx, Albert Dupuis ou encore Théophile Ysaÿe, suivi de deux concerts de musique française, subtilement scindés en École française contemporaine (Saint-Saëns, Massenet, Guiraud, Joncières…) et jeune École française (d'Indy, Chausson, Fauré, Dukas). Il n'oublia pas le succès de l'entreprise et l'appui qu'elle avait reçu dans la presse. Après une saison de tournées européennes et une autre consacrée à sa première grande tournée aux États-Unis, Ysaÿe se sentit suffisamment armé pour doter Bruxelles d'une nouvelle association symphonique, dans le même temps où, à Paris, il constituait son duo légendaire avec Raoul Pugno.

L'homme voyait grand. La Société symphonique des concerts Ysaÿe, dès sa première saison entamée le 5 janvier 1896, plaça la barre très haut : un nouvel orchestre d'une centaine de musiciens, quatre concerts symphoniques dominicaux au Cirque royal avec solistes internationaux, quatre séances de musique de chambre à la Grande-Harmonie par le quatuor Ysaÿe ; une bonne entente déclarée avec les Concerts populaires et les Concerts du conservatoire, matérialisée par une coordination commune du calendrier.

Très vite, le succès des Concerts Ysaÿe augura de lendemains heureux[55]. Kufferath y prêta main forte tout en en assurant les critiques. La coloration à dominante franco-belge des Concerts Ysaÿe, adoucie par de nombreuses incursions dans le répertoire allemand, russe et scandinave, complétait idéalement les tendances germanisantes de Dupont et les concerts historiques du Conservatoire. D'Indy dédia à la nouvelle société ses variations *Istar* (1896), probablement moins dictées par le livre homonyme du Sâr Péladan que par les illustrations qu'il avait inspirées à son ami Fernand Khnopff.

Si la série de concerts de musique de chambre s'éteint rapidement, les concerts symphoniques se maintiennent avec brio. Les fréquentes absences d'Ysaÿe ne leur nuisent pas, le virtuose se faisant remplacer par ses amis Mottl, Villiers Stanford, Svendsen, Martucci et Jehin. Le quatuor de l'orchestre va rapidement passer pour être un des plus puissants et souples d'Europe, sinon le plus précis, et beaucoup d'autres chefs et compositeurs se féliciteront par la suite d'avoir conduit la jeune phalange. L'œcuménisme d'Ysaÿe fait merveille : il réconcilie, par programme interposé, Saint-Saëns et d'Indy ou Bruckner et Brahms. Tout aussi remarquable sera son dévouement pour la musique belge. Sans lui, le public bruxellois n'aurait pu juger sur pièces les productions récentes de l'élite des compositeurs belges, généralement marquée du sceau franckiste – Benoit, Blockx, Huberti, Kéfer, Raway, Jongen, Biarent, Delcroix, Rasse ou Théo Ysaÿe.

Joseph Dupont continuait à inviter de grands chefs étrangers aux Concerts populaires et proposait un large éventail de nouveautés modérées … et filtrées. Borodine, Glinka, Rimsky-Korsakov, Cui, Moussorgsky, Bruckner, Svendsen, Reznicek, d'Indy, Humperdinck, Saint-Saëns, Brahms, Tinel, Strauss furent parmi les élus. Les exécutions, en général exemplaires, vaudront à Dupont un succès auquel seule la mort mettra un terme. Malgré l'arrivée de Sylvain Dupuis, qui s'était illustré à Liège à la tête de la chorale la Légia et des Nouveaux-Concerts, qu'il avait fondés en 1888, une page était tournée.

Passant avec facilité de la musique allemande à la musique française et russe contemporaine, Dupuis modifia les Concerts populaires : il n'appela plus les grands chefs étrangers (Ysaÿe s'en chargea à sa place), engagea des solistes de haut rang et rompit de multiples lances en faveur des partitions nécessitant les plus grands effectifs ; les plus imposants oratorios, symphonies avec chœurs et solistes et messes du XIXe siècle furent explorés. De plus, Dupuis importa à Bruxelles les jeunes compositeurs qu'il avait fait découvrir à Liège : Debussy, Charpentier, Delius, Sibelius, sans négliger la musique belge. Lorsqu'il retourna à Liège en 1911 pour y prendre la direction du conservatoire, les Populaires ne trouvèrent plus un chef belge de cette envergure, capable d'imposer le répertoire moderne. L'association glissa peu à peu vers un répertoire plus sage, de plus en plus détaché de son époque.

À la Monnaie, Stoumon et Calabresi, usés par dix ans de lutte, quittaient le théâtre pour n'y plus revenir. Leurs dernières années avaient connu quelques mo-

ments brillants ; se reposant sur Philippe Flon, chef d'orchestre sans génie mais d'une grande solidité, ils avaient courageusement maintenu la barre face à la vague déferlante du wagnérisme. Les nouveautés étaient désormais rares : hormis leur fidélité à Massenet dont ils passent toutes les nouveautés – *Cendrillon* triomphe en 1899 –, ils donnent à Jan Blockx son plus grand succès avec *Princesse d'auberge,* qui connaîtra une carrière internationale. Leurs distributions sont toujours remarquées : le public bruxellois fera un triomphe à Georgette Leblanc dans une reprise de *Fidelio* et dans la création belge de *Thaïs.* Lorsqu'ils s'intéressent à Wagner, Stoumon et Calabresi s'attirent à la fois le succès du public – *Tristan* en 1894, *L'Or du Rhin* en 1898 – et les foudres des wagnériens initiés conduits par Maurice Kufferath et *Le Guide musical.*

Un des seuls moments de pacification entre progressistes et conservateurs, dans ces dernières années de règne, sera la création de *Fervaal* de Vincent d'Indy : wagnérienne mais bien française, l'œuvre, créée en mars 1897, fera grand bruit ; le Tout-Paris s'en empare, la presse wagnérienne approuve, et le public, malgré les difficultés de la partition, se laisse séduire ; l'étoile de d'Indy en sortira encore grandie.

En 1900, Kufferath arrive à la Monnaie. Épaulé par Guidé, il s'assure la collaboration des chefs d'orchestre Sylvain Dupuis et Franz Ruhlmann, dans la troupe apparaissent Félia Litvinne, Claire Friché, Henri Albers, et bientôt Claire Croiza et Fanny Heldy. Le temps de donner les premières belges de *La Vie de bohème* de Puccini, et de *Louise* de Charpentier (deux grands succès), et la machine wagnérienne se met en branle. *Tristan,* en mai 1901, avec Van Dyck et Marie

EN HAUT : décors de *Parsifal* de Richard Wagner (acte 1, scène II), présenté au théâtre royal de la Monnaie en 1914. Photographie ancienne. Bruxelles, coll. Fievez.

AU CENTRE : projet de décors pour *Parsifal* de Richard Wagner, pour le théâtre royal de la Monnaie en 1914. Aquarelle. Bruxelles, coll. Fievez.

CI-CONTRE : Jean Delescluze, décor pour *Elektra* de Richard Strauss, présenté au théâtre royal de la Monnaie en 1910. Photographie ancienne. Bruxelles, archives du théâtre royal de la Monnaie.

PAGE DE DROITE : James Thiriar, affiche pour la création française de *Parsifal*, le 2 janvier 1914. Lithographie. Bruxelles, archives du théâtre royal de la Monnaie.

Henri Evenepoel, *La Fête nègre à Blidah*, 1898. Huile sur toile, 81 x 125 cm. Bruxelles, musées royaux des Beaux-Arts de Belgique.

Bréma, fait des recettes historiques ; suivent *Le Crépuscule des dieux,* la Tétralogie – première intégrale en langue française en 1903 –, *Tannhäuser, Lohengrin, La Walkyrie.* Il faudra attendre le 2 janvier 1914 pour assister à la première de *Parsifal.* Ce sera un immense triomphe, dont les derniers échos se mêleront aux bruits de bottes de l'armée allemande.

L'action de Kufferath ne se limitera pas au répertoire wagnérien. Les Belges ont leur place (Blockx, Albert Dupuis, Gilson, Lauweryns, Buffin), Puccini assiste aux premières de toutes ses œuvres, dans une ville qui sera sa dernière halte ; le vérisme s'implante sans s'imposer ; Richard Strauss, apprécié de Kufferath, bénéficie de tous les soins – *Elektra* est montée dès 1910, et une Semaine Strauss est organisée en 1914 –, la musique française est représentée dans toutes ses tendances : Massenet, Saint-Saëns, Widor côtoient Debussy – Pelléas passe en janvier 1907 – et Messager, sans oublier une intégrale des *Troyens* de Berlioz ; de grandes créations continuent à être présentées, tels *L'Étranger* de d'Indy (1903), *Le Roi Arthus* de Chausson (1903) ou *Éros vainqueur* de Pierre de Bréville (1910).

Le règne de Kufferath et Guidé restera dans les mémoires : un répertoire large, une qualité de mise en scène inconnue jusqu'alors, un orchestre sûr et des solistes de haut niveau – ici encore, la guerre mettra un terme obligé à un âge qui aurait pu durer.

Malgré tout, un déclin plus naturel était en train de s'amorcer. La musique de chambre devrait attendre le sursaut du quatuor Pro Arte, après la guerre, pour connaître des émotions d'une qualité pareille à celle des concerts des XX. Le départ de Dupuis en 1911 porta un coup dur aux Populaires. La mort de Gevaert, en 1908, brisa le prestige des concerts du conservatoire. Une page était définitivement tournée.

La Libre Esthétique entre impressionnisme et luminisme

Si le symbolisme triomphe avec le siècle naissant, la voie naturaliste ne s'est pas épuisée. Comme pour la littérature, la peinture vit à l'heure d'un retour au réel qui trouve dans la Flandre rurale son expression anti-

Émile Claus, *Le Châtaignier*, 1906 (?). Huile sur toile, 134 x 144 cm. Liège, musée d'Art moderne et d'Art contemporain.

moderniste. À Bruxelles, la représentation de la nature conserve ses droits. Mieux, elle voit en Maus un avocat sensible aux charmes rutilants de la lumière. Parmi les artistes auxquels il s'attache, la figure d'Evenepoel s'impose dans la trajectoire éphémère d'une existence vite brisée. Condisciple de Rouault et de Matisse dans la classe de Moreau, Evenepoel découvre à Paris une vie fascinante qui stimule sa création : le spectacle de la ville s'exprime dans son œuvre en des accords personnels. Aux impressions se mêle une calligraphie rapide qui restitue la vie dans l'éclat de ses couleurs et l'intimité de ses pulsions. Evenepoel déborde le réalisme et l'impressionnisme de ses intentions par la puissance plastique qu'à l'inverse d'un Lautrec ou d'un Forain il ne veut ni acide ni acerbe. Son sens de l'harmonie, sa recherche d'accords s'exprimeront plus librement dans les scènes d'intérieur et dans les portraits. Le désir de pénétrer psychologiquement son environnement se double d'une volonté d'animer la couleur en donnant vie à la matière. En 1897, un voyage en Algérie permet à Evenepoel de découvrir une lumière incisive qui ronge l'objet et fait éclater le volume. L'artiste en

accentue l'effet jusqu'à styliser les formes en des aplats décoratifs qui approfondissent l'expérience japoniste. Son décès, en 1899, mettra un terme prématuré à une œuvre riche à laquelle la Libre Esthétique rendit hommage l'année suivante.

À partir de 1904, Maus décide de transformer l'esprit des Salons annuels de la Libre Esthétique en expositions tournant autour de thèmes (le portrait, le paysage), d'écoles nationales, de styles consacrés. À côté des rétrospectives, ces « présentations méthodiques », pour reprendre l'expression de Madeleine Maus, confirment le besoin de revenir à une histoire désormais dépassée. Le Salon de 1904 sera entièrement consacré aux impressionnistes. Maus réunit aux cimaises Manet, Sisley, Cézanne, Pissarro, Monet, Renoir, Guillaumin, Degas, Morisot, Cassatt, Seurat, Signac, Cross, Luce, Van Gogh, Gauguin, Lautrec, Vuillard, Roussel, Bonnard, Denis. Seul Belge présent, Théo Van Rysselberghe, l'ami et complice de Maus, installé depuis suffisamment longtemps à Paris pour s'intégrer à l'école française. En effet, Maus entend consacrer le Salon de 1904 aux seuls artistes français,

Théo Van Rysselberghe, *La Promenade*, 1901, Huile sur toile, 97 x 130 cm. Bruxelles, musées royaux des Beaux-Arts de Belgique.

réservant le prochain aux développements extérieurs du mouvement.

Dans sa préface au catalogue, il s'attarde sur l'évolution et la richesse de l'impressionnisme français. Cet hommage, qui en fait va des premiers impressionnistes aux Nabis en passant par le néo-impressionnisme, se retrouve dans les conférences de la Libre Esthétique comme dans le cycle de concerts retraçant l'évolution de la musique de chambre française dans le dernier quart du XIXe siècle. Une fois de plus, *L'Art moderne,* profitant d'une *Enquête sur l'impressionnisme,* conclut à la suprématie du modèle français et à son influence profonde sur l'art belge, thèse qui devait être illustrée par la présentation de 1905.

Cette année 1905 allait réunir les épigones allemands, anglais, canadiens, espagnols, américains, hollandais, russes et belges d'un impressionnisme devenu international. Le quadruple hommage rendu à Verdoyen, Vogels, Pantazis et Evenepoel affirmait un

patrimoine impressionniste belge que renforçait encore la présentation du cercle Vie et Lumière, créé en 1904 et animé par Émile Claus. Ce mouvement réunissait des noms aussi divers que Boch, Degouve de Nuncques, Ensor, Heymans, Morren ou Lemmen. À leurs côtés, une dizaine de paysagistes mineurs illustrait ce qui, sous le nom de « luminisme », devait prolonger une recherche où l'impressionnisme français apportait à la tradition réaliste belge un lyrisme de la lumière exprimé en couleurs vives et chatoyantes. En 1907, Vie et Lumière connaîtra à nouveau les honneurs de la Libre Esthétique. Heymans et Claus sont mis en évidence comme les garants d'une tradition paysagiste érigée en principe national.

Pour Maus, l'évolution – thème choisi pour le Salon de 1906 – devait s'exprimer dans la continuité de cette voie impressionniste. Toute l'histoire future de la Libre Esthétique se fonde sur ce désir de voir se poursuivre dans l'avenir une voie ouverte dans les années 1880 par les XX. Une telle démarche devait allier conformisme et modernité. Ainsi, les expositions de 1906 et 1907 présentent au public bruxellois, aux côtés des nombreux épigones d'un luminisme de convention, ceux qui, à Paris, ont acquis au Salon d'automne de 1905 le quolibet de fauve – Camoin, Matisse, Manguin, Derain, Vlaminck, Friesz –, et un vaste ensemble de toiles d'un luminisme de convention. Si les conceptions de Maus ne sont pas sans clairvoyance[56], leur illustration aux cimaises pèche par son conformisme, alors que certaines outrances n'ont désormais plus place à Bruxelles. Si les Nabis, dont l'intimisme est prisé par nombre d'artistes, sont présentés en 1907, la période bleue de Picasso se voit rejetée de la sélection proposée par Van Rysselberghe.

En 1909, Maus se détache de la représentation de la nature pour consacrer son Salon au thème de la figure et du portrait avant de revenir, en 1910, à « l'évolution du paysage ». À côté d'un parcours chronologique qui ignore expressionnisme allemand et cubisme français pour remonter à Corot et Fourmois, Maus consacre une section au paysage japonais de 1770 à 1850. À nouveau, la Libre Esthétique honore plus qu'elle ne découvre. Néo-impressionnistes et Nabis sont portés aux nues ainsi que leurs amis belges Finch, Lemmen, Claus. La Libre Esthétique a perdu le contact avec la modernité pour raviver le souvenir de ce qu'avaient été ses combats passés. Les dernières expositions ne feront que prolonger une esthétique finissante : partie de l'interprétation du réalisme, celle-ci conduit à une peinture décorative faite de lumière chaude et de couleurs ensoleillées à l'image de ces « interprétations du midi » qui fleuriront au Salon de 1913. L'année suivante, marquée par un hommage à Dario de Regoyos, sera la dernière.

Du symbolisme à l'expressionnisme

À l'aube du XXᵉ siècle, la peinture symboliste entre en mutation et s'installe en Flandre. Les artistes repliés à Laethem-Saint-Martin – George Minne, Gustave Van de Woestijne ou Albert Servaes – refusent la course au progrès qu'impose l'idéologie moderniste. Ils rejettent moins la société que sa destinée industrielle pour lui opposer un idéal agreste teinté d'archaïsme, de mélancolie. Leur recherche, contemplative et mystique, aspire à renouer avec un passé où l'idéal chrétien s'offre

pour seul progrès possible. L'expressionnisme qui s'annonce – et qui trouvera ses figures tutélaires en Constant Permeke, Gust De Smet et Frits Van den Berghe – repose sur un mélange de collectivisme, de conservatisme et de mysticisme. Aux antipodes de cette vision, Léon Spilliaert donne au symbolisme une densité fondée sur l'exploration de ce « moi dramatique » que Munch, à la même époque, met en scène. Toutefois, isolé à Ostende, son impact sur le cours de l'histoire restera marginale.

La stylisation de Spilliaert emprunte à l'Art nouveau la linéarité de ses arabesques, ses aplats décoratifs et japonisants, ses contrastes colorés. Toutefois, l'artiste rejette toute ornementation factice. Ses visions vont à l'essentiel : elles refusent le détail anecdotique, la couleur locale, la forme conventionnelle. L'ornement révèle une vie des formes essentielle, une architecture de la sensation qui évite l'éphémère impressionnisme en même temps que l'artifice symboliste. Spilliaert éprouve un besoin de géométrie qui n'est rien d'autre qu'une mathématique de la sensibilité : les perspectives infinies que rien ne vient troubler, les digues interminables qu'aucun accident de la vie ne peut briser, les espaces immenses voués à la solitude trouvent dans cette puissance d'abstraction leur densité spirituelle.

Georges Lemmen, *La Couture*, 1900–1901. Huile sur papier, 23 x 30 cm. Bruxelles, musées royaux des Beaux-Arts de Belgique.

Léon Spilliaert, *Baigneuse*, 1910. Aquarelle, encre de Chine et crayon sur papier, 63,5 x 48 cm.
Bruxelles, musées royaux des Beaux-Arts de Belgique.

Celle-ci marque l'ensemble de l'œuvre avec son ténébrisme angoissé : la nuit prend une signification nouvelle. Loin des *Nocturnes* de Whistler, les nuits d'encre de Spilliaert estompent les êtres et ouvrent l'espace à l'inconnu. Dans cet univers déserté, la présence de l'homme, infime, se heurte à l'immensité de l'espace pour découvrir l'infini de sa détresse. Peintre de la nuit, insomniaque, Spilliaert hante les rues désertes, les digues abandonnées, l'estacade désolée : la ville, si prisée par la bonne société bruxelloise, devient le réceptacle de sa solitude hallucinée qui mêle rêve et réalité en un même sentiment d'« inquiétante étrangeté ». Symboliste, Spilliaert l'est par ce climat d'angoisse constante et d'interrogation permanente. Engagé en 1902 par l'éditeur Edmond Deman, il découvre les cercles littéraires symbolistes qui occupent alors le haut du pavé à Bruxelles et à Paris où il s'installe quelque temps. Ami de Verhaeren, de Hellens, de Zweig, il

Léon Spilliaert, *Autoportrait*, 1907. Aquarelle, encre de Chine et crayons de couleur sur papier, 48,8 x 63 cm.
Bruxelles, musées royaux des Beaux-Arts de Belgique.

s'intéresse dans un premier temps à la littérature et à l'iconographie symboliste traditionnelle : sphinx pervers, atmosphère délétère lourde de mystère, figures émaciées aux yeux exorbités ... De retour à Ostende, Spilliaert se lance dans une recherche dépouillée de tout l'arsenal idéaliste : dans la ville solitaire, le peintre saisit les choses rendues à leur existence nocturne, les espaces désertés se métamorphosent dans l'incertitude des formes, dans l'étrangeté des lumières. À travers le mas-

que du réel, Spilliaert nous renvoie moins à cet au-delà idéal, cher aux symbolistes, qu'à cette surréalité qui, de l'illusion pétrifiée, laisse jaillir la vie de l'inconscient.

Entre 1908 et 1910, son œuvre gagne en audace plastique : les formes synthétiques deviennent quasi abstraites. Il est alors très proche des ornements végétaux dessinés par Van de Velde au début du siècle. Spilliaert donne au symbolisme une modernité aux antipodes de l'emphase rocaille qui entraîne l'Art

nouveau vers un « style nouille ». La simplicité de la construction, le dépouillement des formes peuvent le rapprocher de ce mouvement qui, dans l'architecture et les arts décoratifs, puise dans le modèle viennois un souci de clarté et de rigueur nouveau. L'évolution de l'artiste s'explique par la signification expressive de l'espace : le vide renvoie à l'homme l'image angoissée de sa propre solitude. Cette tension constante métamorphose dans la nuit intérieurs et extérieurs, en un théâtre lourd de sous-entendus, de passé troublé, de destinée brisée – ce qui rapproche Spilliaert du théâtre nordique d'Ibsen ou de Strindberg –, et se fonde sur la mémoire.

L'action du souvenir entraîne les débris de sensation vers un ailleurs fait d'introspection, de mystère, de doute. La cité balnéaire, dans son écrin bourgeois importé de Bruxelles, marque en profondeur l'œuvre de Spilliaert. Lorsqu'en 1917 il s'installera dans la capitale, la veine se tarit tandis que les thèmes évoluent.

Paradoxalement, Ostende s'impose, comme le centre de la marginalité solitaire. Ensor, Spilliaert et,

Léon Spilliaert, *Galeries royales d'Ostende*, 1908. Aquarelle, lavis à l'encre de Chine et crayons de couleur sur papier, 31 x 50 cm. Bruxelles, musées royaux des Beaux-Arts de Belgique.

Léon Spilliaert, *Femme sur la digue*, 1908. Aquarelle et crayons de couleur sur papier, 33,5 x 73,2 cm.
Bruxelles, musées royaux des Beaux-Arts de Belgique.

bientôt, Van den Berghe conduisent l'art belge vers l'expressionnisme en concentrant leur art sur la seule vérité définitive quoique ébranlée : le moi.

Bruxelles et les promesses d'avenir

Les signes d'un déclin ne sont pas sans promesse. Avec les années 1910, en marge de la Libre Esthétique, une jeune génération prend pied en se revendiquant d'un même héritage où les formules réalistes s'émancipent de leur fidélité mimétique pour trouver dans le luminisme le support d'une joie de peindre qui allie la finesse du regard à un enthousiasme juvénile. Le mouvement qui s'esquisse – et auquel l'appellation *a posteriori* de fauvisme brabançon donnera une valeur programmatique qu'il ignore – aime peindre, dessiner, sculpter. Un groupe se forme, l'Effort, bientôt épaulé

par un marchand français clairvoyant Georges Giroux, qui s'imposera comme le successeur moral de Maus. Peinture, littérature, musique attirent cet « agitateur d'art », couturier en vogue, qui fédère autour de lui quelques artistes de premier plan : Rik Wouters, Fernand Schirren, Jean Brusselmans, Willem Paerels… La palette s'éclaircit : la couleur devient le vecteur d'une lumière qui tend à l'instantané comme à une sensation qui s'anime. La touche, le ton, le geste vont à l'informe pour rendre cette énergie spirituelle que, depuis Bergson, on érige en philosophie. Le mouvement vécu dans l'intimité quotidienne devient le sujet central des toiles de Rik Wouters où la lumière prend une consistance nouvelle. Prise dans un espace mouvant, la forme apparaît sous un jour nouveau. Schirren trace les traits de Miss Blavatsky, la théosophe de renom, dans une veine évoquant le cubisme sans réellement s'en inspirer. Wouters donne à sa *Vierge folle* un dynamisme qui

Rik Wouters, *La Dame en bleu devant une glace*, 1914. Huile sur toile, 123 x 125 cm.
Bruxelles, musées royaux des Beaux-Arts de Belgique.

Page de gauche : Léon Spilliaert, *La Dame au chapeau*, 1907. Aquarelle, gouache et crayons de couleur sur papier, 48,5 x 30,3 cm.
Bruxelles, musées royaux des Beaux-Arts de Belgique (legs Goldschmidt).

ouvre le corps à l'espace et donne au bronze une suavité lumineuse.

L'avant-garde parisienne n'est pas absente de Bruxelles. Avant que Giroux ne lui offre ses cimaises, le Salon de Bruxelles accueille en 1911 des toiles cubistes accompagnées, au catalogue, d'une préface signée de Guillaume Apollinaire. Les artistes belges seront très peu frappés par les œuvres de Braque et Picasso. Le réel reste l'enjeu déterminant. Expressionnisme et sur-réalisme s'annoncent, d'une part dans la robustesse d'un métier attaché à affirmer un tempérament, d'autre part dans le besoin de mettre en relief l'ambiguïté d'une réalité plurielle.

En mars 1912, la galerie Giroux ouvre ses portes. Le fait n'est pas anecdotique. Aux grandes célébrations « sécessionnistes » qui tendaient à se figer, les jeunes artistes, comme leurs amis parisiens, préfèrent l'action d'un marchand audacieux et compréhensif. La galerie Giroux devient une tribune pour les avant-gardes : Matisse, Van Dongen, Derain, mais aussi Kandinsky, l'avant-garde allemande réunie à Berlin par Herwarth Walden et les futuristes italiens sont révélés au public bruxellois. *L'Art moderne* témoigne parfois de cette modernité qui désormais lui échappe. Lorsque Franz Hellens parle de l'exposition consacrée aux œuvres de Kandinsky, tout en rendant hommage au sens des cou-leurs, il stigmatise l'abstraction en tant que création étrangère à une « base terrestre, [à] une forme qui s'ins-pire des formes que chacun de nous connaît[57] ». Pour le critique, les œuvres du peintre russe s'épuisent en de vains kaléidoscopes dont l'ultime mérite serait leur caractère purement décoratif.

La fin de siècle se replie sur elle-même. De nou-veaux mouvements, de nouvelles figures s'imposent peu à peu. L'ère des avant-gardes se profile sous les feux de l'art pour tous, de la recherche d'une plastique pure qui devait rencontrer ce besoin d'organisation ration-nelle de la société déjà affirmée en architecture par les maîtres viennois. Le symbolisme, explorant les terres inconnues de l'inconscient, ouvre la porte au surréa-lisme, tandis que le rejet de la modernité ancrée dans

EN HAUT : Fernand Schirren, *Buste de Madame Blavatsky*, 1898. Plâtre, 54 x 54 cm. Coll. part.

CI-CONTRE : Willem Paerels, *Portrait de Georges Giroux*, 1913–1914. Huile sur toile, 100 x 75 cm. Bruxelles, coll. du Crédit Communal.

ce besoin de révéler un tempérament en marge de toute évolution donne à l'expressionnisme belge son ambiguïté entre archaïsme et novation. Au centre de la vision du monde qui s'esquisse, la vie s'impose comme seul principe de réalité, joyeuse et lumineuse pour les fauves, angoissée et troublée pour les expressionnistes, utopique et volontariste pour les tenants des avantgardes, onirique et critique pour les surréalistes.

La fin des valeurs symbolistes

Fondé sur l'expansion européenne et sur le développement technique que symbolise l'Exposition universelle de Paris en 1900, l'optimisme qui caractérise le tournant du siècle gagne aussi le monde littéraire. Les derniers représentants du symbolisme délaissent l'héritage thématique légué par Baudelaire au profit d'une allégresse où se réconcilient la technique, la nature et la politique. La « vie » devient la référence commune à tous ceux qui entérinent l'idéologie de la Belle Époque. En témoignent les titres des recueils de René Ghil (*Le Vœu de vivre*) ou de Francis Jammes (*Le Triomphe de la vie*). En Belgique, Elskamp avec *La Louange de la vie* (1898) et Verhaeren avec *Les Visages de la vie* (1899) participent du même élan. Aux symbolistes succèdent des groupes « naturistes » et « unanimistes » : aux uns et aux autres, l'évolution de Verhaeren offre un modèle qui sera largement suivi.

Les écrivains belges passent en effet sans transition, et sans rupture apparente, du « mallarmisme » à l'optimisme des expositions universelles et coloniales. Ils connaîtront à la fin du siècle un rayonnement qui, relayé par Paris d'abord, deviendra européen. À la veille de la Grande Guerre, le prix Nobel décerné à Maeterlinck, la proposition de l'attribuer à Verhaeren, et, surtout, d'innombrables traductions, articles, livres et conférences en font les artistes vivants les plus appréciés de leurs contemporains. On peut d'ailleurs penser que c'est leur identification aux valeurs d'avant 1914 qui les rejettera dans une certaine pénombre lors des grandes remises en question des années 1920 : que le narrateur de *L'Homme sans qualités* dialogue avec les essais de Maeterlinck dans sa tentative de penser la fin d'un monde est un indice probant, et de leur importance et de leur dépassement.

Il semble que deux facteurs au moins peuvent expliquer ce destin exceptionnel. Leur relation de proximité avec la vie politique locale suggère que les symbolistes belges se sont moins avancés sur la voie de la déconstruction que leurs confrères français : leur rejet social ne s'est jamais mué en une révolte nihiliste ou anarchiste. Dans le domaine pictural, le même phénomène plonge dans l'isolement le principal héraut de la contestation libertaire : James Ensor, volontairement replié à Ostende, ne connaîtra la gloire que dans le sillage d'un expressionnisme devenu expression nationale. Par ailleurs, parce qu'ils s'avançaient sur un terrain relativement dégagé – le théâtre, le roman poétique –, les écrivains symbolistes belges ont pu éprouver le sentiment qu'il leur appartenait de construire plutôt que de détruire : seconde attitude positive. De là une faculté d'adaptation immédiate, et le recours à de nouvelles formes, comme l'essai pour Maeterlinck (*La Vie des abeilles,* 1901), et un lyrisme panthéiste pour Verhaeren (*Les Forces tumultueuses,* 1902), qui font contraste avec le silence des Claudel, Gide ou Valéry pendant la même période.

Mais la fin de siècle ne se termine pas aussi soudainement dans les esprits. Elskamp et Van Lerberghe continuent de creuser après 1900 le risque de déperdition dans la langue, tandis qu'Albert Mockel cultive pieusement les souvenirs de sa première période, ou que Grégoire Le Roy, un condisciple de Maeterlinck et de Van Lerberghe à Gand, revient à ses premières amours poétiques avec la *Chanson d'un pauvre* (1907). À la croisée de plusieurs tendances, les textes de Georges Marlowe (1872–1947) ont connu une gloire locale. C'est le cas aussi de Fernand Séverin (1867–1931), le confident de Charles Van Lerberghe, ou de Thomas Braun (1876–1961). Mais déjà sortent de l'ombre les auteurs qui s'inscriront dans les courants littéraires de l'entre-deux-guerres : Neel Doff (1858–1942), avec ses *Jours de famine et de détresse* (1911), témoigne de son adolescence malheureuse et de l'ascension sociale permise par son mariage avec Fernand Brouez (1861–1900), le directeur trop tôt disparu de *La Société nouvelle ;* André Baillon (1875–1932) renouvellera le genre autobiographique ; Franz Hellens (1881–1972), l'infatigable animateur des revues francobelges, et Jean de Boschère (1878–1953), admirateur d'Elskamp, poète et romancier ... Pour tous, le symbolisme aura été une période de formation, mais ni le mouvement culturel ni le contexte social ne permettaient que perdure cette fin de siècle.

Conclusion

Rik Wouters, *La Vierge folle ou Folle danseuse*, 1912. Bronze, 195 x 120 x 135 cm. Bruxelles, musée communal d'Ixelles.

Fin de siècle. Cette appellation, selon les langues qui y recourent, prend ici couleur de décadence, là lueur d'avenir. Entre 1880 et 1914, Bruxelles est apparue dans sa dimension plurielle. À la fois héritière d'une tradition et hostile au poids de ce passé révolu. Capitale d'un jeune État, elle conserve la mémoire d'un patrimoine riche dont les réalisations multiples ont essaimé à travers l'Europe nombre de joyaux. Attachée à ce passé dans lequel la Belgique, tout au long du XIXᵉ siècle, entend puiser sa légitimité, Bruxelles tourne aussi son visage vers le futur. Point de sentiment de décadence dans cette jeune nation que l'absence d'ambition guerrière préserve de défaites tant militaires que morales. 1870 marque la France et conforte la Belgique. L'assurance de celle-ci ne repose pas sur un sentiment patriotique qui interdit à Paris de s'embraser pour Wagner, elle naît d'une ouverture d'esprit qui, récusant toute chapelle – les XX lutteront sans cesse contre cette tentation de se vouloir une école –, se reconnaît dans le présent pour affirmer des lendemains différents. La diversité est richesse. Elle consacre en Bruxelles un terrain fertile aux innovations venues de l'Europe entière.

La fin du siècle traduit à la fois une recherche identitaire et une volonté de rupture à l'égard des conventions académiques. L'essor de Bruxelles et sa métamorphose en une capitale européenne feront de la ville une caisse de résonance de la modernité, quelle qu'en soit l'origine : le néo-impressionnisme y trouvera sa tribune, Wagner sa scène avant que Bayreuth ne lui offre un temple, le symbolisme y débordera la seule poésie pour toucher tous les registres de l'art. Bruxelles fin de siècle fait écho à ce monde nouveau qui s'inscrit en sécession de l'ordre ancien. Minne, Khnopff, Maeterlinck, Verhaeren, Meunier, Van de Velde, Ysaÿe rencontreront un accueil enthousiaste à Paris, Vienne, Londres, Berlin, Moscou, Saint-Pétersbourg, voire New York. Leur influence, si elle ne résista pas toujours à la tourmente d'août 1914, ne se révélera pas moins profonde.

Le mouvement qui s'est esquissé au tournant des années 1880 a été possible parce que le pays jouissait d'une situation économique florissante. Malgré la crise qui ébranle toutes les capitales européennes, l'État reste puissant. Les industries fonctionnent, la bourgeoisie prospère, des fortunes se bâtissent, des débouchés se créent et l'aventure coloniale, née du seul vouloir de Léopold II, offre bientôt ses promesses. Au tableau idyllique d'un État moderne conscient de sa puissance s'oppose, en négatif, l'état d'un peuple dont la grande majorité vit dans le plus profond dénuement. L'engagement social apparaîtra bientôt comme un impératif éthique indissociable de cette modernité à laquelle les cercles d'avant-garde s'identifient. Pour la bourgeoisie radicale qui s'affirme comme moteur de la société, la fin de siècle apparaît telle une guerre intérieure, livrée contre soi, contre les valeurs qu'elle incarne en faveur d'un nouvel idéal progressiste et moderne, dont la grande crise économique des années 1870–1880 avait fait sentir l'urgence. La bourgeoisie, traversée de tensions internes, aspire à réformer le monde sur lequel elle a bâti sa puissance pour répondre à cette soif de progrès dont elle est elle-même porteuse.

Du libertaire à l'activiste, du réactionnaire au progressiste, tous reconnaissent comme dimension moderne l'émergence d'un moi qui ne se limite plus aux ordres de la raison. La révolution bourgeoise tient à l'idée d'individualité indissociable de celle de liberté : Verhaeren ou Ensor, que ce soit dans l'usage du mot ou dans celui de la couleur, expriment avant tout l'indépendance d'un tempérament confronté au monde moderne. La vie devient l'élément moteur d'une quête qui situe autant l'homme dans la société que celle-ci face à son destin ; la fragilité de l'être et du monde, au-delà d'un pessimisme qui relève de la réalité du temps comme des effets de la mode, donne sa vigueur à l'interrogation portée sur la condition humaine. Khnopff, Minne ou Maeterlinck, par leur attachement à la subjectivité, témoignent de leur époque, de son ambition

morale et de sa situation sociale, au même titre que Lemonnier ou Meunier en offrent l'expression collective au travers de l'individu. Du réalisme au symbolisme, l'homme constitue l'élément crucial de la remise en cause de l'ordre établi.

Centré sur l'existence, l'esprit fin de siècle aspire à l'immatériel, au sentiment pur, à cette « musique avant toute chose » qui fait que si Bruxelles ne brille pas sur le plan musical en terme de création, elle s'impose comme le lieu privilégié où les accords longtemps rêvés prennent forme. La Monnaie devient le point de ralliement du wagnérisme et du franckisme. Toutefois, l'idéalité désincarnée de la musique n'occulte pas la nécessité d'agir sur le présent, d'en métamorphoser les traits, d'en corriger les erreurs. L'ultime œuvre d'art totale rêvée sera la société même. L'Art nouveau naît pour exprimer dans les formes enveloppant nos existences cette énergie vitale qui, dans le mouvement des arabesques de Horta, résume l'individu, l'évolution de l'espèce, le devenir de la société. Le mouvement est la vie. Il unit l'homme à son environnement, lui renvoie l'image de son idéal, esquisse l'avenir d'une société accordée au progrès.

L'idéal restera un rêve. Lourd d'ambiguïté, sa destinée demeure éphémère même si, au tournant du siècle, s'élaborent les thèses que les avant-gardes devaient reprendre un jour. En atteste le destin de Van de Velde. Les thèses élaborées par l'architecte belge seront à l'origine du Bauhaus de Weimar ainsi que des dogmes constructivistes et productivistes développés aux Pays-Bas, en Union soviétique et en Allemagne dans les années 1920.

Loin de contempler son propre anéantissement dans un frisson apocalyptique, fût-il joyeux, Bruxelles fin de siècle ouvre une fenêtre sur l'avenir. Dans une période de doutes et d'incertitudes, tant intérieurs qu'extérieurs, la création passe pour l'expression même de la liberté. Ne serait-ce pas là l'apport essentiel de Bruxelles au carrefour de l'Europe fin de siècle ?

Notes

Bruxelles, carrefour et creuset fin de siècle

1. R. Genaille, *L'Art flamand*, Paris, 1965, p. 19.
2. Ph. Roberts-Jones, « Éclat et densité de la peinture en Belgique », *Image donnée, image reçue*, Bruxelles, 1989, p. 42.
3. Caricature de Germinal, in *La Jeune Garde,* Paris, 24 avril 1887.
4. Champfleury, « Du réalisme », *L'Artiste,* 2 septembre 1855.
5. A. H. Barr, *Maîtres de l'art moderne*, Bruxelles, 1955, p. 34.
6. J. Pradelle, « Félicien Rops », *La Plume*, Paris, 15 juin 1896, p. 409.
7. Ph. Roberts-Jones, « Le symbolisme et les formes du silence », *op. cit.,* pp. 140 et 146.
8. C. Pichois, « Maeterlinck aujourd'hui », *Bulletin de l'Académie royale de langue et de littérature françaises,* Bruxelles, 1992, p. 153.
9. S. Mallarmé, *Toast à Émile Verhaeren*, in *Œuvres complètes,* Paris, 1979, p. 864.
10. P. Fierens, *L'Art en Belgique*, Bruxelles, 1947, p. 498.
11. E. Verlant, « Le Salon de Gand », *La Jeune Belgique*, Bruxelles, 1892, p. 344.
12. A. France, *L'Île des pingouins*, Paris, 1908, p. 330.

1830–1870 La ville et les arts : de l'indépendance au réalisme

1. Un réseau de routes étoilé, centré sur la capitale, la relie aux principales villes belges et européennes, tandis que le vieux canal de Willebroek, qui assure toujours le transport fluvial entre Bruxelles et Anvers, est prolongé en 1832 grâce à l'inauguration du canal de Charleroi. Jusqu'à la fermeture des charbonnages du Hainaut, les deux canaux constitueront le principal axe industriel du pays et détermineront la localisation d'importantes industries dans cette partie de l'agglomération. Peu après le départ, à l'Allée verte, du premier train à vapeur du continent, le 5 mai 1835, Bruxelles devient aussi le point central du nouveau réseau ferroviaire.
2. Entre 1830 et 1850, la longueur des routes est augmentée de 90 % ; dans la seule Wallonie on compte plus de mille huit cents kilomètres de nouvelles routes de grande voirie.
3. B. S. Chlepner, *Cent ans d'histoire sociale en Belgique,* Bruxelles, 1956, rééd. 1972, p. 48.
4. Tout au long du XIXᵉ siècle, le royaume reste l'un des États où les salaires sont les plus bas, les heures de labeur les plus longues (la journée de travail effective est de onze ou douze heures) et la législation sociale l'une des plus lentes à se mettre en place. En Belgique, comme dans le reste de l'Europe, il n'existe aucune forme de protection contre les accidents de travail ; les nombreux ouvriers blessés ou malades sont le plus souvent abandonnés à leur sort. Les travailleurs peuvent d'autant plus difficilement protester contre ces conditions de travail qu'ils se trouvent dans une situation d'infériorité juridique : les coalitions ouvrières sont interdites jusqu'en 1866 et chaque salarié doit être porteur d'un livret à remettre à son employeur. Le livret ouvrier ne deviendra facultatif qu'en 1883. L'énorme succès de l'industrie belge a donc comme corollaire l'extrême pauvreté de la population ouvrière qui ne recueille pas les fruits de cette croissance.
5. Dans le domaine des arts, l'occupation française avait contribué à l'institutionnalisation de la vie artistique : académies et sociétés d'encouragement des beaux-arts organisaient des Salons dominés par l'esthétique néo-classique. À partir de 1812, Anvers, Gand et Bruxelles s'étaient accordés pour que la tenue du Salon se fît selon une alternance trisannuelle. Dès la fin des années 1820, les académies – beaux-arts ou musique – avaient été réorganisées. Leur prestige allait largement dépasser les frontières du pays. Ainsi, l'école de musique fondée à Bruxelles en 1813 et érigée en Conservatoire royal en 1832 allait devenir, sous la direction de François-Joseph Fétis, un des plus prestigieux lieux d'enseignement de la musique en Europe.
6. Entre 1830 et 1846 plusieurs d'entre elles voient leur population multipliée par quatre alors que celle de Bruxelles-ville n'augmente que d'un quart. Tout au long du siècle, le rapport qui lie la ville à sa banlieue ira en s'inversant. Si au début du XIXᵉ siècle trois quart des personnes vivant dans l'agglomération habitent à Bruxelles-ville, elles ne sont plus que 30 % en 1900.
7. F. Fromentin, *Les Maîtres d'autrefois*, in *Œuvres complètes,* textes établis, présentés et annotés par G. Sagnes, Paris, 1984, p. 571.
8. L. Ranieri, *Léopold II urbaniste*, Bruxelles, 1973, p. 123.
9. La rivière qui traversait lentement la ville, entraînant avec elle des boues mêlées aux eaux polluées des égouts, était une cause permanente d'insalubrité. En période de crue, elle sortait régulièrement de son lit pour inonder les quartiers avoisinants. En 1865, le bourgmestre Jules Anspach fait adopter par le conseil communal de Bruxelles-ville un plan d'embellissement et d'assainissement de la cité qui modifie radicalement sa configuration et tend à lui donner une image plus conforme à son rôle de représentation. Le voûtement de la Senne et l'établissement de deux grands égouts collecteurs constituent les éléments centraux de ce plan. Ils entraînent la destruction de plus d'un millier de maisons, dont de nombreux bâtiments à vocation industrielle – tanneries, brasseries, teintureries … – établis depuis longtemps sur les bords de la rivière. La plupart de ces entreprises et une partie des habitants de ces quartiers rasés migrent vers les faubourgs dont ils accentuent le processus d'urbanisation.
10. Albert Carrier-Belleuse, sculpteur français fort prisé à Bruxelles, vient s'établir dans la capitale et demande à Auguste Rodin de l'y rejoindre. Il s'illustrera sur plusieurs chantiers bruxellois. À son retour à Paris, il confiera son atelier bruxellois à Van Rasbourg qui s'associera avec Rodin ; tous deux seront impliqués dans la décoration sculptée de la façade néo-Renaissance du Conservatoire royal de musique, réalisé rue de la Régence, de 1872 à 1876, par Cluysenaar (à ce sujet, voir Th. Demey, *Bruxelles, chronique d'une capitale en chantier,* Bruxelles, 1990, p. 66).
11. Citons le *Panorama du Caire* réalisé par Wauters, le *Panorama de la bataille de Waterloo* dû à Mathieu, puis, après 1918, celui de l'Yser dû à Bastien.
12. *La Renaissance*, 1849–1850 cité par J. Van Lennep, *La Sculpture sous le règne de Léopold Iᵉʳ* in *La Sculpture belge au XIXᵉ siècle,* Bruxelles, Générale de Banque, 5 octobre-15 décembre 1990, I, p. 30.
13. Culturellement, l'essor de Bruxelles conduit à une mutation de sa population. La capitale prend peu à peu tous les aspects extérieurs d'une cité francophone : dès 1851, les noms de rue et les enseignes sont exclusivement écrits en français, et la vie culturelle s'affirme d'abord francophone. Dans la ville, la population de langue flamande n'est toutefois pas négligeable : jusqu'en 1880, les recenseurs comptent de 20 à 25 % de francophones pour 36 à 39 % de flamands et 30 à 38 % de bilingues, surtout composés de Flamands sachant s'exprimer en français. Après 1890, le pourcentage de bilingues augmente encore, témoignant par là d'une nette tendance à la francisation de la population.
14. Ch. Buls, « Esthétique des villes », *L'Émulation,* 1894, col. 17–21, 33–37 et 49–61.
15. Cf. *Découvrez les hôtels de ville et les maisons communales à Bruxelles,* Bruxelles, 1988.
16. Julien Dillens, Jacques de Lalaing, Isidore De Rudder, Égide Rombaux, Victor Rousseau pour la sculpture, Fernand Khnopff pour le plafond de la salle des mariages, Hélène De Rudder pour les tapisseries de cette même salle. La fontaine de Jef Lambeaux qui orne la place communale ne sera installée qu'en 1976 !
17. Ainsi, l'architecte Joseph J. Dumont, après un voyage en Angleterre en 1846 durant lequel il visite

les prisons cellulaires, utilise l'année suivante en Belgique le style Tudor pour la prison de Bruxelles, un style qui deviendra bientôt inévitable pour ce type d'édifice. On portera aussi son attention sur les nombreuses casernes de la plaine des Manœuvres réalisées à partir de 1875 par l'architecte Pauwels en style Louis XIII.

18. « Rousseau, Dupré, Courbet, Troyon, Daubigny, ont réveillé chez nous la tradition un moment perdue, la tradition d'un réalisme vigoureux. Leur grand mérite est d'avoir, les premiers, adapté au paysage les vieux secrets des peintres flamands. Ils ont donné un signal, et tout de suite, chez nous, ce signal a été entendu. » (G. Van Zype, *Franz Courtens,* Bruxelles, 1908, p. 13).

19. En province, le même mouvement de retour à la nature conduit à Calmthout, près d'Anvers, un Adrien-Joseph Heymans et à Termonde, sur les bords de l'Escaut, un Alfred Courtens. Il y a là un indice de rejet du monde moderne qui marquera en profondeur les symbolistes de la première école de Laethem-Saint-Martin et leurs successeurs expressionnistes.

20. H. H. *Journal des beaux-arts et de la littérature,* 31 janvier 1869.

21. On retrouvera l'écho des combats menés par Louis Dubois dans les colonnes de *L'Art libre* sous le pseudonyme de Hout.

22. En attestera bientôt la vaste « Exposition historique de l'art belge 1830–1880 » ouverte dans les salles du palais des Beaux-Arts pour commémorer le Cinquantenaire de l'indépendance. Le réalisme des Stevens et Dubois s'y verra consacrer aux côtés du néo-classicisisme et du romantisme.

23. « Je dis aux artistes : soyez de votre siècle. Il vous appartient d'être les historiens de votre temps, de le raconter tel que vous le voyez, de l'exprimer tel que vous le sentez, sous toutes ses faces, sous toutes ses formes, dans toutes ses manifestations, à travers toutes ses vicissitudes et toutes ses grandeurs. » (C. Lemonnier, *L'Art libre,* 1ᵉʳ août 1872).

24. V. Reding « La Chrysalide », *La Fédération artistique,* 14 mai 1881, p. 245.

25. « C'est en effet en étudiant cette belle nature, si riche, si variée, si féconde que l'homme devient artiste. La convention académique n'a rien de commun avec l'art. La nature et c'est assez : tel est notre credo. » (*L'Artiste,* 28 novembre 1875).

26. C. Lemonnier, *L'École belge de peinture 1830–1905,* Bruxelles, Van Oest, 1906, rééd. Bruxelles, 1991, p. 133.

27. Cette notion de « juste milieu » est empruntée à l'évolution de la peinture académique française qui, à partir du Salon de 1882, assimile quelques aspects de l'impressionnisme. Lyrisme de la facture, éclat des couleurs mettent au goût du jour des œuvres totalement conventionnelles. À ce sujet, voir A. Boime, *French Academic Painting in Nineteenth Century,* Londres, 1978.

28. Les sociétés musicales d'amateurs en Belgique (chorales, harmonies, fanfares, sociétés symphoniques), rares à l'indépendance, seront plus de cinq cents avant 1914 pour la seule province de Brabant (incluant Bruxelles).

29. Cette grande tragédienne d'une sobriété exemplaire, d'une belle tenue vocale, bouleversera nombre

d'artistes, dont Khnopff qui fera d'elle, à la grande colère de l'intéressée, la figure nue de son tableau « rosicrucien » *Le Vice suprême* exposé aux XX en 1885. Devant le scandale provoqué, l'artiste devra détruire la toile à coups de canne, suscitant l'indignation d'Edmond Picard.

1870–1893 Une nouvelle génération : la modernité

1. E. Pirmez, *La Crise. Examen de la situation économique de la Belgique,* Charleroi, 1884, p. 30.

2. Voir la préface à l'édition de A. W. Pugin, *Les Vrais Principes de l'architecture ogivale ou chrétienne avec des remarques sur leur renaissance au temps actuel,* Bruxelles et Leipzig, 1850.

3. *L'Émulation,* 1876, col. 104. Signalons qu'entre 1870 et 1877, les ouvrages de Vredeman De Vries ont fait l'objet d'une édition en fac-similé publiée à Bruxelles. À l'instar des *Documents classés de l'art dans les Pays-Bas, du Xᵉ au XVIIIᵉ siècle* de Jules Van Ysendijk (1886–1889), ils constitueront une mine inépuisable de motifs pour les tenants de la néo-Renaissance flamande.

4. V. Horta, *Extrait des Mémentos,* in *Mémoires,* Bruxelles, 1985, p. 313.

5. J. Puissant, *Revue de l'ULB,* 1984, nᵒ 4–5, pp. 109–118.

6. A. Giraud, *Pierrot lunaire,* 1884, repris in « Théâtre », Pierrot lunaire, Paris, 1884, p. 1.

7. Ch. Baudelaire, *Pauvre Belgique!,* in *Œuvres complètes*; Paris, 1976, II, p. 879.

8. A. Giraud, « Hérésies artistiques », *La Jeune Belgique,* 1885, p. 255.

9. Y. Gilkin, « Les origines estudiantines de *La Jeune Belgique* », *La Belgique artistique et littéraire,* juillet 1909, p. 6.

10. M. Maeterlinck, « Réponse à l'enquête sur Lautréamont », *Le Disque vert,* III, p. 383.

11. A. Giraud, *Rondels bergamasques,* Bruxelles, 1884, pp. 59–60.

12. M. Waller, « C'est ainsi », *Parnasse de La Jeune Belgique, Paris,* 1887.

13. É. Verhaeren, Quelques notes sur l'œuvre de Fernand Khnopff, Bruxelles, 1887, pp. 22–23.

14. Y. Gilkin, « Le mauvais jardinier », *Parnasse de La Jeune Belgique,* p. 89.

15. M. Maeterlinck, « Feuillage de cœur », *op. cit.,* p. 215.

16. Id., *Serre chaude* (1889), réédité in *Serres chaudes, Quinze Chansons, La Princesse Maleine,* Paris, 1983, p. 31.

17. *Lettre* slnd, 1890 ou 1891, citée par Paul Gorceix, « Lecture » de Max Elskamp, *La Chanson de la rue Saint-Paul,* Bruxelles, 1987, p. 201.

18. M. Maeterlinck cité in C. De Grève, *Georges Rodenbach,* Bruxelles, 1987, pp. 41–44.

19. Ch. Van Lerberghe, *La Chanson d'Ève* (1904), rééd. Bruxelles, 1982.

20. Elle se veut des plus simples : vingt artistes, dont trois auront annuellement en charge l'organisation du Salon, et un secrétaire chargé de la gestion quotidienne de l'association. À l'occasion de l'assem-

blée générale, l'ensemble des membres dresse la liste des invités belges ou étrangers qui figureront au prochain Salon. À l'exposition, chacun accrochera lui-même ses œuvres selon un emplacement tiré au hasard.

21. O. Maus, *Lettre à Eugène Boch du 1ᵉʳ novembre 1883,* Bruxelles, archives de l'Art contemporain. Il convient cependant de tempérer cette vision révolutionnaire. Au sein du XX, les personnalités sont diverses et les tensions nombreuses. Certains, tels Delvin, Vanaise, Verstraete ou Verhaert, en constituent l'aile réactionnaire. Ils seront progressivement exclus à l'occasion d'attaques nourries de *L'Art moderne*. De l'autre côté, les outrances et la provocation d'Ensor lui vaudront nombre de difficultés avec ses pairs. À côté des mots d'ordre et des déclarations tapageuses, l'action de Maus visera la juste voie entre conservatisme et esprit libertaire.

22. Dans un article publié à la date du 17 février 1884, Picard reprend les termes de sa conférence pour définir le trait commun qui unit cette nouvelle avant-garde : « L'étude et l'interprétation directe de la réalité contemporaine par l'artiste se laissant aller librement à son tempérament, et maître d'une technique approfondie. » E. Picard, « L'art jeune », *L'Art moderne,* III, 17 février 1884, p. 49.

23. [É. Verhaeren], « Whistler à Bruxelles », *L'Art moderne,* VII, nᵒ 36, 7 septembre 1887, p. 310.

24. Cité in *L'Art moderne,* nᵒ 11, 16 avril 1884.

25. *Loc. cit.*

26. [Anonyme], « À propos du Salon des XX : l'impressionnisme », *L'Art moderne,* VI, nᵒ 8, 21 février 1886, pp. 57–59.

27. « […] les impressionnistes parisiens emploient des tons purs, le bleu, le rouge, le vert, juxtaposés, ce produit, à distance, des combinaisons harmoniques, au rebours de nos peintres qui cherchent le ton sur la palette et l'appliquent sur la toile que quand ils l'ont trouvé. » [Anonyme], « À propos du Salon des XX. II, L'impressionnisme », *L'Art moderne,* VI, nᵒ 9, 28 février 1886, p. 66.

28. E. Demolder, *James Ensor,* Bruxelles, 1892, p. 18.

29. « Il y aurait, si elle était exposée, des cas subits d'aliénation mentale et des apoplexies foudroyantes. » [O. Maus], « Les vingtistes parisiens », *L'Art moderne,* VI, nᵒ 26, 27 juin 1886, p. 204.

30. À cet article, il convient d'ajouter le long exposé théorique intitulé « Le néo-impressionnisme », paru dans *L'Art moderne* en mai 1887. Il faudra attendre 1899 pour que cet essai soit dépassé par le célèbre ouvrage de Signac, *De Delacroix au néo-impressionnisme.*

31. F. Fénéon, « Le néo-impressionnisme », *L'Art moderne,* VII, nᵒ 18, 1ᵉʳ mai 1887, p. 138. La lecture guidée par Fénéon indique au lecteur que l'apport de Seurat constitue bien un dépassement de ce que Pissarro nommait « l'impressionnisme romantique » au profit d'un « impressionnisme scientifique » nourri d'absolu et de perfection. Le principe de contraste simultané – chaque couleur perçue colore son environnement immédiat de sa couleur complémentaire (un point jaune fixé avec intensité se borde d'un halo violet) – interdit désormais tout mélange sur la palette pour préserver sur la toile, par la juxtaposition des teintes, l'intensité de la lumière. Celle-ci organise l'image selon un principe scientifique – inspiré des physiciens Chevreul, Sutter et Rood – d'où découle une technique stricte qui garantit au tableau sa vérité. À cette recherche de la perfection, répond chez Seurat une volonté d'absolu qui se nourrit de la psychologie des lignes élaborée par le physiologiste Charles Henry et par le recours au nombre d'or cher à Puvis de Chavannes. Et Seurat de définir son esthétique dans un courrier type adressé à Jules Beaubourg : « L'Art c'est l'Harmonie. L'Harmonie c'est l'analogie des contraires, l'analogie des semblables, de ton, de teinte, de ligne, considérés par la dominante et sous l'influence d'un éclairage en combinaisons gaies, calmes ou tristes. » G. Seurat, cité d'après J. Rewald, *Seurat*, Paris, 1990, p. 168.

32. H. Van de Velde, « Notes d'art », *La Wallonie*, V, nº 2–3, février-mars 1890, pp. 92–93. À propos de la vision critique de Van de Velde, on se reportera aux deux autres articles publiés dans *La Wallonie* en avril 1890 et en mars-avril 1891 intitulés « Notes d'art : ‹Chahut› et Georges Seurat ».

33. [Anonyme], « Le Salon des XX. L'ancien et le nouvel impressionnisme », *L'Art moderne*, VIII, nº 6, 5 février 1888, pp. 41–42.

34. C. Berg, *Max Elskamp et le bouddhisme*, Nancy, 1969, pp. 9–14.

35. G. Rodenbach, *Les Vies encloses*, Paris, 1896, p. 13.

36. M. Maeterlinck, *Serres chaudes*, op. cit., pp. 172–173.

37. É. Verhaeren in *La Wallonie*, mai 1890.

38. C. Mauclair cité in F. C. Legrand, *Le Symbolisme en Belgique*, Bruxelles, Laconti (Belgique, Art du temps), 1970, p. 36.

39. A. Goffin, *Xavier Mellery. Études d'art contemporain*, Bruxelles, 1902, p. 2.

40. F. C. Legrand, *op. cit.*, p. 155.

41. É. Verhaeren, « Les XX », *La Nation*, 15 février 1892.

42. « C'est à se faire naturaliser belge, au moins on peut encore lutter pour l'Art dans votre pays », écrit-il à Maus après l'échec de *Lohengrin* à l'Opéra.

43. La conversion à Brahms, dans cette période d'influence française, sera très dure.

44. Outre Ysaÿe, le quatuor est formé de Mathieu Crickboom, tout jeune disciple d'Ysaÿe, futur intime de Chausson, de Léon Van Hout, le meilleur altiste belge de sa génération, et du violoncelliste Joseph Jacob, ami d'enfance d'Ysaÿe.

45. Du piano à quatre mains avec d'Indy, il tient l'harmonium dans la création de la version pour piano et harmonium de *Prélude, fugue et variation* de Franck, et joue la partition au célesta pour donner forme aux rêves shakespeariens d'Ernest Chausson.

46. G. Lekeu, *Lettre à E. Ysaÿe*, 1er février 1893, in M. Lorrain, *Guillaume Lekeu, sa correspondance, sa vie et son œuvre*, Liège, 1923.

47. Franz Servais tenta en 1887 d'instituer une société de concerts concurrente des Concerts populaires, les Concerts d'hiver ; l'association ne vécut que deux saisons. C'est là que, le 28 avril 1889, fut créée à Bruxelles la *Symphonie* de César Franck.

48. Signalons qu'*Esclarmonde* fera couler beaucoup d'encre et suscitera une parodie très suivie à l'Alcazar, *Ex-clarmonde*, premier coup d'éclat dans la carrière de Georges Garnir. Ex-clarmonde, Roland et le roi Phorcocasse se disputaient les honneurs de la scène avec deux gaziers représentant les Stoumon-Calabrésistes et les Dupont-Lapissardaires, avec des vers, aux dires de Garnir lui-même, « qu'on eût dits commencés par Racine et finis par Richepin ».

1893–1914 L'avant-garde : modernité et conformisme

1. En 1910, les grandes entreprises représentent 1% de l'ensemble des industries, mais elles occupent 63% de la main-d'œuvre ouvrière. Les très petites unités restent en revanche très nombreuses : 92% des entreprises emploient moins de cinq ouvriers et 69% n'en occupent aucun. Le processus de concentration ne touche pas tous les secteurs : dans la plupart des métiers liés au textile, à la construction ou au travail du métal, la grande majorité des entreprises sont de taille modeste.

2. A. Mockel, *Propos de littérature*, 1894, in *Esthétique du symbolisme*, Bruxelles, 1962, p. 93.

3. J. Delville cité in F. C. Legrand, *Le Symbolisme en Belgique*, Bruxelles, 1970, p. 76.

4. J. Delville, *Dialogues entre nous. Argumentation kabbalistique, occultiste, idéaliste*, Bruxelles, s. d., et *La Mission de l'art, étude d'esthétique idéaliste*, Bruxelles, 1900.

5. J. Delville, *La Mission de l'Art, étude d'esthétique idéaliste, op. cit.*, pp. 70–71.

6. Cette exposition, qui s'est tenue du 15 juin au 15 octobre 1902 au conseil provincial de Bruges, réunissait des œuvres de Jan Van Eyck, Petrus Christus, Roger de La Pasture, Hans Memling, Gérard David, Quentin Metsys et Pierre Bruegel.

7. E. Witte et J. Craeybeckx, *La Belgique politique de 1830 à nos jours. Les tensions d'une démocratie bourgeoise*, Bruxelles, 1987, p. 136.

8. H. Van de Velde, *Récit de ma vie. I. Anvers, Bruxelles, Paris, Berlin, 1863–1900*, Paris-Bruxelles, 1992, p. 189.

9. Voir F. De Crits (dir.), *Brussel en het fin-de-siècle, 100 jaar Van Nu en Straks*, Anvers-Bruxelles, 1993, pp. 65–80.

10. E. Picard, in *Pro Arte*, 1886, p. 138.

11. É. Verhaeren, in *La Nation*, 1er novembre 1891.

12. É. Vandervelde, *Essais socialistes (l'alcoolisme, la religion, l'art)*, Paris, Alcan, 1906, cité in R. Pirotte, *Art et société. Le POB et la culture*, Bruxelles, travail dactylographié, p. 9.

13. « L'artiste ne se contente pas de bâtir dans l'idéal. Il s'occupe de tout ce qui nous intéresse et nous touche. Nos monuments, nos maisons, nos meubles, nos vêtements, les moindres objets dont nous nous servons, sont repris sans cesse, transformés par l'Art qui se mêle ainsi à toutes choses et refait constamment notre vie entière pour la rendre plus élégante, plus digne, plus riante et plus sociale. » *L'Art moderne*, nº 1, 1881, p. 2.

14. F. Khnopff, « L'Art anglais », *Annuaire de la Section d'art*, Bruxelles, 1893, p. 30.

15. H. Van de Velde, *Récit de ma vie, op. cit.*, p. 24. Il est probable que Serrurier avait envisagé avec sa future épouse, Maria Bovy, la possibilité de créer à Liège un magasin sur le modèle de Liberty à Londres (fondé en 1875) qu'il avait visité. Dans le premier catalogue de sa firme, paru entre 1884 et 1894, il affirme, à l'instar de son modèle britannique, ne fabriquer que des meubles artistiques et propose à la convoitise de ses clients des objets importés directement des Indes et du Japon. En Angleterre, il avait également découvert William Morris et les guildes, notamment la Century Guild fondée par Arthur Heygate Mackmurdo dont la revue *The Hobby Horse* – premier magazine diffusé sur le continent à témoigner de l'importance du mouvement anglais – devait aussi profondément impressionner Lemmen et Van de Velde.

16. G. Lemmen, « Walter Crane », *L'Art moderne*, nº 9, 1er mars 1891, pp. 67–69, et nº 11, 15 mars 1891, pp. 83–86.

17. H. Van de Velde, *Récit de ma vie, op. cit.*, p. 169.

18. Id., « Première prédication d'art », *L'Art rnoderne*, nº 53, 31 décembre 1893, p. 120.

19. La collaboration qui unit Lemmen à Van de Velde dépasse le cadre de *Van Nu en Straks*. En 1895, Lemmen est l'auteur d'une frise et de mosaïques de verre destinées au fumoir créé par Van de Velde pour la galerie de l'Art nouveau de Bing : celui-ci lui commande aussi le dessin des invitations, des encarts publicitaires et de son papier à lettres. Voir J. Block, *A Neglected Collaboration, Van de Velde, Lemmen and the Diffusion of the Belgian Style*, in G. P. Weisberg et L. S. Dixon, *The Document Image. Visions in Art History*, Syracuse, 1987, pp. 147–164.

20. H. Van de Velde, *Récit de ma vie, op. cit.*, p. 175.

21. Ainsi, en 1892 toujours, Van de Velde répond à la demande de son ami d'enfance, le poète Max Elskamp, et dessine la couverture de *Dominical*: souvenir des jours pendant lesquels Van de Velde courait « le long des plages pour saisir ce que le jeu des flots refluants laissaient d'arabesques linéaires sur la grève » [Id., manuscrit inédit FSX 39, Bruxelles, Bibliothèque royale Archives et musée de la Littérature]. Il est également sollicité par August Vermeylen qui est désireux de créer une revue de littérature flamande d'avant-garde sous le titre *Van Nu en Straks*. Van de Velde fournira des lettrines, vignettes et culs-de-lampe, « tous nés du même esprit, essentiellement abstrait et linéaire » [Id., *Récit de ma vie, op. cit.*, p. 191], influencés par l'estampe japonaise. Il attirera à la revue les collaborations de l'Anglais Ricketts, des Hollandais Thorn-Prikker, Toorop et Holst, ainsi que de Lucien Pissarro.

22. [Anonyme], « Art et socialisme », *L'Art moderne*, IX, nº 27, 30 août 1891, p. 276.

23. [Anonyme], « La Libre Esthétique », *L'Art moderne*, XIII, nº 44, 29 octobre 1893, p. 345.

24. Dans ce catalogue de la Libre Esthétique, plus d'une centaine de noms sont repris. À côté d'un grand nombre d'avocats – ancienne profession de Maus – et de magistrats, on trouve des industriels, des politiciens, des hommes de lettres, des universitaires, des médecins. La qualité de ce comité de patronage témoigne de la reconnaissance mondaine de Maus et de la renommée acquise au terme de dix ans de vingtisme.

25. M. O. Maus, *Trente Années de lutte pour l'art. Les XX et la Libre Esthétique 1884–1914*, Bruxelles, 1980, p. 181. Cet ouvrage, publié à l'origine en 1927 (à Namur, aux éditions de l'Oiseau bleu), constitue le premier témoignage partiel et partial de l'activité des XX et de la Libre Esthétique. Se fondant sur les archives de Maus, son épouse, Madeleine, retrace le fil des événements dans leur dimension interdisciplinaire.

26. F. Khnopff, « Studio-Talk », *The Studio*, VIII, 1896, p. 119. Dès ses débuts, Serrurier – pénétré, comme Horta ou Hankar, des thèses de Viollet-le-Duc – s'était rapproché des cercles liégeois qui, avec Auguste Donnay, Émile et Oscar Berchmans et Armand Rassenfosse, animaient la vie culturelle de la fin du siècle.

27. *L'Art moderne*, XIV, n° 11, 18 mars 1894, p. 86.

28. G. Soulier, « Serrurier-Bovy », *Art et Décoration*, IV, 1898, pp. 78–85.

29. En 1925, Philippe Wolfers reviendra au premier plan de l'actualité artistique avec sa participation – l'ensemble *Gioconda* – à l'Exposition internationale des Arts décoratifs modernes de Paris.

30. Il faut toutefois mentionner la réalisation, à Gand, de deux maisons jumelées, rue des Douze Chambres, où la facture classique s'enrichit des leçons de Beyaert en intégrant une volonté de couleur : brique apparente, frise polychrome, bas-reliefs animent la façade.

31. E. Viollet-le-Duc, *Xe Entretien*, in *Entretiens ou l'Architecte*, Paris, 1872, I, p. 451.

32. Située au 266, chaussée de Haecht, la maison Autrique se distingue par l'usage de la pierre de taille – et non de la brique plafonnée comme il convenait à une maison moyenne – soigneusement appareillée et finement moulurée. La dimension des baies, ouvertes grâce à l'usage de minces poteaux et colonnettes métalliques, baigne de lumière l'intérieur des pièces. Horta parvient à adapter la lucarne en fenêtre en déposant la corniche sur un potelet de bois central.

33. G. Combaz, « Les arts décoratifs au Salon libre de la Libre Esthétique », *L'Art moderne*, XVII n° 13, 23 mars 1897, p. 98.

34. V. Horta, *Mémoires*, Bruxelles, ministère de la Communauté française, 1985, p. 48.

35. É. Vandervelde, in *Le Peuple*, 3 avril 1899.

36. Il s'engagera aux côtés du bourgmestre Charles Buls en faveur de l'« esthétique des villes » et prendra part à des concours de façades ou d'enseignes décoratives (1894). Il participera à la création d'une Coopérative artistique, se proposera de construire une Cité d'artistes à Westende sur la côte belge, présidera la Société populaire chargée d'initier le peuple à l'art, adhérera en 1891 à la Société d'archéologie de Bruxelles et, enfin, écrira des articles dans *L'Émulation*, organe de la Société centrale d'architecture de Belgique.

37. A. Crespin, « Le sgraffito », *L'Émulation*, 1895, col. 172–173.

38. [Anonyme], « Crespin, Duyck et Hankar », *L'Art moderne*, n° 6, 9 février 1896, p. 44.

39. La maison-atelier Gouweloos, rue d'Irlande (1896), atelier Ciamberlani, boulevard de la Cambre (1897), Bartholomé, avenue de Tervueren (1898), Janssens, rue Defacqz (1898) ; socles et vitrines pour les œuvres de son ami Philippe Wolfers exposées dans le salon d'honneur de l'exposition de Tervueren en 1897 ou au Salon de la Société nationale des beaux-arts à Paris en 1901.

40. H. Van de Velde, *Formules de la beauté architectonique moderne*, Bruxelles, 1978, p. 63.

41. *Ibid.*, p. 65.

42. H. Van de Velde, *Récit de ma vie, op. cit.*, p. 213.

43. Cette conférence, intitulée « Die künstlerische Hebung der Frauentracht », paraîtra à Krefeld (Druck und Verlag Kramer und Baum) sous la forme d'un essai de trente-quatre pages. On y ajoutera « Das neue Kunst-Prinzip in der modernen Frauenkleidung », publié dans la revue *Deutsche Kunst und Dekoration* en 1902 (VIII-1, pp. 363–386).

44. La salle à manger, le fumoir, le cabinet de collectionneur et la rotonde qui étaient exposés lui avaient valu les quolibets de la presse française. Il avait même été traité de « barbare » par Rodin. Deux ans plus tard, à Dresde, Bing participe à l'Exposition internationale des beaux-arts en exigeant l'anonymat de tous les artistes de sa galerie. L'accueil de la presse allemande est flatteur et l'anonymat de Van de Velde est tôt levé : la salle de repos à la décoration flamboyante, qu'il a ajoutée à ses créations parisiennes, est abondamment reproduite.

45. Horta sera écarté du projet à cause du coût élevé de ses propositions. Des problèmes personnels liés au caractère irrascible de Horta joueront aussi. Il semble qu'il ne souhaitait pas travailler avec des « tapissiers-décorateurs ». À cette époque, Horta semble déjà sérieusement agacé par les procédés de Van de Velde qui revendique un rôle prépondérant dans la genèse de l'Art nouveau. De surcroît, il s'était querellé avec Georges Hobé à propos de l'aménagement de l'hôtel Deprez-Van de Velde situé avenue Palmerston.

46. Wolfers se verra charger d'une somptueuse reliure (cuir, argent, ivoire, perles baroques et opales) pour un album commémoratif ainsi que XVII, d'un lutrin, offerts au baron de Béthune, commissaire général de l'exposition, par l'État indépendant du Congo. Wolfers choisit des motifs animaliers, héron et chauve-souris, qui hanteront ses créations dans le domaine de la bijouterie et de la verrerie, peut-être à la suite de la découverte des bijoux du Français René Lalique présentés dans le cadre de l'Exposition internationale au Cinquantenaire.

47. Le traitement même des masses n'est pas sans rappeler l'hôtel Aubecq que Victor Horta construisit avenue Louise. L'incurvation du soubassement, côté avenue de la Jonction, supporte la structure métallique du jardin d'hiver qui contribue à l'éclairage de la cage d'escalier, car Brunfaut n'a pas sacrifié au puits de lumière cher à Horta. Les souples arabesques de la rampe d'escalier se déroulent devant les fresques du peintre français Paul Baudouin, disciple de Puvis de Chavannes. L'ensemble du décor pourrait être qualifié d'Art nouveau classicisant. L'élan dynamique qui parcourt les formes de Horta est ici apaisé, mesuré.

48. Adolphe Crespin, ami et collaborateur de Paul Hankar, rapportait qu'Otto Wagner avait introduit l'Art nouveau en Autriche après sa visite à l'exposition de Tervueren en 1897.

49. *L'Art moderne*, XXII, n° 5, 2 février 1902, pp. 33–36, XXII, n° 7, 16 février 1902, pp. 52–53.

50. P. Behrens, cité in K. Frampton, *L'Architecture moderne. Une histoire critique,* Paris, 1985, p. 99.

51. J. Destrée, *Le Peuple,* 4 octobre 1905, p. 1, col. 2.

52. Signalons aussi la présence d'une section gantoise à l'exposition de Turin, Oscar Van de Voorde y présente un salon où se conjuguent inspirations égyptisante et viennoise ; la surface polie du bois est relevée d'incrustations de baguettes métalliques qui dessinent des formes géométriques.

53. « Relation de la visite du palais Stoclet par des architectes belges, le 22 septembre 1912 », *Tekhné,* n° 79, 28 septembre 1912, cité in *Vienne-Bruxelles, La Fortune du palais Stoclet,* Bruxelles, 1897, p. 32.

54. J. S. Gibson, « Artistic Houses », *The Studio,* I, 1893, pp. 215–226.

55. De fait, la société restera active sous une forme assez semblable jusqu'après la mort d'Ysaÿe, en 1931, malgré une longue interruption due à la guerre et à ses suites.

56. Notons qu'à propos des fauves, Maus donne une lecture qui s'intègre totalement dans cette tradition belge dont nous avons vu la lente maturation. Il parle de « fervents poèmes de couleurs et de formes, de décors aux rythmes fougueux ou calmes dans lesquels la réalité objective est subordonnée à l'expression ». O. Maus, *Préface au catalogue de la Libre Esthétique, 1906.*

57. F. Hellens, « À la Galerie Giroux. Exposition de M. Kandinsky », *L'Art moderne*, XXXIII, n° 23, 8 juin 1913, p. 181.

Louis Artan de Saint-Martin
(1837–1890)
Peintre de marines. Cofondateur de la Société libre des Beaux-Arts en 1868. S'inscrivant dans le courant réaliste, il consacre la majeure partie de son œuvre à la représentation de marines réalisées sur la côte belge et hollandaise.

Jean Baes (1848–1914)
Architecte et décorateur. Professeur à l'Académie royale des Beaux-Arts de Bruxelles et fondateur de l'École des arts décoratifs. Un des principaux représentants de l'architecture de style néo-Renaissance flamande.

Alphonse Balat (1818–1895)
Architecte. Représentant d'une tendance classicisante de l'éclectisme. Responsable de l'aménagement des palais de Laeken et de Bruxelles. Construisit entre autres le musée d'Art ancien à Bruxelles, les serres de Laeken, et des hôtels particuliers. Maître de Horta.

Peter Benoit (1834–1901)
Compositeur. Prix de Rome en 1857. Formation en Allemagne et à Paris. Lutte pour l'émancipation culturelle de la Flandre à travers de grandes fresques musicales pour chœurs et orchestre. En 1898, obtient du gouvernement la transformation de l'école de musique flamande, qu'il a créée auparavant à Anvers, en Conservatoire royal.

Henri Beyaert (1823–1894)
Architecte. Maître du style néo-Renaissance flamande caractérisé par le pittoresque, la couleur et le mouvement.

Gédéon-Nicolas-Joseph Bordiau (1832–1904)
Architecte éclectique. Collaborateur de Poelaert. Réalise notamment le plan d'aménagement du quartier Nord-Est à Bruxelles, les palais du Cinquantenaire, l'hôtel Métropole.

Hippolyte Boulenger (1837–1874)
Peintre paysagiste. Fondateur et seul membre de l'École de Tervueren. La forêt de Soignes, en lisière de Bruxelles, constitue la principale source d'inspiration de cet artiste au réalisme expressif.

Louis Brassin (1840–1884)
Pianiste. Élève de Liszt, grand interprète de Schumann, il contribue à introduire Wagner à Bruxelles.

Fernand Brouez (1861–1900)
Animateur principal de la revue socialiste et anarchiste *La Société Nouvelle* de 1884 à 1897. Épousa la romancière Neel Doff.

Henri Cassiers (1858–1944)
Peintre et aquarelliste de paysages, marines, sites urbains et scènes de genre. Auteur de cartes postales et d'affiches qui mettent en scène de manière pittoresque le petit peuple de Flandre et de Zélande.

Paul Cauchie (1875–1952)
Peintre, décorateur et créateur de mobilier. Ses sgraffites décorent de nombreuses constructions Art nouveau à Bruxelles. Son œuvre la plus connue est sa propre maison à Bruxelles (1905).

Albert Ciamberlani (1864–1956)
Peintre symboliste. Cofondateur du cercle Pour l'Art en 1892. Participation, dès 1896, aux Salons d'Art idéaliste organisés par Delville. Influencé par Puvis de Chavannes, il poursuit ses recherches dans la peinture décorative et dans de vastes compositions murales.

Émile Claus (1849–1924)
Chef de file du courant luministe belge. Influencé par Monet, il utilise la technique impressionniste dans ses paysages flamands baignés de lumière. Fondateur, en 1904, du cercle Vie et Lumière.

Gisbert (ou Ghisbert) Combaz (1869–1941)
Peintre de paysages, de portraits et de sujets religieux. Sculpteur, professeur et historien d'art. Surtout célèbre par ses lithographies et ses affiches.

Adolphe Crespin (1859–1944)
Peintre, décorateur, affichiste. S'intéresse très tôt à l'estampe japonaise. Rencontre Hankar et met au point une technique de sgraffite employée pour décorer les façades et salles d'exposition. Travaille avec Édouard Duyck comme affichiste.

Henri De Braekeleer (1840–1888)
Peintre réaliste. Son œuvre, influencée par les petits maîtres hollandais, se caractérise par son intimisme et par le rendu aigu du détail.

Charles De Coster (1827–1879)
Écrivain. Animateur avec Rops de l'hebdomadaire *Uylenspiegel* (1856–1864) dans lequel il publie des contes et des récits dont certains seront repris dans les *Contes brabançons* (1861) ou dans les *Légendes flamandes* (1858). Auteur également de virulents articles politiques. En 1867, paraît son célèbre roman *La Légende et les Aventures héroïques, joyeuses et glorieuses d'Ulenspiegel et de Lamme Goedzak au pays de Flandres et ailleurs,* hymne à la libre-pensée écrite dans une langue artistiquement archaïsante.

William Degouve de Nuncques (1867–1935)
Peintre symboliste. Se lie d'amitié avec Toorop et De Groux qui l'orientent vers le symbolisme. En 1894, il épouse Juliette Massin, peintre, belle-sœur de Verhaeren, et fréquente le milieu littéraire symboliste. Nombreux voyages, notamment aux îles Baléares. Après la mort de sa femme, il s'arrête de peindre pendant trois ans. Puis, son œuvre se limitera à des paysages ardennais.

Charles De Groux (1825–1870)
Élève de Navez à l'Académie de Bruxelles. Cofondateur de la Société libre des Beaux-Arts en 1868. Précurseur du réalisme en Belgique. Son œuvre exprime ses préoccupations sociales et illustre souvent la vie rurale.

Henry De Groux (1867–1930)
Peintre symboliste, fils du précédent. Élu membre du cercle des XX en 1886, il en est exclu dès 1890 pour son tempérament violent. Ami de Degouve de Nuncques. Son art subit l'influence du symbolisme littéraire et montre une prédilection pour les thèmes religieux traités avec grandiloquence.

Jean Delville (1867–1953)
Peintre et écrivain symboliste. Disciple de Péladan, il expose à Paris aux Salons de la Rose+Croix. En 1892, il fonde le cercle Pour l'Art et en 1896 il crée le Salon d'Art idéaliste dont le but est de perpétuer « la grande tradition de l'Art idéaliste depuis les maîtres anciens jusqu'aux maîtres contemporains ».

Eugène Demolder (1862–1919)
Conteur et critique d'art. Cofondateur de la revue *Le Coq rouge.* Dans ses livres, il transpose des scènes empruntées aux peintres flamands et hollandais dont il fait parfois ses héros, tel Rembrandt dans *La Route d'émeraude* (1899).

Isidore De Rudder (1855–1943)
Sculpteur. Auteur de masques et carrelages déco-

ratifs. Collaborateur de la firme Wolfers. A réalisé des monuments funéraires.

Paul DE VIGNE (1843–1901)
Sculpteur. Nombreux voyages en Italie. Représentant du classicisme et de l'académisme en sculpture.

Julien DILLENS (1849–1904)
Sculpteur et médailleur. Prix de Rome en 1877. Célèbre grâce à des portraits en costumes historiques destinés à achever la décoration de monuments anciens. Auteur de figures tombales et de monuments publics.

Auguste DONNAY (1862–1921)
Paysagiste, graveur et illustrateur. Fait ses débuts dans la revue symboliste *La Wallonie*. Auteur de dessins idéalistes.

Charles DOUDELET (1861–1938)
Peintre, graveur et illustrateur. A notamment réalisé les illustrations de plusieurs recueils de Maeterlinck.

Fernand DUBOIS (1861–1939)
Sculpteur, graveur, médailleur symboliste. Élève de Van der Stappen. Professeur à l'école de bijouterie de Bruxelles. Crée de nombreux objets décoratifs en métal. Participation aux expositions des XX et de la Libre Esthétique.

Louis DUBOIS (1830–1880)
Peintre. Disciple de Courbet, il se fait le défenseur du réalisme, tant par sa peinture que par ses écrits dans *L'Art libre*. Membre fondateur de la Société libre des Beaux-Arts dont il sera le principal théoricien.

Paul DU BOIS (1859–1938)
Sculpteur et médailleur. Élève de Van der Stappen. Membre fondateur du cercle des XX. Expose aux XX et à la Libre Esthétique. Réalise de nombreux monuments, des sculptures décoratives et des objets d'art.

Joseph DUPONT (1838–1899)
Chef d'orchestre. Dirige les Concerts populaires pendant plus de vingt-cinq ans. Chef d'orchestre puis directeur (1886–1889) du théâtre royal de la Monnaie. Défend la musique allemande contemporaine à Bruxelles.

Georges EEKHOUD (1854–1927)
Romancier et conteur naturaliste. Fut un des premiers collaborateurs de la revue *La Jeune Belgique* qu'il quitta pour fonder *Le Coq rouge* et défendre un art moins élitiste. Ses romans mettent en scène des héros rebelles opposés à une bourgeoisie égoïste (*La Nouvelle Carthage*, 1888). Le port d'Anvers et ses quartiers douteux ainsi que la région de la Campine apparaissent de manière

récurrente dans ses recueils (*Kees Doorik*, 1884, *Kermesses, Mes communions*, 1895).

Max ELSKAMP (1862–1931)
Poète symboliste. Le folklore et les légendes flamandes constituent la source de ses poèmes qui retrouvent le rythme et les images des litanies, des complaintes et des chansons. Écrites dans une langue archaïsante, ces œuvres portent des titres évocateurs du raffinement de leur auteur : *Dominical* (1892), *Salutations* (1893), *Six Chansons de pauvre homme* (1896)…

James ENSOR (1860–1949)
Peintre. Précurseur de l'art moderne. Membre fondateur du cercle des XX. Il produit d'abord des œuvres sombres aux sujets bourgeois avec une pâte riche et onctueuse. Dès 1883, sa palette s'éclaircit et évolue vers une couleur pure, plus agressive et expressive afin d'illustrer l'univers intérieur de l'artiste au climat fantastique peuplé de squelettes et de masques. Après 1900, il s'enferme dans sa propre création et reprend les thèmes et motifs qui peu à peu lui valent sa notoriété.

Henri EVENEPOEL (1872–1899)
Peintre. Se fixe à Paris dès 1892 où il devient l'élève de Gustave Moreau. Influencé par Degas, Toulouse-Lautrec et Manet. Il peint de nombreux portraits et des paysages parisiens. Voyage en Algérie de 1897 à 1898. La photographie sert souvent de base à ses œuvres.

Émile FABRY (1865–1966)
Peintre et lithographe idéaliste. Cofondateur du cercle Pour l'Art en 1892. Expose aux Salons de la Rose+Croix à Paris. Auteur de grandes compositions murales.

François-Joseph FÉTIS (1784–1871)
Compositeur et musicologue. Fondateur de la *Revue musicale*, directeur du Conservatoire de Bruxelles (1833–1871). Donne un grand prestige aux Concerts du Conservatoire, par lesquels il veut éduquer le public. Sa collection d'instruments anciens est à la base du Musée instrumental du Conservatoire de Bruxelles.

Alfred-William FINCH (dit WILLY)
(1854–1930)
Peintre, aquarelliste, aquafortiste et céramiste. Membre fondateur des XX. D'abord influencé par Ensor, il évolue vers le néo-impressionnisme. Peintre-décorateur pour les faïenceries Boch, il s'adonne à la pratique de la céramique et est appelé à travailler pour la firme Iris en Finlande où il devient professeur dès 1897.

André FONTAINAS (1865–1948)
Poète post-symboliste, proche de Mallarmé et cultivant le mystère dans ses recueils aux titres insolites (*Les Vergers illusoires*, 1892).

César FRANCK (1822–1890)
Compositeur et organiste. Né et formé à Liège, se fixe à Paris en 1844 et poursuit des études d'orgue. Titulaire de l'orgue Cavaillé-Coll de Sainte-Clotilde à Paris. Professeur d'orgue au Conservatoire de Paris (1872–1890). Nombreuses compositions pour orgue, un grand oratorio (*Les Béatitudes*). Par ses compositions (musique de chambre, symphonique, piano, orgue), et ses conceptions modernes influencées par Wagner, il s'impose en maître d'école, influençant profondément Duparc, d'Indy, Chausson et Lekeu.

Léon FRÉDÉRIC (1856–1940)
Peintre. Voyage en Italie avec le sculpteur Dillens. Sa peinture, d'abord rattachée au courant naturaliste par ses préoccupations sociales (vers 1882), glisse vers un symbolisme allégorique. Le peintre exposera d'ailleurs aux Salons d'Art idéaliste dès 1896.

François-Auguste GEVAERT (1828–1908)
Compositeur et musicologue. Carrière à Paris. Quelques succès de compositeur (*Quentin Durward*, 1858). En 1871, nommé directeur du Conservatoire de Bruxelles, il poursuit l'œuvre éducatrice de Fétis. Son répertoire s'étend à Wagner. Organise des concerts historiques sur instruments anciens. Auteur de nombreux traités théoriques et historiques.

Ywan GILKIN (1858–1924)
Poète (*La Nuit*, 1897, *Prométhée*, 1899) et dramaturge (*Savonarole*, 1906, *Egmont*, 1926), grand admirateur de Baudelaire. Un des fondateurs de *La Jeune Belgique* (1881).

Paul GILSON (1865–1942)
Compositeur. Célèbre dès 1892 pour son poème symphonique *La Mer*. Œuvre abondante et inégale. Professeur réputé (groupe des Synthétistes), critique musical.

Albert GIRAUD (Albert Kayenbergh, dit)
(1860–1929)
Poète, critique et journaliste. Cofondateur en 1881 de *La Jeune Belgique*. Son œuvre poétique se caractérise par une esthétique classique et une thématique « fin de siècle » (*Pierrot lunaire*, 1884 mis en musique par Schönberg, *Hors du siècle*, 1888, *Les Dernières Fêtes*, 1891).

Paul HANKAR (1859–1901)
Architecte. Élève et collaborateur de Beyaert. Représentant de la tendance rationaliste de l'Art nouveau à Bruxelles. Maître d'œuvre de l'aménagement de l'exposition coloniale de Tervueren en 1897. A réalisé de nombreux magasins et ateliers d'artistes.

Édouard HANNON (1853–1931)
Photographe. Membre fondateur de l'Association

belge de photographie. En 1904, fait construire à Bruxelles un hôtel particulier de style Art nouveau.

Charles HERMANS (1839–1924)
Peintre réaliste. Son œuvre s'enrichit d'une dimension sociale lorsqu'il expose, en 1875, *À l'aube*, exécutée au format d'une peinture d'histoire.

Adrien-Joseph HEYMANS (1839–1921)
Peintre de paysages. Séjourne à Paris. S'inscrivant d'abord dans la lignée de l'école de Barbizon, son œuvre évolue, dès 1863, vers le luminisme. Participe aux activités de la Société libre des Beaux-Arts, du cercle des XX et de la Libre Esthétique. Cofondateur du cercle Vie et Lumière en 1904 avec Claus.

Victor HORTA (1861–1947)
Architecte. Principale figure de l'architecture moderne en Belgique. Débute sa carrière sous l'influence de son professeur Balat, puis devient l'initiateur et le diffuseur de l'Art nouveau. Construit notamment de nombreuses résidences, la Maison du Peuple à Bruxelles, les grands magasins l'Innovation … Après 1918, son langage formel s'apparente à l'Art déco (Palais des beaux-arts de Bruxelles).

Joseph JONGEN (1873–1953)
Compositeur. Directeur du Conservatoire de Bruxelles (1929–1945). Œuvre abondante et de qualité abordant tous les genres, dans un langage franckiste sensible à Debussy et à Ravel.

Fernand KHNOPFF (1858–1921)
Principal peintre symboliste belge. Élève de Mellery. Lors de séjours à Paris, il est fasciné par Delacroix, Moreau et les pré-raphaélites anglais. Membre fondateur du cercle des XX (1883). À Paris, il expose aux Salons de la Rose+Croix. Lié avec les auteurs symbolistes belges, il se fait illustrateur. Il réalise aussi des sculptures polychromes, des panneaux décoratifs, des costumes et des décors pour le théâtre et l'opéra. Pour ses peintures, il utilise une très grande diversité de média, notamment la photographie. Expose à travers toute l'Europe (Vienne, Londres, Munich …).

Maurice KUFFERATH (1852–1919)
Critique musical et musicographe. Directeur du *Guide musical*. Directeur du théâtre royal de la Monnaie (1900–1919). Défenseur et commentateur de Wagner, de l'école franckiste et de Richard Strauss.

Eugène LAERMANS (1864–1940)
Peintre à vocation sociale. Puise ses sujets dans la vie rurale et ouvrière. Réaliste au début de sa carrière, il évolue vers un synthétisme pré-expressionniste au fur et à mesure que son état de santé

se dégrade. Sourd et aveugle, il participe à la fondation du cercle artistique le Voorwarts.

Jef LAMBEAUX (1852–1908)
Sculpteur. Vit à Paris de 1879 à 1881 puis voyage en Italie. Style mouvementé aux formes opulentes qui apparaît avec *Le Baiser,* exposé au Salon de 1881, il atteint son apogée avec le haut-relief des *Passions humaines.*

Georges LE BRUN (1873–1914)
Peintre. Avec ses intérieurs de fermes et ses paysages montrant divers aspects de la Fagne et des Ardennes, il dévoile un symbolisme subtil mêlé d'intimisme.

Guillaume LEKEU (1870–1894)
Compositeur. Élève de Franck et de d'Indy. De structure franckiste, son œuvre développe un lyrisme puissant et original (*Sonate pour piano et violon, Adagio pour orchestre à cordes*).

Georges LEMMEN (1865–1916)
Peintre intimiste, d'abord influencé par le néo-impressionnisme puis par la ligne Art nouveau. Participe aux Salons des XX (dont il est membre en 1888) et de la Libre Esthétique. Expose au Salon des indépendants à Paris (1889–1892). Illustrateur et affichiste. Fait quelques incursions dans le domaine des arts appliqués.

Camille LEMONNIER (1844–1913)
Romancier naturaliste puis « naturiste », conteur et critique d'art. Défenseur de l'art réaliste contre l'académisme. Fondateur de plusieurs revues dont *L'Art universel* (1873) et l'*Actualité*. Considéré comme le maître par les « Jeunes Belgique » et auteur de plus de soixante-dix volumes comprenant des romans naturalistes (*Un mâle,* 1881, *Happe Chair,* 1886, *La Fin des bourgeois,* 1892), des récits pour enfants, un important ouvrage sur *La Belgique* (1888) et des recueils de souvenirs (*Une vie d'Écrivain,* 1945).

Grégoire LE ROY (1862–1941)
Poète, conteur et critique d'art. Ami d'enfance de Maeterlinck et de Van Lerberghe. Sa *Chanson du pauvre* (1907) apparaît comme une transposition de la poésie populaire.

Auguste LEVÊQUE (1866–1921)
Peintre idéaliste. Disciple de Delville et de Péladan.

Privat LIVEMONT (1861–1936)
Peintre, décorateur, affichiste et lithographe Art nouveau. Travaille à Paris de 1883 à 1889. Ses premières affiches, dont le thème central est souvent la femme, datent de 1890.

Maurice MAETERLINCK (1862–1949)
Principal poète et dramaturge symboliste. Dès le

début, sa poésie s'inscrit dans le courant symboliste (*Les Serres chaudes,* 1889, *Douze Chansons,* 1896). Il s'installe en France, compose des drames d'un climat particulier qui font appel à la légende et au subconscient tels que *La Princesse Maleine* (1889), *Les Aveugles* (1890), *Pelléas et Mélisande* (1892)… Intérêt également pour des domaines scientifiques (*Le Trésor des humbles,* 1896, *La Vie des abeilles,* 1901 …). Ses essais seront connus dans le monde entier. Traduit Ruysbroeck et Novalis. À la fin de sa vie, il rédige ses souvenirs dans *Bulles bleues* (1948). Prix Nobel de littérature en 1911.

Octave MAUS (1856–1919)
Avocat, animateur artistique, critique musical et critique d'art. Participation à la revue *L'Art moderne*. Fondateur, en 1884, du cercle des XX et, en 1893, de la Libre Esthétique. Admirateur de Wagner, grand voyageur et auteur de livres de souvenirs.

Xavier MELLERY (1845–1921)
Peintre, dessinateur, illustrateur. Prix de Rome en 1870. Réalise d'une part des peintures allégoriques et décoratives sur fond or qui resteront à l'état de projet, d'autre part des séries de dessins intimistes et symbolistes qui révèlent la poésie du quotidien. Participation aux XX dès 1885. Maître de Khnopff.

Constantin MEUNIER (1831–1905)
Sculpteur, peintre et dessinateur réaliste. illustre d'abord des sujets religieux et historiques. Vers 1878, il découvre le monde ouvrier qui devient désormais le centre de son œuvre et auquel il donne tantôt un aspect héroïque, tantôt une dimension de critique sociale. Membre de la Société libre des Beaux-Arts puis des XX. Son succès lors de sa participation à l'exposition Bing à Paris (1895) l'amène à exposer dans toute l'Europe.

George MINNE (1866–1941)
Sculpteur et dessinateur symboliste. Expose aux XX en 1890 et fréquente les poètes symbolistes dont il illustre des œuvres. Personnalité majeure du premier groupe de Laethem-Saint-Martin, où il s'installe en 1899. Symboliste par le climat de recueillement, de silence et d'ascétisme qu'il donne à ses œuvres. Annonce l'expressionnisme par son vocabulaire plastique anguleux et torturé.

Léonard MISONNE (1870–1943)
Photographe autodidacte marqué par le pictorialisme.

Albert MOCKEL (1866–1945)
Poète. Fondateur de la revue symboliste *La Wallonie* (1886–1893). Après 1892, il se fixe à Paris où il est attaché au *Mercure de France*. Admirateur de Mallarmé. Poète (*Chantefable un peu naïve,* 1891). Avec ses *Propos de littérature* (1894), il s'impose comme un des principaux théoriciens du symbolisme.

Constant MONTALD (1862–1944)
Peintre symboliste, idéaliste. Prix de Rome, séjours à Paris, en Italie et en Égypte. Auteur de grandes peintures murales mates, décoratives et allégoriques. Ami de Verhaeren dont il fait de nombreux portraits.

George MORREN (1868–1941)
Peintre d'abord néo-impressionniste puis luministe et intimiste. Élève d'Émile Claus avec qui il anime le cercle Vie et Lumière.

Périclès PANTAZIS (1849–1884)
Peintre impressionniste d'origine grecque. D'abord formé à Paris, il arrive à Bruxelles vers 1875 pour travailler dans l'entreprise « Peinture et décoration » de Vogels dont il devient l'ami. Membre fondateur du cercle des XX.

Edmond PICARD (1836–1924)
Écrivain, avocat (Verhaeren et Maeterlinck firent leur stage de docteurs en droit dans son cabinet), professeur, sénateur socialiste. Fondateur de la revue *L'Art moderne* (1881). Partisan de l'idée d'« âme belge » et de l'union nationale, il s'oppose aux « Jeunes Belgique » en affirmant l'art social. Fondateur des *Pandectes belges* et du *Journal des Tribunaux*, journaliste au *Peuple*, auteur d'ouvrages de jurisprudence et d'œuvres littéraires (*La Forge Roussel, L'Amiral, Le Juré*). Dramaturge, il est tenté par le théâtre d'idées (*Jéricho, Ambidextre* …).

Joseph POELAERT (1817–1879)
Architecte. Nommé architecte en chef de la Ville de Bruxelles. Adoptant un style éclectique parfois pompeux et démesuré, il a réalisé entre autres le palais de justice de Bruxelles, la colonne du Congrès, l'église Notre-Dame de Laeken.

Antoine POMPE (1873–1980)
Architecte autodidacte après s'être consacré surtout aux arts industriels. Stage chez Horta. Moderniste de la première heure, rompt très tôt avec le mouvement international pour se déclarer « pseudo-moderniste ». Réalisation de cités-jardins et villas.

Dario de REGOYOS (1857–1913)
Peintre de paysages de nationalité espagnole. Vit en Belgique de 1879 à 1890. Membre fondateur du cercle des XX, il est l'ami de Vogels, Van Rysselberghe, Meunier et Verhaeren. Il introduit l'impressionnisme et la technique divisionniste en Espagne.

Georges RODENBACH (1855–1898)
Poète, romancier et dramaturge symboliste. Si ses premiers écrits dénotent l'influence parnassienne et le culte de la forme, ses œuvres évoluent, dès 1884, vers un climat de rêverie languissante empreint de mysticisme et de pessimisme fin de siècle (*L'Hiver mondain*, 1884, *La Jeunesse blanche*,

1885). Ses romans (*L'Art en exil*, 1889, *Bruges-la-Morte*, 1892) comptent parmi les premières réalisations du symbolisme dans le genre romanesque.

Égide ROMBAUX (1865–1942)
Sculpteur, formé entre autres par Van der Stappen. Collaboration avec Lambeaux. Nombreux voyages. Prix Godecharle en 1887 et prix de Rome en 1891.

Félicien ROPS (1833–1898)
Peintre, graveur, illustrateur. Étudie le droit à l'Université libre de Bruxelles et crée, en 1856, l'hebdomadaire satirique *Uylenspiegel*. En 1874, il s'installe définitivement à Paris où il travaille surtout la gravure et l'illustration, notamment pour des auteurs symbolistes (Péladan, Baudelaire …). Peintre de paysages dans la veine réaliste, il est plus connu pour ses œuvres imprégnées de symbolisme et de satanisme et pour ses compositions érotiques. Élu membre des XX en 1886.

Victor ROUSSEAU (1865–1954)
Sculpteur, statuaire. Élève de Van der Stappen. Prix Godecharle en 1890. Voyages à Londres, Paris, en Italie et en Grèce. Représentant de l'idéalisme en sculpture. Également peintre et dessinateur.

Adolphe SAMUEL (1824–1898)
Compositeur et chef d'orchestre. Élève de Fétis et de Mendelssohn, puis fervent wagnérien. Fondateur des Concerts populaires à Bruxelles (1865). Directeur du Conservatoire royal de Gand (1871–1898).

Willy SCHLOBACH (1865–1951)
Peintre de paysages et de natures mortes. Membre fondateur des XX (1883).

Gustave SERRURIER-BOVY (1858–1910)
Architecte et ensemblier liégeois. Fut un des premiers représentants de l'Art nouveau en Europe. Expose à la Libre Esthétique. Participe à l'aménagement de l'exposition coloniale de Tervueren en 1897. A fondé des magasins à l'enseigne de L'Art dans l'habitation à Liège, Bruxelles, Paris et Nice où il diffusait ses créations.

Fernand SÉVERIN (1867–1931)
Poète (*Le Lys*, 1888, *Le Don d'enfance*, 1891 …). Ami de Mockel et de Van Lerberghe dont il partage peu les affinités symbolistes.

Léon SNEYERS (1877–1949)
Architecte et décorateur. Profondément influencé par la Sécession viennoise. Fonde un magasin d'art L'Intérieur.

Léon SPILLIAERT (1881–1946)
Peintre autodidacte originaire d'Ostende. Se fixe définitivement à Bruxelles en 1935. Utilisation de

média mixtes (pastel, aquarelle, gouache, encre de Chine, crayons de couleur …). Nombreuses références à sa ville natale. Artiste symboliste, précurseur de l'expressionnisme et du surréalisme. Participation à divers groupes artistiques (Sélection, Kunst van Heden …).

Alfred STEVENS (1823–1906)
Un des premiers peintres soucieux de représenter la modernité de son temps. Formé à Bruxelles par le peintre Navez puis à Paris chez Roqueplan, il s'installe dans la capitale française en 1852 et, en tant que peintre de la femme, y rencontre un vif succès. Ami de Manet, il est un des premiers à manifester du goût pour le japonisme en art. Sa maîtrise technique s'allie au raffinement des sujets pour faire le portrait de la Parisienne du Second Empire.

Oscar STOUMON (1835–1900)
Compositeur. Musicien médiocre, il est nommé en 1875 directeur du théâtre royal de la Monnaie avec le chef d'orchestre Édouard Calabresi. Conserve cette direction jusqu'en 1900, malgré une interruption de 1886 à 1889. Viscéralement hostile à Wagner mais assez ouvert aux nouveautés ; plusieurs créations importantes (Reyer, Massenet, d'Indy …).

Edgard TINEL (1854–1912)
Compositeur. Directeur de l'école de musique religieuse de Malines, puis du Conservatoire de Bruxelles (1908–1912). Œuvre abondante marquée par Liszt et orientée vers le répertoire liturgique (oratorio *Franciscus*, 1888).

Jan TOOROP (1858–1928)
Peintre hollandais. Étudie aux académies d'Amsterdam et de Bruxelles. Expose à l'Essor en 1884. Membre du cercle des XX à partir de 1885. Protagoniste de l'Art nouveau hollandais d'une part, il illustre également dans son œuvre la problématique sociale des années 1880–1890 et des thèmes symbolistes et religieux. Grande diversité de styles (réaliste, néo-idéaliste …).

Henry VAN DE VELDE (1863–1957)
Peintre, architecte, ensemblier, relieur, bijoutier, typographe et designer. Après des études de peinture à Anvers et à Paris, passe par une période néo-impressionniste avant de s'orienter vers un style dominé par la ligne ornementale. En 1893, abandonne la peinture pour se consacrer aux arts décoratifs et, plus tard, à l'architecture. Son œuvre marque une évolution de l'Art nouveau vers un style dominé par la pureté des lignes et le fonctionnalisme. Directeur de l'École des Arts à Weimar (1907–1914), puis, en 1926, de l'Institut supérieur des arts décoratifs de la Cambre à Bruxelles. Ses nombreux écrits font de lui le principal théoricien de l'Art nouveau et du mouvement moderne.

Charles Van Der Stappen (1843–1910)
Sculpteur. Nombreux séjours à l'étranger et travaux décoratifs avant de s'inscrire dans un style réaliste non dénué d'idéalisme. Expose aux XX et à la Libre Esthétique.

Émile Vandervelde (1866–1938)
Homme politique, socialiste. Docteur en droit, en sciences sociales et en économie politique. Professeur à l'Université libre de Bruxelles et président du parti ouvrier (1933–1938). Plusieurs mandats ministériels.

Ernest Van Dyck (1861–1923)
Chanteur lyrique. Le plus grand ténor wagnérien de son époque (il est, à Bayreuth, le *Parsifal* idéal de 1888 à 1901). Créateur de *Werther* de Massenet à Vienne.

Charles Van Lerberghe (1861–1907)
Poète et dramaturge symboliste. Sa poésie, d'une grande musicalité, révèle une aspiration à la pureté qui voile mal sa sensualité à fleur de peau (*Entrevisions,* 1898, *La Chanson d'Ève,* 1907). *Les Flaireurs* (1889) inaugurent le drame symboliste belge.

Octave Van Rysselberghe (1855–1927)
Architecte. Frère de Théo Van Rysselberghe. Débute comme architecte éclectique (style néogrec). Collabore avec Van de Velde. Ses réalisations, dans plusieurs pays d'Europe et à Pékin, comprennent des bâtiments comme l'Observatoire d'Uccle, le casino de Cherbourg, des hôtels de tourisme, des hôtels particuliers, la conception de quartiers résidentiels et des travaux d'urbanisme.

Théo Van Rysselberghe (1862–1926)
Peintre néo-impressionniste et sculpteur. Membre fondateur du cercle des XX en 1883, il participe avec Octave Maus à la gestion de ce groupe ainsi qu'à celle de la Libre Esthétique dès 1894. S'installe définitivement en France en 1898. Principal représentant du néo-impressionnisme en Belgique, notamment dans le domaine du portrait.

Jules Jacques Van Ysendijck (1836–1901)
Architecte. Auteur de nombreux édifices de style Renaissance flamande. A réalisé notamment plusieurs hôtels de ville, le château Kunst et Kust et la caserne des grenadiers à Bruxelles, ainsi que des travaux de restauration.

Émile Verhaeren (1855–1916)
Poète et dramaturge symboliste. D'abord influencé par la littérature parnassienne, il subit, à la fin des années 1880, une période de crise dont témoigne sa trilogie symboliste *Les Soirs, Les Débâcles, Les Flambeaux noirs* et dans laquelle il s'ouvre au vers libre et adopte une écriture violente et hachée. Après 1891, son œuvre poétique évolue, d'une part dans une veine plus intimiste (*Les Heures claires,* 1896), d'autre part vers un engagement social et une apologie du monde moderne (*Les Campagnes hallucinées,* 1893, *Les Villes tentaculaires,* 1895 …) qui trouvera sa maturité dans les poèmes « de l'énergie » (*Les Forces tumultueuses,* 1902). Auteur d'essais sur Rembrandt, Ensor, Khnopff … et de drames (*Les Aubes,* 1898, *Le Cloître,* 1900 …).

Isidore Verheyden (1846–1905)
Peintre, paysagiste, portraitiste. Membre du cercle des XX de 1885 à 1888. Il s'inscrit dans la seconde génération du réalisme. Son œuvre révèle aussi l'influence de l'impressionnisme dans l'importance accordée à la lumière.

Guillaume Vogels (1836–1896)
Peintre. Membre du cercle la Chrysalide (1878) puis membre fondateur des XX (1883). Il dépasse l'impressionnisme par la richesse de ses pâtes, sa facture libre et les taches colorées qu'il apose sur ses toiles.

Victor Vreuls (1876–1944)
Compositeur. Élève de d'Indy à Paris. Directeur du Conservatoire de Luxembourg (1906). Wagnérien et franckiste, il compose une œuvre solide, abordant tous les genres.

Max Waller (Maurice Warlomont, dit) (1860–1889)
Écrivain. Fondateur et directeur de *La Jeune Belgique* (1881) qu'il anime de son esprit alerte et impertinent. Poète (*La Flûte à Siebel,* 1887).

Philippe Wolfers (1858–1929)
Sculpteur et orfèvre symboliste et Art nouveau. Excelle dans le domaine de l'art verrier. Influencé par les arts d'Extrême-Orient. Dans son œuvre la femme apparaît comme un leitmotiv.

Eugène Ysaÿe (1858–1931)
Violoniste, compositeur et chef d'orchestre. Un des plus grands virtuoses de son époque. Créateur des *Sonate* de Franck, de Lekeu, du *Concert* de Chausson, du *Ier Quatuor* de d'Indy, du *Quatuor* de Debussy. Professeur au Conservatoire de Bruxelles (1886–1898). Fondateur de la Société symphonique des Concerts Ysaÿe (1896). Compositions d'inspiration franckiste, s'orientant plus tard vers une écriture plus âpre et personnelle (*6 Sonates pour violon seul,* 1924).

BIBLIOGRAPHIE

Art, Architecture, Littérature, Musique, Histoire

A

ADAMS, B., « Ensor as a 1980's Artist », *Print Collector's Newsletter*, XIX, 1, mars-avril 1988, pp. 10–12.

AKKERMAN, K., « De vijf zwaanhangers van de Brusselse goudsmid Philippe Wolfers » [Les cinq pendentifs cygne de l'orfèvre bruxellois Philippe Wolfers], *Antiek*, n° 9, avril 1985, pp. 466–477.

ALHADEFF, A., « George Minne : Maeterlinck's Fin de siècle Illustrator », *Annales de la Fondation Maurice Maeterlinck*, XII, 1966, pp. 742.

ARON, P., *Les Écrivains belges et le socialisme (1880–1913), l'expérience de l'art social : d'Edmond Picard à Émile Verhaeren*, Bruxelles, 1985.

ARON, P., « Le symbolisme belge et la tentation de l'art social : une logique littéraire de l'engagement politique », *Les Lettres Romanes*, XL, 1986, p. 316.

B

BAUDIN, F., « Books in Belgium », *Book Typography 1815–1965 in Europe and the United States of America*, Chicago, 1966, pp. 3–36.

BAUDIN, F., « La formation et l'évolution typographique d'Henry Van de Velde, 1863–1957 », *Quaerendo*, I, 1971, pp. 272–273 ; II, 1972, pp. 55–73.

BERG, Ch., « Dix-neuf lettres de Max Elskamp à propos des Six chansons imprimées par Henry Van de Velde », *Le Livre et l'Estampe*, XVI, 1970, pp. 155 et sq.

BIERME, M., *Les Artistes de la pensée et du sentiment*, Bruxelles, 1911.

BLOCK, J., « What's in a Name : The Origins of Les XX », *Jaarboek van het Koninklijke Museum voor Schone Kunsten Antwerpen* [Bulletin annuel des musées royaux des Beaux-Arts d'Anvers], XXX, 1981–1984, pp. 135–141.

BLOCK, J., *Les XX and Belgian Avant-Gardism 1868–1894*, Ann Arbor, 1984.

BLOCK, J., « A Neglected Collaboration : Van de Velde, Lemmen and the Diffusion of the Belgian Style », *The Document Image : Vision in Art History*, Syracuse, 1987, pp. 147–164.

BLOCK, J., « A Study in Belgian Neo-Impressionnist Portraiture », *Art Institute Of Chicago Museum Studies*, XIII, 1987, pp. 36–51.

BORSI, F., *Victor Horta*, Bruxelles, 1990 (réédd.).

BORSI, F. et Wieser H., *Bruxelles, capitale de l'Art nouveau*, Bruxelles, 1992.

BOYENS, P., *L'Art flamand. Du symbolisme à l'expressionnisme*, Tielt, 1992.

BRAET, H., *L'Accueil fait au symbolisme en Belgique 1885–1900*, Bruxelles, 1967.

C

CANNING, S. M., *A History and Critical Review Of the Salons of ‹ Les Vingt › : 1884–1893*, thèse de doctorat, The Pennsylvania State University, 1980.

CANNING, S. M., « The Symbolist Lanscapes of Henry Van de Velde », *Art Journal*, XLV, été 1985, pp. 130–136.

CARDON, R., *Georges Lemmen (1865–1916)*, Anvers, 1990.

CELIS, M., « Door de oog van de naald : de Art Nouveau woning van Edouard Hannon » [Par le chas de l'aiguille : l'habitation Art nouveau de Édouard Hannon], *Monumenten en Landschappen*, IX, 1990, fasc. 1, pp. 41–55.

CHARTRAIN-HEBBELINCK, M. J., « Les lettres de Théo van Rysselberghe à Octave Maus », *Jaarboek van het Koninklijke Museum voor Schone Kunsten Antwerpen*, XV, 1966, pp. 55–75.

CHARTRAIN-HEBBELINCK, M. J., « Les lettres de Paul Signac à Octave Maus », *Bulletin des musées royaux des Beaux-Arts de Belgique*, XVIII, 1–2, 1969, pp. 52–102.

CHLEPNER, B. S., *Cent ans d'histoire sociale en Belgique*, Bruxelles, 1972 (réédd.).

CLARK, S., « Nobility, Bourgeoisie and Industrial Revolution in Belgium », *Past and Present*, CV, 1984, pp. 140–175.

CLOSSON, E. et VAN DEN BORREN, L. (éd.), *La Musique en Belgique du Moyen Âge à nos jours*, Bruxelles, 1950.

« Constantin Meunier », *La Revue de Bruxelles*, n° spécial, décembre 1978.

COOLS, A. et VANDENDAELE, R., *Les Croisades de Victor Horta*, Bruxelles, s. d.

CROQUEZ, A., *L'Œuvre gravé de James Ensor*, Bruxelles-Genève, 1947.

D

DAVIGNON, H., *L'Amitié de Max Elskamp et d'Albert Mockel (lettres inédites)*, Bruxelles, 1955.

DE BEULE, M., PUISSANT, J. et VANDERMOTTEN, *Itinéraire du paysage industriel bruxellois*, Bruxelles, 1989.

DELEVOYE, R. L., *Ensor*, Anvers, 1981.

DELEVOYE, R. L., De Croes, C. et OLLINGER-ZINQUE, G., *Fernand Khnopff catalogue de l'œuvre*, Bruxelles, 1987 (2ᵉ éd.).

DELEVOYE, R. L., LASCAUT G., VERHEGGEN J.-P. et CUVELIER G., *Felicien Rops*, Bruxelles, 1985.

DELHAYE, J. et DIERKENS-AUBRY, F., *La Maison du Peuple de Victor Horta*, Bruxelles, 1987.

DELSEMME, P. et TROUSSON, R. (éd.), « Le naturalisme et les lettres françaises de Belgique », *Revue de l'Université Libre de Bruxelles*, 1984, 4–5.

DELVILLE, O. et LEGRAND, F.-Cl., *Jean Delville peintre*, Bruxelles, 1984.

DE MAYER, Ch., « Fernand Khnopff et ses modèles », *Bulletin des musées royaux des Beaux Arts de Belgique*, XIII, 1964, pp. 43–56.

DEMOLDER, E., « La sculpture d'ivoire », *L'Art moderne*, n° 22, 1894, pp. 173–175.

DE SADELEER, P., *Max Elskamp. Poète et graveur, Catalogue raisonné d'un ensemble exceptionnel de son œuvre littéraire et graphique*, Bruxelles, 1985.

DESAMA, C., CAULIER-MATHY, N. et GRÉVIN, P., (éd) *1880, La Wallonie née de la grève ?* Bruxelles, 1990.

[DIERKENS]-AUBRY, F., « Henry Van de Velde ou la négation de la mode », *Revue de l'Institut de Sociologie*, 1977, pp. 293–306.

[DIERKENS]-AUBRY, F., « L'influence anglaise sur Henry Van de Velde. Autour du Bloemenwerf », *Annales d'Histoire de l'Art et d'Archéologie de L'Université Libre de Bruxelles*, I, 1979, p. 83–92.

DIERKENS-AUBRY, F., « Victor Horta, architecte de monuments civils et funéraires », *Bulletin de la Commission royale des Monuments et des Sites*, XIII, 1986, pp. 37–101.

DIERKENS-AUBRY, F., *Musée Horta*, Bruxelles, 1990.

DIERKENS-AUBRY, F., « Une acquisition récente des musées royaux d'Art et d'Histoire : ‹ Les quatre Périodes du jour › de Charles Van der Stappen (sellette de Victor Horta) », *Bulletin des musées royaux d'Art et d'Histoire*, tome 64, 1993.

DIERKENS-AUBRY, F. et DULIERE, C., « L'hôtel Hannon, un exceptionnel ensemble de l'époque 1900 », *La Maison d'Hier et d'Aujourd'hui*, n° 46, juin 1980, pp. 14–25.

DIERKENS-AUBRY, F. et VANDENBREEDEN, J., *Art nouveau en Belgique. Architecture et Intérieurs*, Louvain-la-Neuve, 1991.

DRAGUET, M., (éd.), *Irréalisme et art moderne. Les voies de l'imaginaire dans l'art des XVIIIᵉ, XIXᵉ, et XXᵉ siècles, Mélanges Philippe Roberts-Jones*, Bruxelles, 1991.

DRAGUET, M., (éd.), *Rops et la modernité*, Bruxelles, 1991.

DRAGUET, M., *Khnopff ou la dissimulation*, Bruxelles, 1994.

E

EISENMAN, S. F., « Allegory and Anarchism in James Ensor's Apparition : Vision Preceding Futurism », *Records of the Arts Museum, Princeton University,* XLVI, I, 1987, pp. 2–17.

ELSKAMP, M., *Chansons et enluminures,* Bruxelles, 1980. EMERSON, B., *Léopold II. Le royaume et l'empire,* Paris-Gembloux, 1980.

ENSOR, J., *Mes écrits,* Liège, 1974.

ELESCH, J. N., *James Ensor. The Complete Graphic Work, The Illustrated Bartsch,* New York, 1982, vol. 141.

F

FRIANGIA, M. L., *Il simbolisme di Jean Delville,* Bologne, 1978.

FRIEDMAN, D. F., *An Anthology of Belgian Symbolist Poets,* New York-Londres, 1992.

G

GERGELY, T., « La notion de naturalisme en Belgique francophone », *Revue de l'Université de Bruxelles,* 1984, pp. 89–108.

GILSOUL, R., *La Théorie de l'art pour l'art chez les écrivains belges,* Bruxelles, 1936.

GORCEIX, P., *Les Affinités allemandes dans l'œuvre de Maurice Maeterlinck,* Paris, 1975.

GORCEIX, P., « De la spécificité du symbolisme Belge », *Bulletin de l'Académie royale de Langue et de Littérature française,* LVI, 1978, pp. 77–100.

GORCEIX, P., « Y a-t-il un symbolisme belge ? », *Cahiers roumains d'études littéraires,* III, 1980.

GORCEIX, P., *Le Symbolisme en Belgique,* Heidelberg, 1982.

GOYENS DE HEUSCH, S., *L'Impressionnisme et le fauvisme en Belgique,* Anvers, 1988.

GREGOIR, E. J. G., *Les Artistes-Musiciens belges aux XVIIIᵉ et XIXᵉ siècles,* Bruxelles, 1885 (suppléments et compléments en 1887 et 1890).

GUIETTE, R., *Max Elskamp,* Paris, 1955.

H

HAMMACHER, A. M., *Le Monde de Henry Van de Velde,* Anvers, 1967.

HANSE, J., *Naissance d'une littérature,* Bruxelles, 1992.

HAESAERTS, P., *James Ensor,* Bruxelles, 1957.

HASQUIN, H. (éd.), *La Wallonie. Le pays et les hommes. Histoire, économies, sociétés,* t. 2, Bruxelles, 1976.

HEFTING, V., *Jan Toorop, Een Kennismaking* [Jan Toorop, une rencontre], Amsterdam, 1989.

HERBERT, E., *The Artist and Social Reform : France and Belgium, 1885–1898,* New Haven, 1961.

HERMANS, G., *Les Premières années de Maeterlinck,* Gand, 1967.

HOFFMANN, E., « Notes on the Iconography of Félicien Rops », *Burlington Magazine,* CXXIII, avril 1981, pp. 206–218.

HOPPEN-BROUWERS, A., VANDENBREEDEN, J. et BRUGGEMANS, J., *Victor Horta, architectonographie.* Bruxelles, 1975.

HORTA, V., *Mémoires,* éd. par C. Dulière, Bruxelles, 1985.

HOWE, J. W., « Mirror Symbolism in the Work of Fernand Khnopff », *Arts Magazine,* septembre 1978, pp. 112–118.

HOWE, J. W., « The Sphinx and Other Egyptian Motifs in the Work of Fernand Khnopff : The Origins of ‹ The Caresses › », *Arts Magazine,* december 1979, p. 162.

HOWE, J. W., *The Symbolist Art of Fernand Khnopff,* Ann Arbor, 1982.

HOZEE, R., BOWN-TAEVERNIER, S. et HEIJBROEK, J. F., *James Ensor, Dessins et estampes,* Anvers, 1987.

J

JACQUEMYNS, G., *Histoire contemporaine du Grand-Bruxelles,* Bruxelles, 1936.

L

LEBEER, L., *The Prints of James Ensor,* New York, 1971.

LEDENT, A., « Esquisse d'urbanisation d'une capitale, Bruxelles, son passé, son avenir », *La Vie urbaine,* XLI, pp. 321–349.

LEGRAND, F.-Cl., « Les lettres de James Ensor à Octave Maus », *Bulletin des musées royaux des Beaux-Arts de Belgique,* XV, 1966, 34–41.

LEGRAND, F.-Cl., *Le Symbolisme en Belgique,* Bruxelles, 1970.

LEGRAND, F.-Cl., *Ensor cet inconnu,* Bruxelles, 1971 rééd. en 1990.

LEGRAND, F.-Cl., *Un autre Ensor,* Anvers, 1994. *Les Cahiers de la Fonderie. Revue d'histoire sociale et industrielle de la région bruxelloise,* 1986–1993.

LEKEU, G., *Correspondance,* éd. par L. Verdebout, Liège, 1994.

LESKO, D., *James Ensor, the Creative Years,* Princeton, 1985.

LIEBMAN, M., *Les Socialistes belges 1885–1914,* Bruxelles, 1979.

LORRAIN, M., *Guillaume Lekeu, sa correspondance, sa vie & son œuvre,* Liège, 1923.

LOYER, F. et DELHAYE, J., *Victor Horta. Hôtel Tassel. 1893–1895.* Bruxelles, 1986.

LOYER, F., *Paul Hankar. La Naissance de l'Art nouveau,* Bruxelles, 1986.

LOYER, F., *Dix ans d'Art nouveau. Paul Hankar. Architecte,* Bruxelles, 1991.

LOZE, P. et F., *Belgique Art nouveau. De Victor Horta à Antoine Pompe,* Bruxelles, 1991.

M

MABILLE DE PONCHEVILLE, A., *Vie de Verhaeren,* Paris, 1953.

Maison du Peuple, Architecture pour le peuple, Bruxelles, 1984.

MATHEWS, A. J., *La Wallonie, 1886–1892. The Symbolist Movement in Belgium,* New York, 1947.

MAUS, M. O., *Trente années de lutte pour l'art, 1884–1914,* Bruxelles, 1926 (réed. 1980).

MAUS, O., « La sculpture en ivoire à l'exposition de Bruxelles », *Art et Décoration,* II, 1897, pp. 129–133.

MAUS, O., « La Lanterne magique » (1918), *Revue des Belles-Lettres,* Neuchâtel, 1927, pp. 195–227.

MERCIER, Ph. et WANGERMEE, R., *La Musique en Wallonie et à Bruxelles – II – les XIXᵉ et XXᵉ siècles,* Bruxelles, 1982.

McGOUGH, S. C., *James Ensor's ‹ The Entry of Christ into Brussels › in 1889,* thèse de doctorat, Stanford University 1981, New York, 1985.

N

NORTH, B., « Khnopff and Photography : Theory and Practice », conférence, University of Kansas, 1990.

O

OLLINGER-ZINQUE, G., *Ensor : un autorportrait,* Bruxelles, 1976.

OLLINGER-ZINQUE, G., « Les artistes belges et la ‹ Rose+Croix › », *Bulletin des musées royaux des Beaux-Arts de Belgique,* 1989–1991, 1–3, pp. 433–464.

OOSTENS-WITTAMER, Y., *L'Affiche belge 1892–1914,* Bruxelles, 1975.

OOSTENS-WITTAMER, Y., *Victor Horta. L'hôtel Solvay,* Louvain-la-Neuve, 1980 (2 vol.).

OTTEN, M. (dir.), « Centenaire du symbolisme en Belgique », *Les Lettres romanes,* t. XL, nᵒ 3–4, août-novembre 1986.

P

PAINDAVEINE, H., « Léon Sneyers et l'Intérieur moderne, 1877–1948 », *Vienne-Bruxelles, La fortune du palais Stoclet,* nᵒ hors série des archives d'architecture moderne, 1987, pp. 47–57.

PIERRON, S., *Études d'Art,* Bruxelles, s. d., pp. 127–171.

PINCUS-WITEN, R., *Occult Symbolism in France. Joséphin Péladan and the Salon de la Rose-Croix,* New York-Londres, 1976.

PLOEGAERTS, L. et PUTTEMANS, P., *L'Œuvre architecturale de Henry Van de Velde,* Paris, Bruxelles-Québec, 1987.

POWELL, K. H., « Xavier Mellery and the Island of Marken », *Jaarboek van het Koninklijke Museum voor Schone Kunsten Antwerpen,* 1988, pp. 343–367.

PUDLES, L., *Solitude, Silence, and the Inner Life : A Study of belgian Symbolist Artists,* thèse de doctorat, University of California, Berkeley, 1987.

PUDLES, L., « Fernand Khnopff, Georges Rodenbach and Bruges, The Dead City », *The Art Bulletin,* décembre 1992, pp. 637–654.

PUISSANT, J., « Le naturalisme en Belgique, expression littéraire de la crise ou de la prospérité », *Revue de l'Université de Bruxelles,* 1984, pp. 109–118.

Q

QUAGHEBEUR, M., *Lettres belges, entre absence et magie*, Bruxelles, 1990.

R

RANIERI, L., *Léopold II : urbaniste*, Bruxelles, 1973.

RAPETTI, R., « Un chef-d'œuvre pour ces temps d'incertitude : ‹Le Christ aux outrages› d'Henry De Groux », *Revue de l'Art*, 1992, n°. 96, pp. 40–50.

Revue Belge de Musicologie, III-XLV, 1949–1991.

ROBERTS-JONES, Ph., *Du réalisme au surréalisme. La peinture en Belgique de Joseph Stevens à Paul Delvaux*, Bruxelles, 1969, réed. 1994.

ROBERTS-JONES, Ph., *L'Alphabet des circonstances*, Bruxelles, 1981.

ROBERTS-JONES, Ph., *La Peinture irréaliste au XIXe siècle*, Fribourg, 1982.

ROBERTS-JONES, Ph., *Image donnée, image reçue*, Bruxelles, 1989.

ROELANDTS, O., « Étude sur la Société libre des Beaux-Arts de Bruxelles », Bruxelles, 1935.

ROUIR, E., *Armand Rassenfosse. Catalogue raisonné de l'œuvre gravé*, Bruxelles, 1984.

ROUIR, E., *Félicien Rops, catalogue raisonné de l'œuvre gravé et lithographié. I, Les lithographies ; II, Les eaux-fortes, cat. 273–663 ; III, Les eaux-fortes, cat. 664–975*, Bruxelles, 1992.

ROUZET, A., « Les ex-libris Art nouveau en Belgique », *Revue de l'Université Libre de Bruxelles*, 1981–1983, pp. 87–92.

S

SAN NICOLS, J., *Dario De Regoyos*, Barcelone, s. d.

SARLET, Cl., *Les Écrivains d'art en Belgique*, Bruxelles, 1992.

SCHOONBAERT, L. M. A. *et al.*, « Gazette des Beaux-Arts en The Studio als inspiratiebronnen voor James Ensor » [La *Gazette des Beaux-Arts* et *The Studio* comme sources d'inspiration pour James Ensor], *Jaarboek Koninklijk Museum voor Schone Kunsten Antwerpen*, 1978, pp. 205–221.

SEKLER, F., *Josef Hoffmann, Das architektonische Werk* [Josef Hoffmann, l'œuvre architecturale], Salzbourg et Vienne, 1982.

SEMBACH, K. J., *Henry Van de Velde*, New York, 1989.

SEMBACH, K. J. et SCHULTE, B. (éd), *Henry Van de Velde. Ein europäischer Künstler seiner Zeit* [Henry Van de Velde. Un artiste européen de son temps], Cologne, 1992.

SIEBELHOFF, R., « The Three Brides, a drawing by Jan Toorop », *Nederlands Kunsthistorisch Jaarboek* [Bulletin annuel d'histoire de l'art néerlandais], XXVII, 1976, pp. 221–261.

SIEBELHOFF, R., *The Early Development of Jan Toorop*, Utrecht-Toronto, 1973.

SMOLAER-MEYNAR, A. et STENGERS, J. (éd.), *La Région de Bruxelles. Des villages d'autrefois à la ville d'aujourd'hui*, Bruxelles, 1989.

SONCINI FRATTA, A. (éd.), *Le Mouvement symboliste en Belgique*, Bologne, 1990.

SPAANSTRA-POLAK, B., *De grafiek van Jan Toorop*, Amsterdam, Rijksprentenkabinet, Rijksmuseum, 1968.

STARK, D., *Charles de Groux and Social Realism in Belgian Painting, 1848–1875*, thèse de doctorat, Ohio State University, 1979.

STOCKHEM, M., *Eugène Ysaÿe et la musique de chambre*, Liège, 1990.

STENGERS, J. (éd.), *Bruxelles. Croissance d'une capitale*, Bruxelles, 1979.

T

TAVERNIER, A., *Het Ensor-drama in beeld, De aureolen van Kristus of de gevoeligheden van het licht* [Le drame d'Ensor en image, Les auréoles du Christ ou les sensibilités de la lumière], Gand, 1976.

THIERY, A. et VAN DIEVOET, E., *Catalogue complet des œuvres dessinées, peintes et sculptées de Constantin Meunier*, Louvain, 1909.

TIBBE, L., *Art nouveau en socialisme, Henry van de Velde en de Parti Ouvrier Belge* [Art nouveau et socialisme, Henry Van de Velde et le parti ouvrier belge], Amsterdam, Kunsthistoriese Schriften V, 1981.

TIELEMANS, E. H., « Notes sur les ex-libris dessinés par Fernand Khnopff », *L'Ex-libris*, I, novembre 1913, pp. 5–10.

TRICOT, X., *Ensoriana*, Ostende, 1985.

TRICOT, X., *Catalogue raisonné de l'œuvre de James Ensor*, Anvers, 1992, 2 vol.

TROUSSON, R. et FRICKX, R. dir., *Lettres françaises de Belgique. Dictionnaire des œuvres*, Gembloux, 1988–1989.

V

VALLAS, L., *Vincent d'Indy*, Paris, 1946–1950, 2 vol.

VALLAS, L., *La Véritable histoire de César Franck (1822–1890)*, Paris, 1955.

VANDENBREEDEN, J., « Het huis Cauchie : een woning met ‹een special karacter›» [La maison Cauchie : une habitation d'un ‹caractère spécial›], *Monumenten en Landschappen* [Monuments et paysages], II, 1983, n° 6, pp. 20–23.

VANDENBREEDEN, J., « Wooncultuur of de cultus van het wonen. Het Stoclethuis in Brussel » [Culture de l'habitation ou le culte de l'habitat. Le palais Stoclet à Bruxelles], *Openbaar Kunstbezit in Vlaanderen* [Patrimoine public en Flandre], n° 3, 1987, pp. 84–100.

VANDENBREEDEN, J., « Van een stille dood gered » [Sauvé par une mort silencieuse], *Monumenten en Landschappen*, VIII, 1989, n° 5, pp. 12–24.

VAN DE VELDE, H., *Récit de ma vie. Anvers, Bruxelles, Paris, Berlin. I. 1863–1900*, éd. par A. Van Loo et F. Van de Kerckhove, Bruxelles-Paris, 1992.

VANDER LINDEN, A., « Octave Maus et la vie musicale belge », *Mémoires, Académie royale de Belgique, Classe des Beaux-Arts*, 1950, pp. 5–98.

VAN LENNEP, J., *Catalogue de la sculpture. Artistes nés entre 1750 et 1882*, Bruxelles, 1992.

VAN LOO, A., « Passé-futur, La maison atelier de Fernand Khnopff », *Vienne-Bruxelles, la fortune du palais Stoclet*, n° hors série des archives d'architecture moderne, 1987, pp. 59–63.

VAN MARIS, L., *Félicien Rops over Kunst, melancholie & perversiteit* [Félicien Rops à propos de l'art, de la mélancolie et de la perversité], Amsterdam, 1982.

VANNES, R. et SOURIS, A., *Dictionnaire des musiciens (compositeurs)*, Bruxelles, s. d.

VAN PUYVELDE, L., *George Minne*, Bruxelles, 1930.

VANWELKENHUYSEN, G., « De l'*Uylenspiegel* à la *Jeune Belgique* », *Vocations Littéraires*, Paris-Genève, 1959, pp. 9–24.

VAN WEZEL, G. W. C., *Jan Toorop, 1858–1928*, Amsterdam, 1989.

VERNIERS, L., *Bruxelles et son agglomération de 1830 à nos jours*, Bruxelles, 1958.

VERVLIET, R., « Lever de rideau : les précurseurs », in G. Weisberger, *Les Avant-gardes littéraires en Belgique*, Bruxelles, 1991, pp. 27–88.

VICTOIR, J. et VANDERPERREN, J., *Henri Beyaert. Du classicisme à l'Art nouveau*, Sint-Martens-Latem, 1992.

W

WARMOES, J., « La jeunesse de Maeterlinck ou la poésie du mystère », *Annales de la Fondation Maurice Maeterlinck*, VI, 1960, pp. 5–59.

WARMOES, J., « Une amitié : Théo Van Rysselberghe et Émile Verhaeren », *Les Beaux-Arts*, 29 juin 1962, p. 2.

WATELET, J. G., *Gustave Serrurier-Bovy, architecte et décorateur 1858- 1910*, Bruxelles, 1975.

WATELET, J. G., *Serrurier-Bovy*, Bruxelles, 1986.

WATELET, J. G., « Serrurier-Bovy au musée d'Orsay. Le constructivisme d'un décorateur Art nouveau », *Revue du Louvre et des Musées de France*, octobre 1987, n° 4, p. 290–296.

WEISGERBER, J., « *La Jeune Belgique* et cent ans d'avant garde », *Bulletin, Académie royale de Langue et Littérature française*, LIX, 1981, pp. 206–223.

WORTHING, E., *Émile Verhaeren 1855–1916*, Paris, 1992.

Y

YSAŸE, A., *Eugène Ysaÿe, sa vie, son œuvre, son influence*, Bruxelles-Paris, [1947].

Catalogues d'Expositions

Émile Verhaeren : Exposition organisée pour le centième anniversaire de la naissance, Paris, Bibliothèque nationale, 1955.

Rétrospective Anna, (1848–1936) & Eugène (1855–1941) *Boch*, La Louvière, musée des Arts et Métiers, 1958.

Rétrospective Théo Van Rysselberghe, Gand, musée des Beaux-Arts de Belgique, 1962.

Les XX et leur temps, Bruxelles, musées royaux des Beaux-Arts de Belgique, 1962.

Henry Van de Velde, 1863–1957, Bruxelles, palais des Beaux-Arts, 1963.

Le centenaire de Maurice Maeterlinck (1862–1962), Bruxelles, Académie royale, palais des Académies, 1964.

Tervuren 1897, Tervuren, musée royal de l'Afrique centrale, 1967.

Antoine Pompe et l'effort moderne en Belgique 1890–1940, Bruxelles, musée communal d'Ixelles, 1969.

Anna Boch und Eugène Boch. Werke aus den Anfängen der modernen Kunst [Anna Boch et Eugène Boch. Œuvres des débuts de l'art moderne], Saarland Museum, Moderne Galerie Saarbrücken, 1971.

Peintres de l'imaginaire, symbolistes et surréalistes belges, Paris, Grand Palais, 1972.

Als ik Kan, Anvers, musées royaux des Beaux-Arts, 1973.

Antoine Pompe ou l'architecture du sentiment, Bruxelles, musée communal d'Ixelles, 1974.

Ensor, New York, The Solomon R. Guggenheim Museum, 1976.

Le Symbolisme en Europe, Rotterdam, Museum Boymans-Van Beuningen Bruxelles, musées royaux des Beaux-Arts de Belgique, Baden-Baden, Staatliche Kunsthalle et Paris, Grand Palais, 1976.

Félicien Rops, Londres, Arts Council of Great Britain, 1976–1977.

Jan Toorop 1858–1928, Impressionniste, Symboliste, Pointilliste, Paris, Institut Néerlandais, 1977.

J. Th. Toorop, De Jaren 1885 tot 1910 [J. Th. Toorop, des années 1885 à 1910], Otterlo, Rijksmuseum Kröller-Müller, 1978.

Philippe Wolfers juwelen, zilver, ivoor, kristal (1858–1929) [Philippe Wolfers, bijoux, argenterie, ivoire, cristal (1858–1929), Gand, Museum voor Sierkunst, 1979.

Fernand Khnopff 1858–1921, Paris, musée des Arts décoratifs, 1979.

William Degouve de Nuncques, Stavelot, musée de l'ancienne abbaye, 1979.

150 ans de gravure en Belgique, Bruxelles, galerie de la CGER, 1980.

Art et société en Belgique, 1848–1914, Charleroi, palais des Beaux-Arts, 1980.

Belgian Art 1880–1914, New York, The Brooklyn Museum, 1980.

La Photographie en Wallonie, des origines à 1940, Liège, musée de la Vie wallonne, 1980.

Kunst en Camera / Art et photographie, Bruxelles, galerie de la CGER, 1980–1981.

Belgique Art Nouveau, Bruxelles, palais des Beaux-Arts, 1980–1981.

L'industrie en Belgique, Deux siècles de développement 1780–1980, Bruxelles, Crédit communal, 1981.

George Minne en de kunst rond 1900 [George Minne et l'art autour de 1900], Gand, musée des Beaux-Arts, 1982.

Le symbolisme en Belgique, Tokyo, musée national d'Art moderne, 1982–1983.

James Ensor, Anvers, musées royaux des Beaux-Arts, 1983.

James Ensor, Zurich, Kunsthaus, 1983.

Fernand Khnopff and the Belgian Avant-Garde, New York, Barry Friedman, 1984.

Aspecten van het symbolisme, Tekeningen en pastels [Aspects du symbolisme, Dessins et pastels], Anvers, musées royaux des Beaux-Arts, 1985.

Dario de Regoyos, un Espagnol en Belgique, Bruxelles, banque Bruxelles Lambert, 1985.

Félicien Rops 1833–1898, Bruxelles, musées royaux des Beaux-Arts de Belgique, 1985.

D'un livre à l'autre, Mariemont, musée royal de Mariemont, 1986.

La thématique religieuse dans l'art belge. 1875–1985, Bruxelles, galerie de la CGER, 1986.

Autour de Jules Destrée, Charleroi, Institut Jules Destrée en centre culturel de la Communauté française de Wallonie, Bruxelles, 1986.

Dario de Regoyos 1857–1913, Madrid, Fundación Caja de Pensiones, 1987.

Ik James Ensor [Moi James Ensor], Gand, musée des Beaux-Arts, 1987.

Philippe Wolfers 1858–1929. Dessins, Bruxelles, musée Horta, 1987.

Henry Van de Velde (1863–1957), Schilderijen en tekeningen. Paintings and Drawings, Anvers, musées royaux des Beaux-Arts et Otterlo, Rijksmuseum Kröller-Müller, 1988.

Pastelle und Zeichnungen des belgischen Symbolismus [Pastels et dessins du symbolisme belge], Francfort-sur-le-Main, Frankfurter Kunstverein, 1988.

Jan Toorop, La Haye, Gemeentmuseum, 1989.

Le cercle des XX, Bruxelles, Tzwern-Aisinber Fine Arts, 1989.

Fernand Khnopff 1858–1921, Tokyo, musée des Beaux-Arts du Bunkamura, 1990.

James Ensor, Paris, musée du Petit Palais, 1990.

James Ensor, Self Portrait in Prints 1886–1931, New York, Neuberger Museum, State University of New York at Purchase, 1990.

L'impressionnisme et le fauvisme en Belgique, Bruxelles, musée communal d'Ixelles, 1990.

Fin de siècle, dessins, pastels et gravure belges de 1885 à 1905, Bruxelles, galerie de la CGER, 1991.

Felicien Rops. Les Techniques de gravure, Bruxelles, Bibliothèque royale Albert Ier, 1991.

Rops et la modernité, Œuvres de la Communauté Française, Acquisitions récentes (1988–1990). Choix d'œuvres, Bruxelles, musée communal d'Ixelles, 1991.

Victor Horta. Architetto e Designer (1861–1947). Opere dal Musée Horta di Bruxelles, Ferrare, Gallerie Civiche des Palazzo dei Diamanti, 1991–1992.

A. W. Finch, 1854–1930, Bruxelles, musées royaux des Beaux-Arts de Belgique, 1992.

Homage to Brussels, The Art of Belgian Posters 1895–1915, New Brunswick, N. J., Jane Voorhees Zimmerli Art Museum, 1992.

Les Vingt en de avant-garde in België. Prenten, tekeningen en boeken ca. 1890 [Les Vingt et l'avant-garde en Belgique. Gravures, dessins et livres vers 1890], Gand, musée des Beaux-Arts, 1992.

Philippe et Marcel Wolfers. De l'Art nouveau à l'Art déco, Bruxelles, musée Bellevue (musées royaux d'Art et d'Histoire), 1992.

Théo Van Rysselberghe, Gand, Museum voor Schone Kunsten, 1993.

Les XX – La libre Esthétique. Cent ans après, Bruxelles, musées royaux des Beaux-Arts de Belgique, 1993–1994.

De l'impressionnisme au symbolisme. L'Avant-garde belge 1880–1900, Londres, Royal Academy, 1994.

Rick Wouters, Ostende, musée provincial d'Art.

Index

A

About, Edmond 8
Académie des beaux-arts 18
Albers, Henri 246
Alexis, Paul 56
Alhambra 22
Alma-Tadema 100
Anspach, Jules 27, 262 n9
Apollinaire, Guillaume 12, 258
Arnould, Victor 70, 148
L'Art décoratif 199, 203
L'Art idéaliste 139
L'Art indépendant 72
L'Art libre 37, 38, 56, 71, 263 n21
L'Art moderne 62, 70, 71, 73, 74, 78, 83, 85, 93, 96,
    113, 118, 120, 129, 132, 148, 153, 156, 220, 250,
    258, 263 n21
L'Art nouveau 203
L'Art universel 56
Artan de Saint-Martin, Louis 35–37, 39, 78, 93, 266
Arthois, Jacques d' 8
L'Artiste 56
Arts and Crafts 169, 192, 195, 219, 225
atelier libre de Saint-Luc 35, 37
Athénée Émile André 192
Autrique, Eugène 169
avenue Louise 22, 24

B

Baerwolf, Édouard 122
Baes, Jean 54, 55, 266
Balat, Alphonse 54, 55, 169, 187, 239, 240–242, 266
Balzac, Honoré de 59
Barbey d'Aurevilly, Jules 9, 38, 58, 97
Baron 39
Baudelaire, Charles 62, 63, 97, 259
Bauhaus 73, 169, 200, 261
Bauwens, Albert 62
Beardsley, Aubrey 157, 202
Beethoven, Ludwig von 202
Behrens, Peter 220
Benoist, François 45
Benoit, Peter 44, 47, 120, 121, 146, 245, 266
Berchmans, Émile et Oscar 202, 206, 265 n26
Bergson, Henri 255
Berlioz, Hector 43, 45, 125, 248
Bernard, Émile 154
Bernard (imprimeur) 206
Bernhardt, Sarah 206
Besme, Victor 24
Besnard, Albert 154
Beyaert, Henri 54, 55, 187, 265 n30, 266

Biarent, Adolphe 245
Bing 9, 74, 199, 264 n19, 265 n44
Bizet, Georges 45
Blauwaert, Émile 47
Blavatsky, Miss 258
Blérot, Ernest 214, 220, 221
Blockx, Jan 45, 121, 244–246, 248
Boch, Anna 72, 90, 108, 154, 250
Boch, faïenceries 163, 218
Bodenhausen, Eberhard von 196
Boito, Arrigo 46
Bonduelle, Paul 18
Bonnard, Pierre 202, 249
Bordes, Charles 120, 204
Bordiau, Gédéon-Nicolas-Joseph 17, 25, 266
Borodine, Alexandre 120, 245
Boschère, Jean de 259
Boudin, Eugène 37
Boulenger, Hippolyte 8, 35, 37, 38, 75, 78, 93, 266
Bourgault-Ducoudray 125
Bourse de commerce 22, 25, 27
Braecke, Pierre 213
Brahms, Johannes 45, 125, 245, 264 n43
Braque, Georges 258
Brassin, Louis 44, 266
Braun, Thomas 259
Bréma, Marie 248
Bréville, Pierre de 120, 204, 248
Brouez, Fernand 196, 266
Bruckner, Anton 245
Bruegel l'Ancien 8, 59, 151, 264 n6
Bruegel de Velours 8
Bruneau, Alfred 125
Brunfaut, Jules 182, 214, 216, 265 n47
Brusselmans, Jean 255
Buffin, Victor 248
Buls, Charles 27, 265 n36
Burne-Jones, sir Edward 13, 100, 113

C

Café Sésino 22, 25, 63
Caillebotte, Gustave 72
Calabresi, Édouard 46, 122, 245
Camoin 251
Caron, Rose 47, 121, 122
Carpeaux, Jean-Baptiste 42
Carrier-Belleuse, Albert 22, 42, 262 n10
Carrière, Eugène 201
Caruso, Enrico 244
Cassat, Mary 249
Cassiers, Henri 206, 266
Cassirer, Bruno 199

Cassirer, Paul 199
Castillon 45, 120
Cauchie, Paul 232, 236–239, 266
Céard, Henri 56
Cercle artistique et littéraire 32, 37
cercle des XX 8, 9, 13, 70–75, 78, 83, 85, 86, 88,
    90, 92, 96, 108, 113, 114, 118, 120, 121, 125, 142,
    149, 152–154, 156, 159, 201, 202, 204, 248, 251,
    260, 263 n21, 265 n25
Vie et Lumière 250
Cézanne, Paul 7, 13, 92, 202, 249
Chabrier, Emmanuel 120, 125
chalet royal 243
Chambon, Alban 25, 26
Champfleury, Jules Husson dit 38
Charles de France, duc de Lotharingie 7
Charles Quint 7
Charlet, Frantz 70
Charlier, Guillaume 72, 114
Charpentier 154, 245, 246
Chausson, Ernest 120, 125, 203, 204, 244, 248,
    264 n44, 264 n45
Chéret, Jules 153, 206
Chrysalide, la 39, 42, 70, 71, 114
Ciamberlani, Albert 134, 139, 140, 188, 266
cité de l'Olivier 206–219
de la rue Blaes 218
de la rue Haute 218
Helmet 218
Cladel, Léon 56
Claudel, Paul 134, 259
Claus, Émile 93, 201, 249–251, 266
Clésinger, Jean-Baptiste 118, 210
clinique du docteur Van Neck 239, 240
Colonie des artistes de Darmstadt 220
Colonna, Edward 200
Combaz, Gisbert 151, 157, 206, 266
Comte, Auguste 93
Confort Tiffany, Louis 179
Cordier, Charles 118, 210
Cornette, Hélène 118
Corot, Jean-Baptiste 35, 38, 251
Courbet, Gustave 9, 37, 263 n18
Craco, Arthur 118
Crane, Walter 13, 153
Crespin, Adolphe 188, 192, 206, 210, 225, 228, 265
    n48, 266
Crickboom, Mathieu 203, 264 n44
Croiza, Claire 246
Cros, Henri 154
Cross, Henri 72, 249
Cui, César 245

D

Daubigny, Charles 35, 37, 263 n18
Daudet, Lucien 56
Daum, les frères 157
Daumier, Honoré 37
David, Louis 18
Debussy, Claude 12, 13, 96, 202, 245, 248
De Braekeleer, Henri 37, 266
La Décadence 129
De Coster, Charles 35, 36, 38, 266
Degas, Edgar 249
Degouves de Nuncques, William 13, 139–142,
    144, 201, 250, 266
De Groux, Charles 35, 37, 38, 41, 59, 72, 113, 201,
    266
De Groux, Henry 59, 92, 142, 143, 149, 266
De Keyser, Désiré 25
Dekorative Kunst 199
Delaherche, Auguste 153
Delcroix, Léon 204, 245
Delescluze, Jean 246
Delius, Frédéric 245
Delune, Léon 174, 181, 229
Delville, Jean 94, 125, 132, 133, 136–138, 140, 142,
    143, 148, 201, 266
Delvin, Jean 70, 263 n21
Deman, Edmond 225, 252
Demolder, Eugène 59, 266
Deneken, Friedrich 196
Denis, Maurice 113, 154, 202, 249
Derain, André 251, 258
De Rudder, Hélène 213, 225, 263 n16
De Rudder, Isidore 117, 118, 139, 163, 209, 263
    n16, 266
Désiré, Jean 159
De Smet, Gust 251
Destrée, Jules 122, 149, 223
Destrée, Olivier-Georges 128
Deutscher, Paul 149
De Vigne, Paul 43, 117, 210, 267
Devis 124
Dillens, Julien 42, 43, 114, 115, 117, 210, 262 n16, 267
Doff, Neel 196, 259
Donnay, Auguste 139, 202, 206, 265 n26, 267
Doudelet, Charles 110, 113, 139, 144, 267
Dreyfus, Alfred 150
Dubois, Théodore 46
Dubois, Fernand 190, 195, 209, 214, 225, 267
Dubois, Louis 36, 37, 263 n21, 263 n22, 267
Du Bois, Paul 70, 117, 196, 267
Dubois-Pillet, Albert 72
Dukas, Paul 204, 244
Dulong, René 161
Dumas fils, Alexandre 131
Dumont, Albert 29
Dumont, Joseph J. 263 n17
Duparc, Henri 45, 120
Dupont, Auguste 45, 120, 125
Dupont, Joseph 45–47, 121, 122, 244, 245, 267
Dupuis, Albert 204, 244, 248
Dupuis, Sylvain 245, 246, 248

Duranty, Louis 34
Duyck, Édouard 198, 206, 210
Dvoràk, Antonin 45

E

école de Barbizon 35
de Glasgow 239
de la Cambre 200
de Nancy 164
de Tervueren 35
Eekhoud, Georges 58, 59, 62, 149, 267
église collégiale Saint-Michel 7
église Notre-Dame-du -Sablon 25
royale Sainte-Marie 25
Elskamp, Max 67, 72, 93, 129, 149, 153, 259, 264
    n21, 267
Engel, Émile 121
Ensor, James 9, 11, 13, 39, 48–50, 57, 59, 70, 72,
    74, 75–84, 92, 104, 108, 125, 202, 254, 259,
    261, 263 n21, 267
Les Entretiens politiques et littéraires 129
Eslander, Henri 59
Essor, (l') 42, 72, 78, 115
L'Europe 56
Evaldre, Raphaël 174, 175, 181
Evenepoel, Henri 9, 201, 204–206, 249, 250,
    267
Exposition du Congo à Tervueren (1897) 210–213,
    265 n39, 265 n46, 265 n48
internationale des Arts décoratifs de Turin (1902)
    225, 228, 265 n52
universelle de Bruxelles (1897) 210, 216
universelle de Liège (1905) 222
universelle de Paris (1900) 161, 219, 259

F

Fabry, Émile 134, 139, 140, 225, 267
Falguière, Alexandre 42
Fantin-Latour, Henri 72
Fauré, Gabriel 12, 68, 120, 204, 244
Fénéon, Félix 85, 86, 264 n31
Fétis, François-Joseph 43, 44, 267
Feure, Georges de 199
Filiger, Charles 139
Finch, Alfred-William dit Willy 13, 39, 70, 72, 75,
    78, 85, 88, 108, 153, 154, 163, 195, 251, 267
Flaubert, Gustave 34, 59, 62
Flon, Philippe 246
Fontainas, André 128, 267
Forain, Jean-Louis 249
Ford, John 128
Fort, Paul 131
Fourmois, Théodore 35, 251
France, Anatole 13
Franck, César 13, 44, 45, 118, 120, 203, 264 n45,
    264 n47, 267
François-Joseph, empereur d'Autriche 108
Frédéric, Léon 113, 148, 267
Frémiet, Emmanuel 72
Frère-Orban, Walthère 17
Freud, Sigmund 9, 113

Friché, Claire 246
Friesz, Othon 251
Fromentin, Eugène 21

G

Gabriel, Ange J. 55
Gailliard, Franz 93, 199
Gallait, Louis 18
Gallé, Émile 153, 164
gare Centrale 29, 187
Gauguin, Paul 7, 13, 72, 78, 113, 118, 153, 202, 249
Gautier, Théophile 59
Gérôme, Jean Léon 118, 210
Gervex, Henri 72
Gevaert, François Auguste 44, 45, 125, 248, 267
Ghémar, frères 21
Ghil, René 129
Gide, André 12, 259
Gilkin, Ywan 62, 132, 267
Gilson, Paul 120, 244, 248, 267
Giraud, Albert 59, 62, 63, 67, 242, 267
Girault, Charles 25, 45, 47, 55, 242
Giroux, Georges 255, 258
Glinka 245
Godard, Benjamin 45, 46
Goethals, Charles 70
Goetinck, Jules 244
Gonse, Louis 164
Gorceix, Paul 67
Gounod, Charles 44
Govaerts, Léon 225
Grieg, Edvard 125
Le Guide musical 44, 120, 246
Guidé, Paul 246, 248
Guillaumin, Arman 249
Guiraud, Ernest 46, 244

H

Hamesse, Paul 223, 230
Hankar, Paul 9, 13, 32, 33, 54, 141, 169, 181,
    187–194, 210, 212, 223, 265 n26, 265 n48, 267
Hannon, Édouard 208, 216, 268
Harzé, Léopold 42
Heldy, Fanny 246
Hellemans, Émile 218, 223
Hellens, Franz 59, 253, 258, 259
Heredia, José Maria de 38
Hermans, Charles 36, 38, 40, 268
Heymans, Adrien Joseph 38, 250, 263 n19, 268
Hinton, Horsley 208
Hobé, Georges 210, 225, 228, 265 n45
Hoffmann, Josef 13, 219, 230–236
hôpital Brugmann 187
Horne 153
Horta, baron Victor 7, 29, 51, 54, 55, 58, 141, 150,
    154, 156, 158, 159, 163, 164, 168–173, 175–188,
    202, 213, 214, 216, 225, 261, 265 n26, 265 n45,
    265 n47, 268
hôtel Aubecq 187, 225, 265 n47
    Chatam 160
    Ciamberlani 193

De Brouckère 196
de ville 25
Frison 179
Hankar 187, 188, 190
Hanrez 54, 55
Hannon 214
Max Hallet 169, 187
Métropole 22, 26
Otlet 191, 196, 197
Solvay 7, 156, 162, 164, 176–178, 182, 184
Tassel 170–172, 178, 181, 187, 188
Van Eetvelde 156, 172, 173, 175, 182
Winssinger 179
Zegers-Regnard 188, 189
Houssaye, Arsène Housset, dit 38
Huberti, Gustave 45, 245
Hugo, Victor 62, 63, 131, 149
Humperdinck, Engelbert 245
Huysmans, Joris-Karl 56

I
Ibsen, Henrik 12, 254
Image, Selwyn 153
Indy, Vincent d' 13, 118, 120, 121, 125, 202–204, 244–246, 248, 264 n45

J
Jacobs, Henri 218, 222, 264 n44
Jammes, Francis 259
Janlet, Émile 54
Jardins du roi 24
Jehin 245
La Jeune Belgique 22, 36, 62–64, 70, 132, 148
Joncières, Victorin 46, 244
Jongen, Joseph 204, 245, 268
Jordaens, Jacob 8, 59
Jullien, Adolphe 47

K
Kahn, Gustave 159
Kandinsky, Vassili 258
Kéfer, Gustave 245
Keilig, Édouard 22
Kessler, Harry, comte 199
Khnopff, Fernand 10, 12, 63, 64, 67, 70, 72–75, 92, 95, 100, 102–109, 118, 122, 125, 134, 135, 138, 148, 150, 152, 160, 200, 208, 210, 211, 214, 220, 224, 232, 260, 261, 263 n29, 268, 279
Khnopff, Georges 67, 128, 131, 201, 202
Klimt, Gustav 13, 73, 220, 230, 232
Klinger, Max 113, 202
Klingsor, Tristan 203
Kufferath, Maurice 47, 125, 149, 244, 246, 248, 268

L
Laermans, Eugène 8, 9, 59, 61, 147, 151, 201, 268
Lalique, René 164, 168, 265 n46
Lalo, Édouard 125
Lambeaux, Jef 43, 70, 114–117, 169, 263 n16, 268
Lambrichs, Edmond 39
Lamertin (éditeur) 225

Lapissida 121
Lautréamont, Isidore Ducasse dit comte de 13, 63
Lauweryns, Georges 248
Leblanc, Georgette 13, 203, 245, 246
Le Brun, Georges 148, 202, 268
Leclerc, Émile 35, 36
Lecocq, Charles 46
Leconte de Lisle, Charles Marie 63, 128
Ledru, Léon 164
Legrand, Francine-Claire 110
Lekeu, Guillaume 13, 120, 121, 202, 268
Lemmen, Georges 72, 89–92, 118, 148, 153, 154, 159, 179, 199, 250, 251, 264 n15, 264 n19, 268
Lemonnier, Camille 37–39, 56, 58, 59, 62, 63, 149, 261, 268
Léopold II, roi de Belgique 8, 17, 22, 24, 26, 37, 54, 55, 149, 164, 209, 210, 240, 242, 261
Léopold-Guillaume 8
Lepage, Bastien 113
Le Roy, Grégoire 259, 268
Leroy, Hippolythe 118
Levêque, Auguste 139, 140, 142, 146, 268
Levoz, Arthur 121
Levy 125
Libre Esthétique, la 72, 73, 115, 121, 149, 151–153, 156–161, 179, 192, 200–203, 248–251, 255, 265 n24, 265 n25
Liebermann, Max 72, 202
Listz, Franz 45, 122
Littré, Émile 93
Litvinne, Félia 121, 246
Livemont, Privat 174, 188, 192, 206, 218, 268
Low, Guillaume, 14, 15
Luce, Maximilien 72, 196, 249
Lugné-Poe, Aurélien Lugné, dit 12, 132
Lynen, Amédée 124

M
Mackintosh, Charles Rennie 219, 230, 239
Madox Brown, Ford 113
Maeterlinck, Maurice 12, 59, 62, 63, 66, 93–96, 108, 110, 125, 128, 131, 132, 141, 145, 149, 199, 203, 259–261, 268
magasin le Grand Bazar 185, 187
Henrion 194
l'Innovation 185, 187
Niguet 194
Old England 216, 218
Waucquez 185, 187
Magnard, Albéric 120, 125, 203, 204
Maison Cohn-Donnay 225, 230
des chats 51, 54
du peintre Saint-Cyr 213, 217
du peuple 50, 108, 149, 150, 184, 185, 187, 201
-atelier Bartholomé 189
Mallarmé, Stéphane 7, 12, 38, 63, 67, 93, 97, 128, 129, 131, 134, 201
Manet, Édouard 249
Manguin 251
Maquet, Henri 29, 55, 240
Marcel, Alexandre 55, 243

Marguerite d'Autriche 8
Marie-Henriette, reine de Belgique 46
Marissiaux, Gustave 209
Marlowe, Georges 131, 259
Martucci, Giuseppe 245
Marx, Karl 16, 29
Mascagni, Pietro 125
Maskell, Alfred 208
Massé, Victor 46
Massenet, Jules 45, 46, 122, 125, 244, 246, 248
Materna, Amalia 122
Mathieu, Émile 45, 46, 120, 121, 262 n11
Matisse, Henri 249, 251, 258
Maus, Madeleine 156, 157, 249, 265 n25
Maus, Octave 13, 70, 72, 83, 85, 88, 118, 120, 125, 149, 150, 153, 156, 201–204, 249–251, 255, 263 n21, 265 n24, 265 n25, 265 n56, 268
Max Stevens, Gustave 139
Meier-Graefe, Julius 159, 199
Melba, Nellie 121
Mellery, Xavier 13, 97, 100, 101, 134, 201, 208, 268
Memling, Hans 100, 264 n6
Mendelsshon, Félix 43
Mercié, Antonin 42
Le Mercure de France 129
Metternich, prince de 29
Metzner, Frantz 232
Meunier, Constantin 9, 35, 39, 73, 74, 93, 113, 117, 149, 151, 196, 201, 202, 260, 261, 268
Meunier, Henry 206, 207, 244
Meyerbeer, Giacomo 45
Mignon, Léon 43
Mignon, Victor 114
Mignot, Victor 206
Millet, Jean-François 37, 38, 40
Minne, George 71, 93, 108, 110–112, 129, 139, 144, 146, 147, 196, 202, 220, 251, 260, 261, 268
Mirbeau, Octave 9, 131, 201
Misonne, Léonard 208, 268
Mockel, Albert 70, 129, 134, 150, 259, 268
Moke, Henri 18
monastère de Groenendael 8
de Rouge-Cloître 8
Monet, Claude 13, 72, 78, 86, 202, 249
Monnom, Mme 225
Montald, Constant 134, 138–140, 143, 148, 269
Moréas, Jean 128
Moreau, Gustave 100, 113, 136, 168, 249
Morisot, Berthe 72, 249
Morren, Georges 250, 269
Morris, William 144, 150, 153, 219, 264 n15
Motte, Émile 139
Mottl, Félix 125, 245
Moussorgsky, Modest Petrovitch 245
Mucha, Alfons 206, 239
Muck, Karl 125
Müller, Eugène 159, 164
Müller, grès 158, 164
Müller, Jean-Désiré 159, 164
Munch, Edvard 251
Musil, Robert 259

N

Nabis, les 92, 250, 251
Navez, François-Joseph 18
Nizet, Henri 59
Nouvelle Revue française 132
Novalis, Friedrich, baron von Harenberg dit 128

O

Olbrich, Joseph Marie 219
Osthaus, Karl Ernst 199

P

Paerels, Willem 255, 258
Paladilhe, Émile 46
palais d'Assche 55
 des beaux-arts 70, 71, 187
 du Coudenberg 7
 de justice 24, 32, 33
 royal 53, 55
 Stoclet 13, 230–236
 de la ville de Bruxelles 216
Pantazis, Périclès 39, 70, 78, 250, 269
Pasdeloup, Jules 43
Peach Robinson, Henry 208
Péladan, Joséphin 38, 73, 97, 108, 134–136, 138, 139
Pelseneer, Edmond 220, 224
Permeke, Constant 251
Petit, Georges 72
pharmacie Delacre 216, 219
Philippe le Bon 7
Picard, Edmond 13, 50, 70, 74, 83, 125, 129, 144, 148, 149, 156, 263 n29, 263 n22, 269
Picasso, Pablo 251, 258
Pirenne, Maurice 202
Pirmez, Eudore 50
Pissaro, Camille 72, 85, 196, 249, 264 n31
place Royale 25
La Plume 129
Poelaert, Joseph 24, 32, 33, 34, 269
Point, Armand 139
Pompe, Antoine 225, 228, 239, 240, 269
Proust, Marcel 59
Puccini, Giacomo 246
Pugno, Raoul 244
Pujo, Maurice 121
Puvis de Chavanne, Pierre 100, 113, 202, 264 n31

R

Raff, Joachim 45
Ranson, Paul 202
Rasse, François 245
Rassenfosse, Armand 46, 202, 265 n26
Raway, Erasme 45, 245
Reclus, Élisée 196
Reding, Victor 39
Redon, Odilon 7, 113, 118, 202
Régnier, Henri de 134
Regoyos, Dario de 72, 75, 251, 269
Reicha, Antón 45
Reinhardt, Max 12
Rembrandt 59, 78
Renard, Marius 59

Renoir, Auguste 13, 72, 78, 86, 92, 249
La Revue trimestrielle 36
Reyer, Ernest 46, 47, 122, 124
Reznicek 245
Richter, Hans 44, 125
Rimbaud, Arthur 13, 131
Rimsky-Korsakov, Glazounov 120, 125, 245
Robert, Eugène 70, 148
Rodenbach, Georges 67, 94, 108, 129, 132, 269
Rodin, Auguste 22, 42, 72, 110, 112, 117, 202, 265 n44
Roger de le Pasture 8, 264 n6
Roger, Thérèse 202
Rombaux, Égide 139, 210, 211, 263 n16, 269
Ropartz, Guy 204
Rops, Félicien 9, 12, 13, 34, 35, 37–40, 72, 97–100, 139, 201, 269
Rossetti, Dante Gabriel 100, 128
Rouault, Georges 249
Rousseau, Théodore 35, 37
Rousseau, Victor 139, 201, 263 n16, 263 n18, 269
Roussel, Ker Xavier 249
Roussel, Albert 204
Rubens, Pierre Paul 8, 59
Rubinstein, Anton 45
Rude, François 42
Ruhlmann, Franz 246
Ruskin, John 144, 153, 219
Ruysbroeck l'Admirable 128, 145

S

Saedeleer, Valerius de 147
Saintenoy, Paul 174, 175, 181, 216, 218, 219
Saint-Genois, Jules 18
Saint-Saëns, Camille 45, 46, 120, 244, 245, 248
Salon de Bruxelles 18, 35, 37, 38, 78, 258
Pour l'art 139
Samazeuilh, Gustave 204
Samuel, Adolphe 43, 44, 210, 211, 269
Sardou, Victorien 132
Saxe-Cobourg-Gotha, famille 16
Schiffot, L. 242
Schirren, Fernand 255, 258
Schlobach, Willy 70, 72, 269
Schola Cantorum 203
Schönberg, Arnold 12
Schopenhauer, Arthur 62, 93, 117, 136
Schuré, Édouard 139
Schwabe, Carlos 121, 245
Scott, Baillie 192
Scriabine, Alexandre Nicolaïevitch 138
Séailles, Gabriel 121
Sécession 13, 73, 108, 195, 219, 220
Seguin, Henri 121
Séon, Alexandre 139
serres de Laeken 240, 241, 242
Serrure, Théo 223
Serrurier-Bovy, Gustave 152, 154, 157, 160, 161, 195, 202, 210, 220, 223–227, 264 n15, 265 n26, 269
Servaes, Albert 147, 251
Servais, Franz 120, 122, 264 n47

Sèthe, Louise 199
Seurat, Georges 13, 72, 78, 85–90, 92, 113, 153, 195, 203, 249, 264 n31
Séverac, Déodat de 204
Séverin, Fernand 259, 269
Shakespeare, William 128
Shaw, Bernard 12
Sibelius, Jean 12, 245
Signac, Paul 72, 85, 88, 91, 196, 201, 249
Simonis, Eugène 25
Simon, Frans 70
Sisley, Alfred 72, 86, 92, 249
Smits, Jakob 145, 147
Sneyers, Léon 141, 223, 225, 228, 230, 269
Société des Concerts populaires de musique classique 13, 43–47, 125, 264 n47
Société des Joyeux 34, 36
Société libre des Beaux-Arts 8, 9, 36–39, 42, 70, 71
La Société nouvelle 62, 196
Solvay, Armand 182, 208
Solvay, bibliothèque 218
Spilliaert, Léon 251–256, 269
Stanford, Villiers 245
Stanislavski, Constantin 12
Stevens, Alfred 8, 34, 38, 40, 263 n22, 269
Stevens, Joseph 8, 34, 36, 38, 263 n22
Stobbaerts, Jan 37
Stoclet, Afdolphe 230
Stoumon, Oscar 46, 122, 245, 246, 269
Strauss, Richard 245, 246, 248
Strauven, Gustave 213, 217, 219
Strindberg, August 12, 254
Stück, Franz von 73
The Studio 72, 160, 192
Suys, Léon 22, 27
Svendsen, Johan 245
Le Symboliste 129

T

Tassel, Émile 172, 182, 187
Tchaïkovski, Piotr Ilitch 45, 120
Teniers le Jeune, David 8
théâtre de l'Alcazar 46
 royal de la Monnaie 13, 16, 32, 33, 43–46, 96, 120–122, 245, 246
Théâtre royal flamand 54, 55
Thiéry, les frères 185
Thiriar, James 247
Thoré-Bürger 8
Thorn-Prikker, Johan 113, 195, 265 n21
Tiersot, Julien 120
Tinel, Edgar 125, 244, 245, 269
Toorop, Jan 50, 72, 75, 78, 90, 92, 93, 112–114, 142, 179, 200, 265 n21, 269
Toulouse-Lautrec, Henri de 7, 72, 142, 153, 154, 196, 201, 206, 249
Turner, William 78

V

Vachot, Jules Henry 44
Val-Saint-Lambert, cristallerie du 159–164, 216
Valéry, Paul 259

Vanaise, Gustave 70, 263 n21

Van Bemmel, Eugène 36

Van Biesbroeck, Jules 184

Van Camp, Camille 35

Vandevelde, Henry 218

Van de Velde, Henry 65, 67, 72, 86–87, 90–93, 112, 126, 127, 129, 146, 149, 150, 152–154, 159, 160, 163, 164, 191, 192, 195–204, 210, 216, 218, 253, 260, 261, 264 n32, 264 n15, 264 n19, 265 n21, 265 n44, 265 n45, 269

Van de Woestijne, Gustave 144, 147, 251

Van de Woestijne, Karel 147

Van den Abeele, Albijn 147

Van den Berghe, Frits 251, 255

Van der Goes, Hugo 8

Van der Stappen, Charles 43, 58, 116–118, 210, 214, 215, 270

Vandervelde, Émile 149, 151, 185, 270

Vandervelde, Lalla 149

Vandervelde, Maria 198, 199

Van Dongen, Kees 258

Van Dyck, Antoine 8

Van Dyck, Ernest 47, 246, 270

Van Eetvelde, Edmond 184, 209, 210

Van Eetvelde, Mme 184

Van Gogh, Vincent 7, 13, 72, 92, 120, 142, 153, 191, 195, 196, 249

Van Lerberghe, Charles 12, 62, 67, 68, 93, 108, 131, 132, 134, 149, 259, 270

Van Nu en Stracks 146, 196, 264 n 19

Van Orley, Bernard 8

Van Rysselberghe, Octave 53, 158, 196, 199, 270

Van Rysselberghe, Théo 13, 69–78, 85, 89, 90, 92, 110, 118, 122, 129, 178, 182, 195, 196, 199, 249–251, 270

Van Strydonck, Léopold 72, 167, 168

Van Wilder, Victor 47

Van Ysendijck, Jules Jacques 29, 270

Van Ysendijck, Maurice 30

Ver Sacrum 220

Verdi, Giuseppe 32

Verdyen, Eugène 250

Verhaeren, Émile 12, 13, 50, 59, 62, 64, 67, 70, 72, 85, 93, 95, 96, 108, 110, 125, 129, 131, 132, 134, 149, 150, 199, 259–261, 270

Verheyden, Isidore 72, 270

Verkade, Jan 139

Verlaine, Paul 38, 128, 129

Vermeylen 146, 265 n21

Verstraete Théo 70, 263 n21

Vidal, Paul 120

Viélé-Griffin, Francis 134

Vieuxtemps, Henri 45

Villa Bloemenwerf 192, 195, 199, 200

Villiers de L'Isle-Adam 97, 138

Vinçotte, Thomas 43

Viollet-le-Duc, Eugène 54, 179, 187, 240, 265 n26

Vizzanova, Paul 214

Vlaminck, Maurice de 251

Vogels, Guillaume 9, 39, 70, 72–78, 93, 200, 250, 270

La Vogue 129

Vreuls, Victor 204, 270

Vuillard, Édouard 202, 249

W

Wagner, Richard 13, 32, 43–47, 118, 120, 121, 125, 136, 149, 150, 246, 260

Wagner, Siegfried 125

Walden, Herwarth 258

Waller, Max 62–64, 148, 270

La Wallonie 70, 86, 129

Wansart, Adolphe 139

Wappers, Gustave 18

Whistler, James Abbot McNeill 72, 74, 75, 90, 92, 100, 252

Wiart, Carton de 153

Widor, Charles Marie 248

Wiener Werkstätte 220, 230

Wiertz, Antoine 18, 97

Wilde, Oscar 128, 157

Wilford, Arthur 44

Witkowsky, Georges 204

Wolfers, Philippe 158, 163–168, 209, 211, 213, 225, 265 n29, 265 n39, 265 n46, 270

Wouters, Rik 255, 257, 260

Wysewa, Théodore de 72, 121

Y

Ysaÿe, Eugène 13, 120, 121, 125, 202, 203, 244, 245, 260, 264 n44, 265 n55, 270

Ysaÿe, Théophile 244, 245

Z

Zola, Émile 42, 56, 58, 59, 128

Zukunft 191

Zweig, Stefan 252

Fernand Knopff, *Des yeux bruns et une fleur bleue* ou *Une fleur bleue,* 1905.
Crayon et gouache sur papier, Ø : 18,5 cm.
Gand, Museum voor Schone Kunsten.

CRÉDIT PHOTOGRAPHIQUE